言語の力

「思考・価値観・感情」
なぜ新しい言語を持つと
世界が変わるのか？

ビオリカ・マリアン
今井むつみ［監訳・解説］
桜田直美［訳］

KADOKAWA

This edition published by arrangement with Dutton, an imprint of Penguin Publishing Group,

a division of Penguin Random House LLC through Tuttle-Mori Agency, Inc., Tokyo

エイミー、ナディア、グレース、そして言語を愛するすべての人へ

目次

第II部

社会と言語

デザイン／上坊菜々子
ＤＴＰ／向阪伸一（ニシ工芸）
校正／玄冬書林　ニシ工芸
編集／中島元子（ＫＡＤＯＫＡＷＡ）

もうひとつの言語を持つのは、もうひとつの魂を持つに等しい

——初代神聖ローマ皇帝カール大帝（伝）

はじめに――あるいは、この本へようこそ！

伝説によると、古代の都バビロンには高い塔がそびえていた。あまりにも高い塔なので、人類初の摩天楼といってもいいだろう。この塔が存在したことは歴史書にも記されている。場所は現在のイラクだ。旧約聖書に「バベルの塔」として登場するこの塔は、世界に異なる言語が多数存在する原因とされている。人々は、「天に届く」ことを目指してバベルの塔を建設した。

創世記11章6節に、こんな場面が描かれている。下界に降り、人間が天を目指しているのを見た神は言った。「見よ、民はひとつで、みな同じ言葉である。彼らはすでにこれを始めた。今となっては、彼らがなそうと思ったことを止めるのはもはや不可能であろう」。そして、天に届こうとする人間の野望を砕くために、神は人々を世界に散らばらせ、多くの異なる言語を創造した。その結果、人々はお互いの言葉がわからなくなり、天に届くことを目指して協力して働くこともできなくなった。

この聖書の物語に登場する「言葉」は、人間が天に届くためのカギとして描かれている。とても大きな力を持つ存在だ。バベルの塔の物語からわかるのは、言葉には人々をまとめる力と、人々を分断させる力の両方があるということだ。コミュニケーションを促進する力にもなれば、逆に阻害する力にもなる。

キリスト教以外の宗教でも、天国のような偉大な高みに到達するには言葉がカギになるとされている。たとえば、イスラム教の聖典コーランには、宗教の概念を人間に伝えることができるのは、ひとえに人間に言葉があるからだと書かれている。コーラン14章4節には、「そしてわれわれは、彼の民が使う言葉以外を話す使徒を遣わすことは決してない。それは彼らに教えを明確に伝えるためである」という記述がある。

イタリア人作家で、ホロコースト生存者であるプリーモ・レーヴィは、「静かな星（A Tranquil Star）」と題された随筆[*1]の中で、言葉が持つ限界、そして私たち人間が世界を理解するうえでの限界について見事に描写している。彼の言葉を引用しよう。

星のことを語るには、私たちの言葉は、ほとんど笑ってしまうほど力不足だ。それはたとえるなら、羽で土を耕そうとするようなものだろう。言葉は（中略）私たちとともに生まれ、だいたいにおいて私たちと同じ大きさで、寿命の長さも同じくらいの対象を描写するのに適している。言葉は私たちと同じ次元を持つ。言葉は人間だ。

プリーモ・レーヴィは、人類の歴史を通じて、人間の裸眼で見ることのできる範囲を超えて大きいものや小さいもの、火よりも熱いもの、100万や10億といった数字——すなわち、私たちがそれまで知らなかった概念——を描写する新しい言葉もつくられてきたと指摘する。

つまり言葉は、人間の世界に対する最新の理解、もっとも進歩した理解を反映しているということなのだろうか？　それとも、人間の世界に対する理解が言葉に従っているのだろうか？

言葉と思考の制約が存在する証拠が欲しいなら、最新の機械学習研究を見てみるといいだろう。スタンフォード大学の神経科学者のチームが、大量の行動データを用いて、文章を読む、意思決定を行うといった認知タスクで、人間の脳がどのように分業を行うかを調べた。すると計算アルゴリズムの結果は予想外の動きを見せた。[*2] 人間の言語に基づいた分類パターンに従っていなかったのだ。

初期の研究で、さまざまな言語が属する脳内の場所を特定しようとしたところ、脳内のネットワークの大部分が重なっていることがわかった。今回もそれと同じで、一見するとまったく違う脳の仕事であっても、その境界線は脳そのものの中には反映されていないようだ。その代わりに、アルゴリズムが作成した分類からは、私たちが（まだ）ラベルを貼っていない概念が存在することがうかがえる。それは、私たちが羽を使って耕そうとしている、星々の集まった宇宙だ。

「記憶」や「知覚」といった概念でさえ、機械学習から生まれる構造物を正確に反映していない。[*3]むしろ記憶と知覚は重なり合っている。そこからわかるのは、私たちがそれらの概念を描写するときに用いる語彙と、それらの概念に対する考え方は、依然としてとても不正確だということだ。

私たちは普段、記憶と知覚を別のもののように扱っているが、この2つは人間の脳にとっても、AIにとっても、まったく別のカテゴリーに属する概念ではない。それでも別だと思ってしまうのは、私たち人間が、この2つの脳の働きをより正確に研究し、ラベルを貼るツールをまだ持っていないからだろう。

脳の働きであれ、色であれ、人間のタイプであれ、すべてのものに人間の解釈を超えた厳密な分類が存在するという考え方そのものが、もしかしたら言葉によって生み出された幻想なのかもしれない。この世界に存在するそれらのカテゴリーが「本物」かどうかは関係ない。大切なのは、私たち人間が創造した言語的なカテゴリーであり、概念的なカテゴリーだ。それらは、知覚、科学、偏見といった分野に影響を与える。

心理言語学とは、心の働きと言語の関係を研究する学問だ。今から30年前、大学院に入学した私は、自分のようなマルチリンガルが言語を処理する方法だけでなく、より一般的な人間の認知と神経ネットワークが持つ能力と限界についても学びたいと思っていた。

この本が目指しているのは、私自身と、他の研究者による言語と脳に関する研究を統合し、それをマルチリンガルというプリズムを通して見ることだ。本書を執筆するときに用いた英語は、私にとって第三言語ということになる。そして英語に加え、母語のルーマニア語、第二言語のロシア語、さらにはアメリカ手話、広東語、オランダ語、フランス語、ドイツ語、日本語、韓国語、マンダリン（標準中国語）、ポーランド語、スペイン語、タイ語、ウクライナ語など、研究の対象にした数多くの言語の知識も活用している。

「橋」の性別がもたらす思考への影響

外国語を学んだことのある多くの人と同じように、私は子どものころから、身のまわりの言葉に興味津々だった。ロシア語では「橋」の代名詞は「彼」で、橋を男性的なものとしてとらえているが、一方でドイツ語では、「橋」の代名詞は「彼女」で、女性的なものとしてとらえられている。そして英語では、「橋」の代名詞は「それ」で、性別は与えられていない。その理由は何だろう？

私の母語であるルーマニア語では、橋はさらに複雑な存在になる。単数なら男性で、複数なら女性なのだ。そういった区別は、人々の心や、橋に対する考え方にどのような影響を与えるのだろう？　特に複数の言語を話す人は、それぞれの言語によって同じ対象でも性別が違うという現象から、どのような影響を受けるのか？

最近行われた認知科学の実験によると、ドイツ語を話す人は、橋について「美しい、エレガント、壊れやすい、平和的、きれいな、すらっとした」と描写する。[*4] スペイン語を話す人は、同じ橋でも、「大きい、危険、長い、強い、がっしりしている、高くそびえる」といった印象を持つ。

両者の違いは「橋」の性別だ。ドイツ語とスペイン語では、橋に違う性別を与えている。ドイツ語の橋が女性名詞であることはすでに述べたが、スペイン語の橋の性別はわかるだろうか？　そう、スペイン語の橋は男性名詞だ。そしてルーマニア語の橋については、まだ性別は決まっていない（ちなみにルーマニア語では、単数だと男性で複数だと女性になる名詞は他にもたくさんある）。

無生物の対象に文法上の性別を与えると、その対象に対する考え方も影響を受ける。その事実は、こういった文法上の性別一般に関する最近の議論とも無関係ではない。[*5] 自分やその他のものを表す代名詞を女性にするか、男性にするか、あるいは他の何かにするかということは、その対象をどうとらえるかということに大きな影響を与えるからだ。

ラベルは大きな力を持つ。誰かに与えられたラベルをただ変える、たとえば「奴隷」という呼称を「奴隷にされた人々」と変えるだけでも、話題になっている人たちの印象が一瞬にして大きく変わるのだ。

さまざまな言語を学ぶことは、私たちに貴重な力を与えてくれる。それは、社会に広がる分断を癒やし、差し迫ったグローバルな問題を解決するために欠かせない力だ。母語以外の言語や、違う文化の世界観が持つ有益性や美しさを理解することができれば、偏見にとらわれたり、自分とは違う物事や人々を悪魔化したりする可能性も低くなるということは、想像に難くないだろう。

言葉の力を理解すると、自分が他者の言葉によって操られているということにも気づきやすくなる。その他者とは、政治家かもしれないし、広告、弁護士、同僚、あるいは家族の誰かかもしれない。

言葉を巧みに操り、人々に特定の何かを買わせたり、特定の誰かに投票させたり、狙った評決に導いたりする仕事は、大金を稼ぐことができる。そして複数の言語に通じていれば、言葉が人間の感情に与える力により敏感になれる。なぜなら、言葉の違いから生まれる微妙な差異を、すでに自分の体験として知っているからだ。

翻訳の間違いが生んだ悲劇

言葉の微妙な違いを無視していると、悲惨な結果になりかねない。1999年、NASAが打ち上げた火星探査機「マーズ・クライメイト・オービター」が粉々に分解し、焼失するという出来事があった。[*6] 巨額の資金と、何年にもわたる努力と、数カ月にわたる宇宙の旅がすべて無駄になってしまった。その原因は、英語圏で使われるヤード・ポンド法がメートル法に変換されていなかったことだ。

翻訳の間違い、あるいは最低でも解釈の間違いが生んだ悲劇はこれだけではない。アメリカ国家安全保障局の公開文書に、さらに大きな悲劇が記録されている。

1945年、第2次世界大戦の末期に、連合国のリーダーたちがドイツで会合を開いた。参加したのは、アメリカのトルーマン大統領、イギリスのチャーチル首相、ソ連のスターリン書記長だ。米英両首脳は中華民国の蔣介石総統の同意も得て、日本の無条件降伏を迫る「ポツダム宣言」を発表した。ポツダム宣言には、宣言を受け入れない場合は、どんな返答であろうとも、「迅速にして徹底的な破壊」につながるという記述もあった。

記者会見の場でポツダム宣言への対応について質問を受けた日本の鈴木貫太郎首相は、「コメントを控える」という意味の政治用語で答えた。具体的には「黙殺する」だ。この言葉はさまざまな意味に解釈することができる。「過剰反応はせずに静観する」という意味かもしれないし、あるいは「無視する」、「怒りを内に秘めて黙っている」という意味かもしれない。しかし、ここでは最悪の訳語が選ばれ、それが歴史的な悲劇を引き起こすことになる。アメリカ国家安全保障局の文書から引用しよう。

――この言葉には、鈴木が意図した意味とはきわめて異なる意味もある。残念なことに、各国の通信社は、この言葉を「コメントに値しない」という意味だと解釈した。日本政府は、連合国からの最後通告に対してそのような態度を選んだということだ。アメリカ政府は鈴木の言葉に激怒し（中略）、強硬策をとることに決めた。それから10日もしないうちに原爆投下が決定され、そして実際に原爆が投下された広島は一面の焼け野原になった。*7

ここまで深刻な結果にはならない例もある。私がエモリー大学の大学院生だったときのことだ。この大学があるジョージア州は、カーター元大統領の地元でもある。そのため大統領は、毎年1回、留学生と懇談会を開いていた。

気さくな人柄とユーモアで知られる大統領は、私たちをリラックスさせるために、日本で講演を行ったときの話をしてくれた。大統領が冒頭でジョークを言い、通訳がそれを日本語に訳すと、聴衆が一斉に大笑いした。大統領は講演の後で、なぜあのジョークがあんなに受けたのかと通訳に尋ねた。通訳は最初、大統領をおだてるような言葉を並べたが、ついに本当のことを認めた。実際は、ジョークを日本語にうまく訳すことができなかったので、「カーター大統領は今ジョークを言いました。みなさん笑ってください」と言ったのだ。

私も自分のジョークの後で、「みなさん笑ってください」と言えたらどんなに楽だろう。母語以外の言語を習得しても、それだけで人を笑わせることができるようになるわけではない。天才になれるわけでもなければ、セクシーになれるわけでもない。失われた頭髪が復活するわけでもなければ、大金持ちになれるわけでもない――とはいえ、マルチリンガルであることと収入の間には相関関係があることも事実だ。

2つ以上の言語を習得するとどうなるのか

母語以外の言語を習得することの効果については、世界各国の研究からさまざまなことがわかっている。いくつか例をあげよう。

- 高齢者の場合、マルチリンガルであることは、アルツハイマー病やその他の認知症の発症を4年から6年遅らせ、「認知予備能」（脳が認知症の状態になっていても、症状が出にくい状態のこと）を強化する。*8
- 子どもの場合、第二言語を学ぶと、ある対象と、それを呼ぶ名前の関係は恣意的であるということを早い段階で理解できる。たとえば同じ牛の乳であっても、英語では「ミルク」と呼び、スペイン語では「レチェ」、ロシア語では「モロコ」と呼ぶ。あるいは、好きな呼び方を自分でつくってもかまわない。現実と、その現実を表現するシンボルは同じではない。それを理解すれば、言葉をより俯瞰的にとらえるスキルが手に入り、ひいてはより高度なメタ認知プロセスや、合理的思考を鍛える基礎を固めることができる。

- 生涯を通じて見ると、2つ以上の言語を習得することは、脳の実行機能の向上につながり、大切なものに集中し、そうでないものを無視するのがより簡単になる。
- 複数の言語に通じている人は、物事の間に他の人には見えないようなつながりを見ることができる。そしてその結果、創造性とダイバージェント思考（幅広く考えることで創造的な発想につながるような思考）を用いるタスクのスコアが向上する。
- 母語以外の言語を使うと、より論理的で、より社会全体のためになるような意思決定を行う可能性が高くなる。

今の時代、オンラインのコミュニティを通して全世界がつながり、そのつながりは急速に成長している。それに手軽に外国旅行ができるようになった結果、ほとんどの人は人生のある時点で、外国語を話す人と何らかの形で交流したことがあるだろう。外国人の恋人ができるかもしれないし、外国人の友だちができるかもしれない。外国人が家族になるかもしれないし、職場や学校で外国人と一緒になるかもしれない。

誰でも言葉を使う。しかし、言葉の力を本当に理解している人はほとんどいない。それはたとえるなら、とても貴重なものを持っているのに、自分ではそれに気づいていないのと同じことだ。私はときどき、自分がテレビに登場するアンティークの鑑定士になったような気分になる。人々の屋根裏部屋や倉庫を見て回り、そこでずっとホコリをかぶっていたガラクタが、実は貴重なお宝だったと告げるのだ。

私が心理言語学という分野を専門にしようと決めたのは、言葉が大好きだからであり、言葉と心のつながりを理解するのが大好きだからだ。あなたはすでに、とてつもない能力をその手に持っている。この本が、あなたにそのことを気づかせるきっかけになれば幸いだ。さらに、この本を通して脳の仕組みや働きの一端を垣間見ることで、自分の中に眠る能力を新しい形で解放するカギを見つけてもらいたい。

第I部

個人と言語

私が話す言語の限界は、私の世界の限界を意味する

——ルートヴィヒ・ウィトゲンシュタイン

1 複数の言語を操る脳

私たちはコードの世界に生きている。パソコンのソフトウェアのような厳格なコードもあれば、母語のような流動的なコードもある。あるいは数学のように、人間の経験を超える範囲まで拡大するコードもあるだろう。偏見に満ちたコードもあれば、詩のようなコードもある。そして、すべてのコードが言語だ。言語は私たちの心のコードであると言ってもいいだろう。

自分では気づいていないかもしれないが、あなたの脳はすでに複数のコードを使いこなしている――それは数学、音楽、話し言葉、手話などだ。人間の脳は、複数のコミュニケーション・コードに対応できるように設計されている。そしてコードを学習する過程で、新しい経験や知識への扉が開かれるのだ。世界を違う視点で見るようになり、その結果、脳それ自体も変化する。

スペイン語、マンダリン、あるいはヒンディー語など、外国語を学ぶことの利点を享受していない人はたくさんいる。理由は単純で、マルチリンガルがもたらす結果が誤解されているか、あるいは過小評価されているからだ。ときにはそこに政治的な理由がからむことさえある。しかし、複数の言語に通じると、まったく新しい思考法を手に入れることができる。他の方法でその思考法を手に入れるのは不可能だ。

新しい言語を学ぶのは、たとえば数学を学ぶようなものだ。ただ数学を学ぶだけで、それ以外の方法では不可能なことができるようになる。AIを設計したり、深海に潜ったり、他の惑星に飛んでいったりするのは、すべて数学によって可能になった。あるいは、ただ楽譜の読み方を学ぶだけで、何千キロも離れた遠くの土地でつくられた曲や、何世紀も昔につくられた曲のパターンを知ることができる。

言語を学ぶのもそれと同じだ。世界を形づくる新しいコードに触れることで、新しい思考法が手に入る。

「Boggle」というゲームをやったことがあるだろうか？　これは次頁の写真にもあるように、アルファベットが書かれたキューブをマス目に並べ、この中から単語を見つけるというゲームだ。キューブの並びはシャッフルして決める。制限時間は3分だ。

このゲームをするとき、キューブを置いた盤の向きを変える人がいる。もしかしたらあなた自身が、それをやって他のプレーヤーに怒られたことがあるかもしれない。なぜこんなことをするのかというと、キューブの並びを見た脳がある発見をしたからだ――盤の向きを変えると視点が変わり、視点が変わると、それまで気づかなかったアルファベットの並びが見えてくる。

そして単語を発見し、スコアを上げることができるのだ。
　新しい言語に触れるのも、Ｂｏｇｇｌｅの盤の向きを変えるのと同じだ。それまでとは違う方法で情報を抽出し、解釈するようになる。何を知覚し、何を記憶するかが変わり、考え方が変わり、感じ方が変わる。何を知覚し、何を記憶するかが変わり、意思決定が変わり、アイデアや洞察が変わり、そして行動が変わる。
　ゲーム盤を違う角度から眺めると、脳の中ではある特定のニューロンが活性化し、新しいネットワークが形成され、その結果、「どんな単語が見えるか？」という問いに対する新しい答えが見えてくる。毎日の生活でも基本的な仕組みは同じだ。脳はインプットされた情報がどのように言語化されるかに基づいて、さまざまな答えを出している。

たった1つの単語でも、複雑な概念を伝えることもある。たとえば、「重力」、「ゲノム」、「愛」などがそうだ。大量の情報を、情報伝達が容易な小さなユニットにエンコードすることで、記憶容量と学習を最適化している。言語は1つの記号体系であり、言語と心の科学を支える基礎になる。

しかし、たった1つの記号体系にできることには限界がある。複数の記号体系を獲得し、使用できるようになれば、心の働きだけでなく、脳の物理的な構造そのものまで変化するのだ。その効果は、ただ使える言語が増えるだけでなく、人生を変える力にさえもなる。

世界の人の過半数は複数の言語を話す

意外に思うかもしれないが、全世界に暮らす人の過半数がバイリンガルかマルチリンガルだ。そして現時点で、世界では7000以上の言語が話されている。もっとも話者が多い言語は英語とマンダリンで、それぞれの話者は10億人以上だ。次いでヒンディー語とスペイン語で、それぞれの話者は5億人を超える。それに続くのが、フランス語、アラビア語、ベンガル語、ロシア語、ポルトガル語だ。

全世界的に見ると、複数の言語を話す人は、例外ではなくむしろ普通の存在だ。たとえば、インドネシアでもっとも話す人が多い言語はインドネシア語であり、話者は人口の94パーセントを超える。しかし、インドネシア語が第一言語だという人となると、人口のわずか20パーセントにすぎない。第一言語とする人口がもっとも多いのはジャワ語だが、一方でジャワ語を話す人は人口の30パーセントしかいない。

また、ヨーロッパ、アジア、アフリカ、南アメリカの多くの国では、生まれたときから複数の言語に触れながら育ち、さらに学校で、あるいは大人になってからも新しい言語を習う。ルクセンブルク、ノルウェー、エストニアでは、人口の90パーセント以上がバイリンガルかマルチリンガルだ。ヨーロッパ全体で見ると、人口のおよそ3分の2が少なくとも2カ国語を話し（欧州委員会の推計によると、3カ国語以上を話すのは全人口の4分の1だ）、そしてカナダは人口の約半数がバイリンガルだ。大学などの高等教育を受けた人にかぎるとその数字はさらに増え、EUの場合、高等教育を受けた人の80パーセント以上が2つ以上の言語に通じているという。

複数の公用語を定めている国も多い。たとえばカナダの公用語は英語とフランス語だ。ベルギーの公用語は、フランス語、ドイツ語、フラマン語（オランダ語）の3つ。南アフリカにいたっては公用語が11もある。さらにインドはそれをはるかに超え、憲法によって20以上の言語が公用語と認められている。インドではマルチリンガルが当たり前だ。全世界で見ると、子どもの約66パーセントがバイリンガルとして育てられ、そして多くの国で外国語が学校の必修科目になっている。

1つの言語だけを話すモノリンガルが当たり前とされてきたアメリカでも、複数の言語を話

家庭内で英語以外の言語を話す世帯の割合

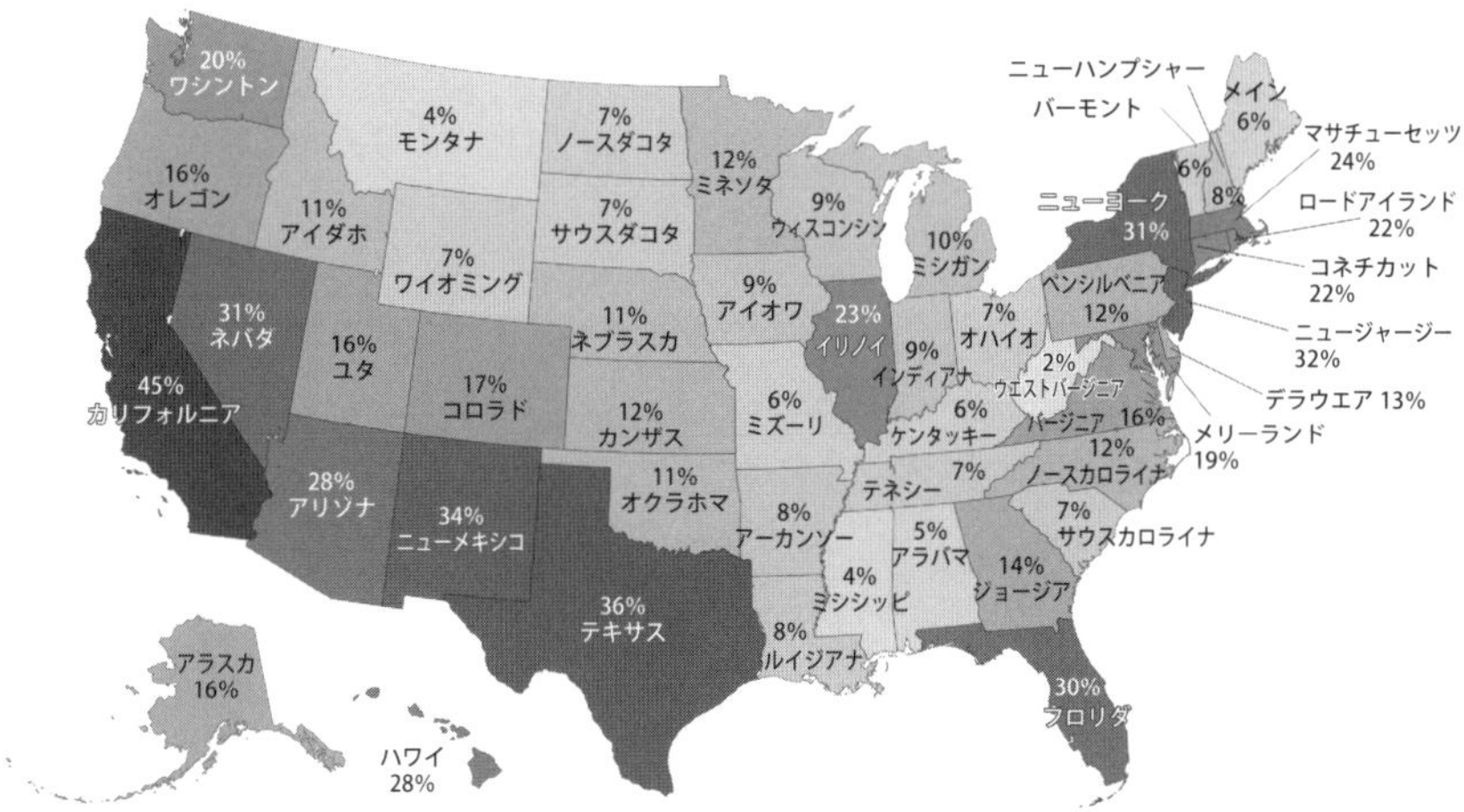

す人口が急速に増加している。家庭で英語以外の言語を話す人は人口の5分の1を超えた[*1]（2020年に22パーセント）。この数字は過去40年で倍増し、今でも増え続けている。大都市では50パーセント近いと見積もられている。

それなのに、マルチリンガルと脳の関係については、まだほとんど理解されていない。その理由は、科学者たちが盤の向きを変えずにBoggleをプレーしていたからだ。

これまでの研究をふり返ると、そのほとんどがモノリンガルの人たちに焦点を当てていたことがわかる。その傾向は今も変わらない。それはつまり、1つの言語しか話さない人を通して人間の脳を理解しようとしているということであり、その結果、理解が制限されるだけでなく、多くの誤解も生まれてしまっている。

モノリンガルの人だけを見て人間の脳を理解しようとするのは、白人男性だけを対象に心臓病と糖尿病の研究を行い、その結果がすべての人にあてはまると考えるのと同じようなものだ。現代の医学ですでに解明されているように、心臓病の発症のメカニズムは男性と女性で違い、そしてアメリカ先住民と白人では糖の代謝のメカニズムが違う。

2つ以上の言語や方言を話す人は、言語、認知、神経の構造がモノリンガルの人とは異なる。あまりにも長い間、この違いは重要なサインとして認められず、むしろノイズとして無視されてきた。人間は本来、このように複雑なシステムであるはずなのに、マルチリンガルの複雑さは「問題」という扱いを受けてきたのだ。

学術研究の場で言語の多様性を無視することには、どのような危険性があるのだろう？　歴史の中から1つ例をあげるとすれば、1924年移民法がある。当時のカルビン・クーリッジ大統領の署名によって成立したこの法律は、アメリカが移民を受け入れる国を規定している。具体的には、北ヨーロッパと西ヨーロッパの移民は受け入れるが、南ヨーロッパ、東ヨーロッパ、アジア、アフリカの移民は受け入れない。

この差別的な法律の狙いはアメリカの遺伝子プールを「向上」させることであり、その背景には「優生学」と呼ばれる研究分野がある。人種や民族によって知能に違いがあるかという研究が行われたのだが、その際に言語や文化の違いを考慮に入れず、英語を話さない人たちも英語によってテストを実施したために、現実を反映しない結果が出ることになったのだ。

優生学は、現在では間違いだったと認められている。エリス島で船を下りたばかりの農民が、いきなりまったく知らない言語で「知能」テストを受けることになったと想像してみよう。テストが英語であれば、英語を話す人、英語と似た言語と話す人、あるいはゲルマン語派の人のほうが、英語と似ていない言語を話す人よりも有利になるのは当然ではないだろうか。

1924年移民法は最終的に廃止されることになるが、移民政策の差別的な色合いは今でも根強く残っている。複数の言語を話す人に対する理解不足によって、人間の持つ能力が依然として誤解されているのだ。その結果、個人の可能性が制限され、移民や外国語へのネガティブな態度も解消されず、教育や社会政策にも偏見が残ることになった。科学の研究で複数の言語を話す人も対象にすれば、人間についてより正確に理解できるようになるだろう。

バイリンガルの目の動き

最近にいたるまで、マルチリンガルの脳を研究するツールは存在しなかった。しかし科学とテクノロジーの発達により、これまでにない新しいメソッドが活用できるようになった。[*2] たとえば、磁気共鳴機能画像法（fMRI）という手法を使えば、脳内の血液酸素化反応を計測することができる。脳内の電気活動を知りたければ脳波（EEG）を計測すればいい。他にも、瞳孔の動きや膨張を検知するアイトラッキングや、機械学習、さらには世界のインターネットに蓄積された膨大な情報もある。

私の研究室では、アイトラッキングの技術を使った実験を行っている。[*3] この実験の目的は、日常生活で目にするもの、注意を払うもの、記憶するものは、そのときに話している言語から影響を受けると証明することだ。[*4]

実験の具体的な中身を紹介しよう。バイリンガルの被験者が机に向かって座り、目の前にあるさまざまな物体を動かす。その間、彼らの目の動きをアイトラッキングで記録する。[*5] この実験の画期的な点は、響きは似ているが意味は異なる名前の物体をいくつか集めたことだ。たとえば、英語の「marker（サインペン）」とロシア語の「marka（切手）」、英語の「glove（手袋）」とロシア語の「glaz（目）」、英語の「shark（サメ）」とロシア語の「sharik（風船）」というように。私が博士論文のために研究をしていたころは、こういった実験用のアイテムを実際にお店を回って買う必要があった。しかし今では、ウェブカメラを使ってすべてオンラインで実験を行うことができる。

被験者の目の動きを分析した結果、バイリンガルの人は、1つの言語、たとえば英語で「marker」、「glove」、「shark」といった単語を聞くと、他の言語で似た響きの名前を持つもの（ロシア語の「marka（切手）」、「glaz（目）」、「sharik（風船）」）のほうにも目を動かすということがわかった。

モノリンガルの英語話者と比較すると、バイリンガルもモノリンガルも、単語を聞いて目を向けたのは、同じ英語で似た響きの名前を持つもの（たとえば「marker」と「marble（大理石）」、「spear

（槍）」と「speaker（スピーカー）」など）だけだ。[*6] 外国語で似た響きの名前を持つものに目を向けたのは、ロシア語と英語のバイリンガルだけだ（「marker」と「marka（切手）」、「spear」と「spichki（マッチ）」など）。[*7] 英語のモノリンガルは、他のまったく関係ないものと同じように、ロシア語で似た響きを持つものにも目を向けない。

このように、まったく同じ刺激を与えられても、バイリンガルとモノリンガルでは反応が異なる。そこからわかるのは、他の言語で似た響きを持つもののほうに目を向けるのは、バイリンガルの脳内でもう1つの言語を司る部位も活性化されるからかもしれないということだ。[*8]

他にも、「ストループ課題」と呼ばれるおもしろい実験手法がある。[*9] これは、色の名前をその色とは違う色で書き、「文字の意味」か「文字の色」を答えるという課題だ。たとえば、「黒」という文字が緑色で書かれていたり、「緑」という文字が黒色で書かれていたりする。「黒」という文字がそのまま黒色で書かれている場合もある。

文字の意味ではなく色を答えるという課題を与えられると、たいていの人は、意味と色が同じ場合（黒いインクで「黒」と書く）のほうが、意味と色が違う場合（黒いインクで「緑」と書く）よりも、文字の色を早く正確に答えることができる。

そしてマルチリンガルは、ストループ課題で他よりもいい成績になることが多い。マルチリンガルは日常的に、そのときに必要なある1つの言語に集中し、他の言語の干渉を制御するという訓練を行っている。文字の色（求められている情報）に注意を払い、文字の意味（求められていない情報）を無視する能力は、そのような普段の訓練の副産物であると考えられるだろう。[*10]
マルチリンガルは、他の言語の干渉を制御するという訓練を重ねてきた結果、そのときに必要なパラメーターに集中し、不必要な情報を無視するという能力が磨かれた。まさにこの能力こそ、脳の実行機能のもっとも大きな特徴だ。

頭で考えるか、心で考えるか

マルチリンガルであることの影響は、脳の実行機能だけにとどまらない。記憶、感情、知覚をはじめ、およそ人間が経験することのすべてが影響を受けている。私たちが行ったある研究で、マンダリンと英語のバイリンガルに「片手を上にあげ、遠くを見ている像の名前は何ですか？」と質問をしたところ、彼らの多くが、英語を話しているときは「自由の女神」と答え、マンダリンを話しているときは「毛主席」と答えた。[*11]
また、「第2次世界大戦で、日本が最初に攻撃を行った年と場所を答えてください」という問いに対しては、英語を話しているときは「１９４１年のパールハーバー」と答え、マンダリンを話しているときは「１９３７年の盧溝橋」と答えた。「重い身体障害にもかかわらず成功した女性をあげてください」という問いに対しては、多くの人が英語を話しているときは「ヘレン・ケラー」と答え、マンダリンを話しているときは「張海迪《ジャンハイディー》」と答えた。

被験者のバイリンガルたちは、どちらの答えも知っている。しかし、そのときにどちらの言語を話しているかによって、まっ先に頭に浮かぶ答えが異なる。言語と文化の間には密接なつながりがあるために、言語は文化を媒介するような役割を果たす。そのため、話す言語が変わると、文化の枠組みもそれに合わせて変化するのだ。

マルチリンガルは、子ども時代の体験や、昔の恋人といった個人的な記憶であっても言語の影響を受ける。ある言語で昔の記憶について尋ねられると、それと同じ言語を使っているときに起きた出来事を思い出すことが多い。また別の研究でも、子どものころにアメリカに移住してきたバイリンガルは、母語を話しているときは移住する前の出来事をよく思い出し、英語を話しているときは移住してからの出来事を思い出すことが多いという結果になった。

私の講義を受けていた学生からこんなメッセージが届いた。「私は自分を被験者にしてこの実験を行ってみることにしました。母とFaceTimeで話すときに、まず通話のはじめで、昔の記憶について中国語で尋ねてもらう。そして通話の最後で、今度は英語で最初と同じ質問をしてもらうという方法です（もちろんまったく科学的な実験ではないけれど、やってみたら楽しいと思います！）。母からの質問は、『遊び場で遊んだ最初の記憶は何？』でした。広東語でこの質問をされたとき、まっ先に頭に思い浮かんだのは、昔住んでいた古いアパートで両親と一緒に遊んだことでした。そして英語で同じ質問をされると、今度は幼稚園の園庭で『お姫様ごっこ』をした記憶がまっ先によみがえりました。まったく同じ質問なのに、最初に思い出す記憶が違うのは、とても奇妙な感じがしました。でもよく考えてみると、むしろこれは当然の反応かもしれません。両親と一緒に昔のアパートで遊んだとき、私は広東語を話していました。そして幼稚園では英語で教育が行われていたのです」

そのときに話している言語によって思い出す記憶が異なるという現象は[*12]「言語依存記憶」[*13]と呼ばれている。ここからわかるのは、相手がバイリンガルの場合、裁判や取り調べで質問をするときや、過去のトラウマ体験の話を聞くとき、心理セラピーを行うときは、どの言語を使うかが大きな意味を持つということだ。

ある言語によってある記憶を思い出すと、今度はその記憶が、自分自身をどう思うかということや、物事を理解する枠組みに影響を与える。さらに言語は、愛や憎しみといった感情にも影響を与えることがある。たとえば愛を伝える言葉も、母語とそれ以外の言語では伝わる感情の強度が大きく異なる。[*14]そのためマルチリンガルの中には、対象と感情的な距離を取りたいときに、あえて母語ではない言語を使う人もいる。

母語以外の言葉を使ったからといって、『スタートレック』に登場する、感情のまったくないバルカン人のようになれるわけではないが、母語を使うときに比べれば感情を排するのが簡単になるのはたしかだ。[*15]ネルソン・マンデラはこんな有名な言葉を残している。「相手が理解する言葉で話しかければ、その言葉は相手の頭に届く。そして相手の母語で話しかければ、その言葉は相手の心に届く」

さらに極端な例をあげると、マルチリンガルはそのときに使っている言語によって、ある人物や出来事、物事への感じ方が変わることもあるのだ。また、罵倒や怒りを表現するネガティブな言葉や、タブー表現にどう反応するかということも、そのときに使っている言語から影響を受ける。

マルチリンガルの人たちを対象にした調査の結果、使う言語によって感じ方が変わるだけでなく、たとえば発汗量の変化で興奮度合いを計測するガルバニック皮膚反応※や、脳の活動を計測する事象関連電位※やｆＭＲＩ※など、身体の生理的な反応も変わることがわかった。さらには言語によって、感情に駆動された意思決定の結果も異なってくる。

ポジティブ・ネガティブな感情と言語の間に具体的にどのような関係があるかは、人によって違う。ある人にとっては、第二言語のほうがよりポジティブに感じる。その理由は、第二言語を使うという状況が、自由、金銭的な豊かさを手に入れるチャンス、迫害からの脱出などを連想させるからだ。そういう人たちにとって、母語は貧困、迫害、苦難を連想させる。

その一方で、まったく反対のイメージを持つ人たちもいる。彼らにとって、第二言語は移民した先での苦労や差別、孤独と結びつき、そして母語は家族、友人、親の愛などと結びついている。しかし、多くの人はその中間のどこかに位置し、それぞれの

※ガルバニック皮膚反応：発汗は暑い日や運動中の体温調節の役割を持つが、それだけでなく恐怖、脅威、喜びなどによっても引き起こされる。情動が強ければ強いほど発汗量も多くなることから、発汗量を計測することで、どの瞬間に情動が変化したかがわかる。

※事象関連電位：脳の活動によって引き起こされる波のような信号を脳波という。脳波は外的、内的な刺激で一過性の変化を起こす場合があり、事象関連電位はその一過性の変化を指す。

※fMRI：脳の活動がどの部位で起きたかを画像化できる装置。詳細はP95参照。

言語に対してネガティブな感情とポジティブな感情の両方を抱いている。

近年、いわゆる「外国語効果」[*16]に関する研究がかなり蓄積されてきた結果、母語ではない言語を使っているときのほうが、倫理的な判断から資産の配分まで、生活のさまざまな分野でより合理的な意思決定ができるということがわかってきた。

たとえば、有名な「トロッコ問題」で考えてみよう。トロッコ問題とは、「ある人を助けるために他の人を犠牲にするのは正しいか」という倫理的な判断を問う問題だ。[*17]線路を走っていたトロッコが暴走して制御不能になった。このままでは線路の先にいる5人の作業員の命が危ない。あなたは現場近くの橋の上からそのようすを見ている。あなたの隣には、大きなバックパックを背負った大柄な人が立っている。その人を線路に突き落とせば、その人はトロッコに轢《ひ》かれて死んでしまうが、衝突の衝撃でトロッコは停車し、5人の作業員の命は救うことができる。この場合、5人の命を救うために1人の命を犠牲にすることは、はたして許されるのだろうか?

バイリンガルにトロッコ問題について尋ねると、母語で答える場合、5人を救うために1人を犠牲にするのは許されると答える人は20パーセントだ。そして第二言語で答えると、その割合は33パーセントになる。5人を救うために1人を犠牲にするのを是とするのは功利主義的な考え方であり、より合理的な判断とされている。ここからわかるのは、使う言語を変えただけで、判断がより合理的になるということだ。

また別の実験では、バイリンガルと「ずる」の関係について調べている。[*18]誰も見ていないところでサイコロを振り（出た数字は本人だけが見ることができる）、その数字を報告する。数字が大きくなるほど、もらえる報酬も増えることになっている。

誰もが正直に報告するのであれば、1から6のいずれかの数字が出る確率は6分の1だ。しかし実際は、母語を使っているときのほうが、外国語を使っているときに比べ、数字の5か6を報告する確率が高くなり、1か2と報告する確率が低くなる。

どうやら言語には、私たちが「ずる」をするかどうか、合理的に判断できるかどうかといったことや、全般的な意思決定に影響を与える力があるようだ。さらには、第二言語を話しているときのほうが正直になるとまでいえるかもしれない。

まとめると、言語は私たちの感情に影響を与える。言語によって自分の中にある違う側面が引き出されたり、違うアイデンティティが隠されたりする。ジキルとハイドほど極端ではないかもしれないが、話す言語を変えると、母語を使うときは隠れていた違う自分が解き放たれることもある。

虹は何色？

これまで見てきたようなアイデンティティや記憶、人間関係以外にも、外国語を学ぶことには、自分の中にある「宇宙の構造」を変える力がある。英語話者であれば、「rainbow（虹）」という言葉から思い浮かべるのは、空にかかる7色の橋だ。しかし実際は、虹を構成する色は7つではない。色のスペクトルがシームレスにつながり、無限の広がりを持っている。虹にどんなイメージを持つかは、色を表す言葉をどれくらい持っているかということから影響を受ける。話す言語が変われば、色を表す言葉も変わり、その結果、虹に対するイメージも変わるのだ。

　虹の色をどのように定義するかということ、さらにより一般的には空（や宇宙）がどう見えるかは、そのときに使っている言語から影響を受ける。そしてその影響は、視覚だけにとどまらず、嗅覚、味覚、触覚、時間の感覚をはじめ、人間が経験することのあらゆる側面にも及んでいる。

　たとえば、ワインやスコッチの利き酒には、コク、仕上がり、味、香りを描写する豊かな語彙が存在し、その結果として、利き酒をする人たちも、それらの語彙を使って、普通の人にはわからないようなより微妙なニュアンスを認識し、記憶することができる。シェフや調香師もそれと同じで、味や香りを表現する豊富な語彙を持ち、そのおかげで味や香りの微妙な違いを認識して仕事に活かしているのだ。

　私たちの誰もが、ものの名前や呼び方の語彙を備えている。それが1つの言語であっても、多くの言語であっても、私たちの世界に対する認識に影響を与えることに変わりはない。言語が認知に与える影響には限界があると思うかもしれないが、知覚や記憶のある程度までは、名前や呼び方の語彙から影響を受けるというエビデンスは実際に存在する。1つの言語しか知らなければ、その人の知覚や記憶はその言語に強く支配されてしまう可能性がある。別の言語を学べば、たった1つの言語に支配されることから逃れることができる。

私たちが現実をどう認識するかということは、知っている言葉だけでなく、脳内の活動のパターンとも結びついている。そしてこのパターンに影響を与えるのは、個人の経験だ。私たちが現実だと思っていることも、基本的には脳内の活動だ。

人間の知覚と思考は神経の活動パターンという制約を逃れることができず、そして使う言語が変わると活動する神経ネットワークも変わるので、複数の言語を話す人は、まさに驚異的としか呼べないような方法でその制約を乗りこえることができるのだ。

私たちが見たり聞いたりすることは、どのニューロンがもっとも発火する可能性が高いかということから影響を受ける。そしてどのニューロンがもっとも発火する可能性が高いかを決めるのは、最近の経験でどのニューロンが実際に発火したかということだ。

バイリンガルの場合、使う言語を切り替えると、活動するニューロンのネットワークも変化する。そして脳内の活動が変化すれば、それにつれて知覚が変わり、現実の解釈が変わり、その結果として複数の神経ネットワークの間を自由に行き来できるようになる。これはつまり、複数の存在の次元の間を行き来できるといっても過言ではないかもしれないということだ。

2 脳は複数の言語を同時に処理している

冷戦時代に鉄のカーテンの向こう側で育った人間の1人として、私もそれなりの数のスパイ小説を読んできた。西側で有名なスパイ小説の主人公といえばジェームズ・ボンドだが、ソ連版ジェームズ・ボンドとも呼べる存在がマックス・オットー・フォン・スティルリッツだ。彼を主人公にした映画や小説、テレビシリーズ、さらには彼をネタにしたジョークやパロディまで数え切れないほど存在する。かつてのソ連人や、現代のロシア人の中で、スティルリッツを知らない人はおそらくいないだろう。

映画『007』シリーズの売りはアクションであり、お色気とポップカルチャー満載の内容だが、スティルリッツの世界はスパイたちがくり広げる知能戦だ。しかし、ボンドとスティルリッツだけでなく、すべてのスパイ映画やスパイ小説に共通する要素を1つあげるなら、潜伏する「モグラ」を見つけるというストーリーだろう。スパイ映画やミステリー小説の筋書きでも、現実のスパイたちの諜報活動でも、誰がどの情報を持っているのかということを軸に展開されることが多い。

にわかには信じられないかもしれないが、これまで見てきたようなバイリンガルを対象にした心理言語学の実験は、このモグラの捕獲や、さらには諜報活動全般に貢献できる可能性を秘めているのだ。これらの実験の多くは、被験者の目の動きと脳の活動に注目し、脳が情報をどのように処理するかを解明することを目指している。

アイトラッキングでは、その名前からも想像できるように、被験者の目の動きを記録する装置を使用する。離れた場所から記録することもあれば、ヘッドバンド、キャップ、メガネにカメラを搭載して記録することもある。

目の動きはほんの一瞬の出来事だ。本人が意図して動かすこともあれば（たとえば、見たいと思う対象に目を向けるとき）、本人も気づいていない目の動きもある。脳の働きを知るうえで重要になるのは、この意図しない動きのほうだ。[*1]

スパイをあぶり出せる？

心理言語学の研究によって、自分が知っていること（たとえば話すことができる言語）が脳の働きに影響を与えることがわかってきた。これは逆に言えば、誰かの目の動きを観察し、意図せずに目を向けている対象に注目すれば、その人が何を知っているかがわかるということだ。そしてこれと同じテクニックは、何か隠しごとをしている人を見つけ出すときにも活用できる。

理論上は、衝動性眼球運動や、脳の働きを観察するだけで、ロシアのスパイをあぶり出せるということになる。なぜなら衝動性眼球運動は、脳内でシナプスが発火するのと同じように、本人の意図とは関係ない動きだからだ。誰かの目の動きをただ記録するだけで、その人が何語を話し、その人が何を知っているのかがわかってしまう。

周りの環境の中で何がその人の興味を引いたかを知りたいなら、アイトラッキングは理想的な方法だ。人が注意を向ける先を観察すれば、その人の心の働きを推論することが可能になる（本書でもこれから見ていくように、脳画像のテクノロジーは、その人が今考えている内容を解明する方向に着実に進歩している）。

無限に広がる連想ゲーム

科学の世界では、バイリンガルの脳内では言語の切り替えが行われていると、長年にわたって信じられてきた。そのときに使わない言語のスイッチは切り、使う言語のスイッチだけを入れるということだ。しかし、研究の結果、意外なことがわかった。複数の言語を話す人は、ある言語である単語を聞くと、他の言語でその単語と似た響きをもつもののほうに目を動かすのだ。

バイリンガルの脳内では、そのときに使われていないほうの言語であってもつねに活発な状態にあり、自動的に処理が行われている。この事実は、人間の心や言語について、私たちに何を告げているのだろう？ 私の10年にわたる探求は、この疑問から出発している。

すべての言語を活動中の状態に保ち、並行して処理するという点に特に驚きを覚えるのは、これが非効率的だとしか思えないからだ。別の言語はシャットアウトすればいい。わざわざ仕事を2倍にすることなどないではないか？ 1つの言語の中でだけ意味を探したほうがずっと効率的だ。

しかし、どうやらそういうことではないらしい。

ある単語を聞き、その単語の意味を探し出すという一連の流れを実施するときは、単語を1つずつ処理するのはかなり非効率的だ。

たとえば、だれかに「スピーカーを持ってきて」と言われたとしよう。そのとき、周りにあるすべてのものを1つずつ検証し、スピーカーかどうか判断していたら、永遠に正しい答えにたどり着くことはできない。これはスピーカー？ 違う、これはカップだ。これはスピーカー？ 違う、これは電話だ。これはスピーカー？ 違う、これは鉛筆だ、というように。

あなたの脳はもっと効率的に働いている。「スピーカー」という単語を聞くとき、最初の「ス」という音が聞こえた時点で、あなたの脳内では「ス」という音で始まるすべてのアイテムを一斉に探索する活動が始まるのだ（スポンジ？　スプレー？）。そして「ピー」、続いて「カー」という音が聞こえると、脳内では情報が増えるごとに対象が絞り込まれていく。そして音で聞いた情報が、周りの環境から入ってくる視覚のイメージと統合され、*2 最終的に正しい答えだけが残るという仕組みだ。

マルチリンガルの脳内では、このように知っているすべての言語が並行して活性化するようになっている。そのため、英語の「speaker（スピーカー）」という単語を聞いたときは、同じ英語の「soap（石鹼）」、「spray（スプレー）」、「spear（槍）」などだけでなく、同じ「s」で始まる他の言語の単語も可能性として浮上し、探索の範囲が大きく広がる。

たとえば、この人が英語とロシア語のバイリンガルなら、ロシア語の「slon（象）」、「speert（アルコール）」、「spichki（マッチ）」などの単語も同時に浮かんでくる。音から意味を探索する過程で、すべての言語がその探索の対象になる。つまり、インプットされる言語が何であれ（たとえそれが予期していない言語であっても）、脳は効率的に正しい答えにたどり着けるということだ。こうやって複数の言語を一斉に活性化することで、スイッチを切った状態にある言語を再起動するよりも、早く理解し、早く反応することができる。

ロシア語と英語のバイリンガルを対象にした最初の実験以来、全世界でアイトラッキングを用いた実験が数多く行われてきた。それらの実験でも、バイリンガルの脳内では複数の言語が同時に活性化されるという結果になっている。実験の対象になった言語の組み合わせは、スペ

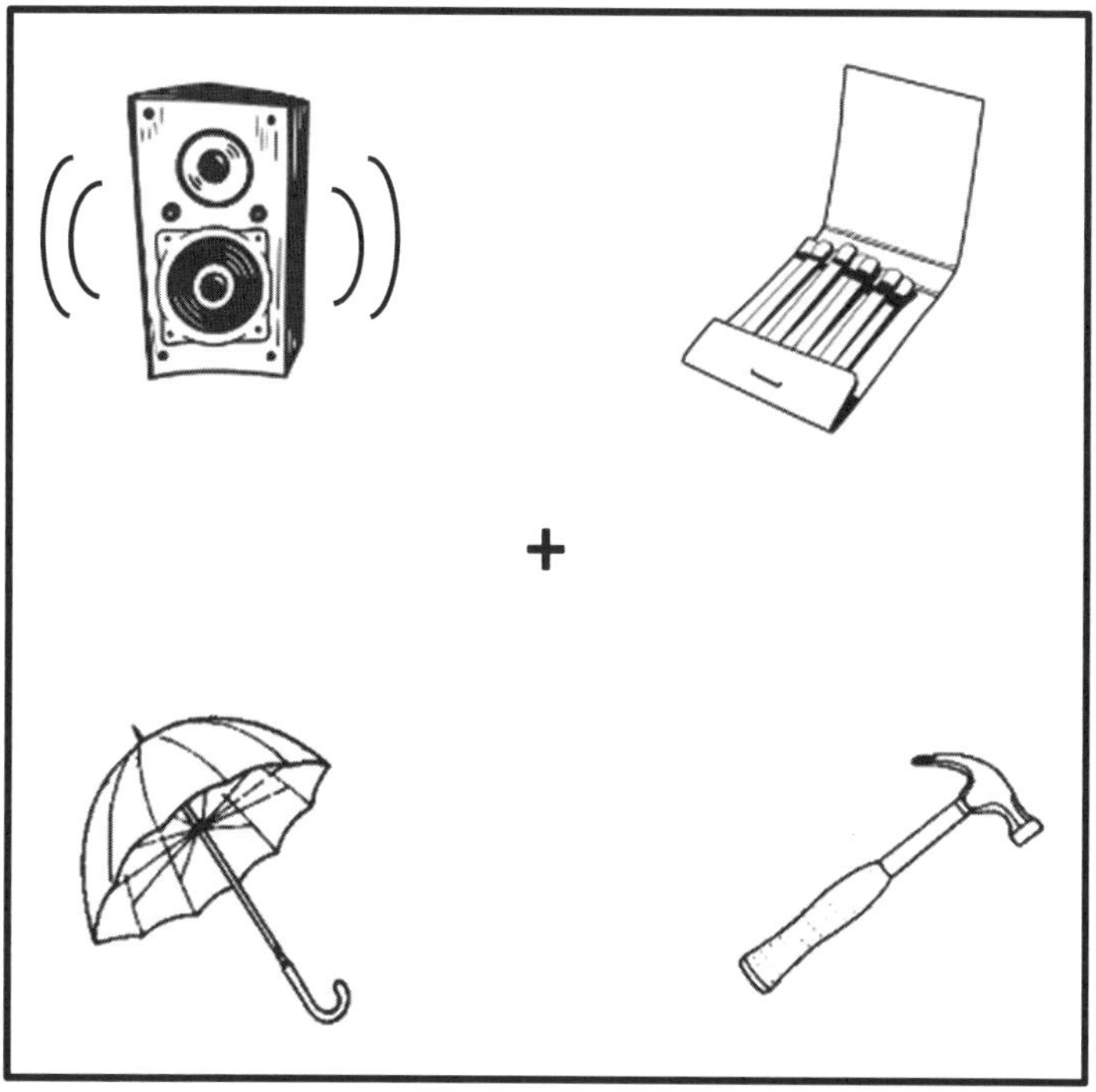

「スピーカーをクリックしてください」と言われたとき、被験者が見ているスクリーンにはこのような画像が表示される。スクリーンには、マッチ(ロシア語でspichki)のイラストもある。ロシア語と英語のバイリンガルは、「スピーカーをクリックしてください」と言われると、スピーカー以外の他のイラスト(傘とハンマー)よりもマッチを見る回数が多く、また英語のモノリンガルよりもマッチをたくさん見る。

イン語と英語、日本語と英語、オランダ語と英語、ドイツ語とオランダ語、ドイツ語と英語、フランス語とドイツ語、ヒンディー語と英語など、他にもまだまだたくさんある。

　このような言語の並行処理が可能になるのは、脳には複数のタスクを同時に実施する能力があるからだ。また、複数の刺激や、複数のインプットを同時に扱うこともできる。脳は同じ仕事をくり返すのではなく、情報を処理する方法を変える。マルチリンガルの脳は、自らの並行処理の能力を拡大し、その結果として、複数言語を並行して活性化するというタスクをコントロールする際に必要な高次の認知プロセスを変化させている。

　つまり、人間の脳は並行処理が可能なスーパー臓器であり、マルチリンガルの脳はその能力がさらに増幅されるということだ。

　似た響きの単語であれば、複数の言語が同時に活性化するというのもたしかに納得できるだろう。しかし私たちは、他言語で似た響きの単語だけでなく、翻訳したときに似た響きになる単語がある場合も、複数言語が同時に活性化することを発見した。

　このような隠れた同時活性化が確認されたのは、スペイン語と英語のバイリンガルを対象にした実験だ。[*3] たとえば、英語で「duck（アヒル）」という単語を聞き、スクリーンに映された4つの画像からアヒルの画像を選ぶ。アヒルはスペイン語で「pato」であり、そしてスクリーンには、スペイン語で発音の似ている「pala（シャベル）」の画像が映し出される。スペイン語と英語のバイリンガルは、英語で「duck」という単語を聞き、該当する絵をクリックするように言わ

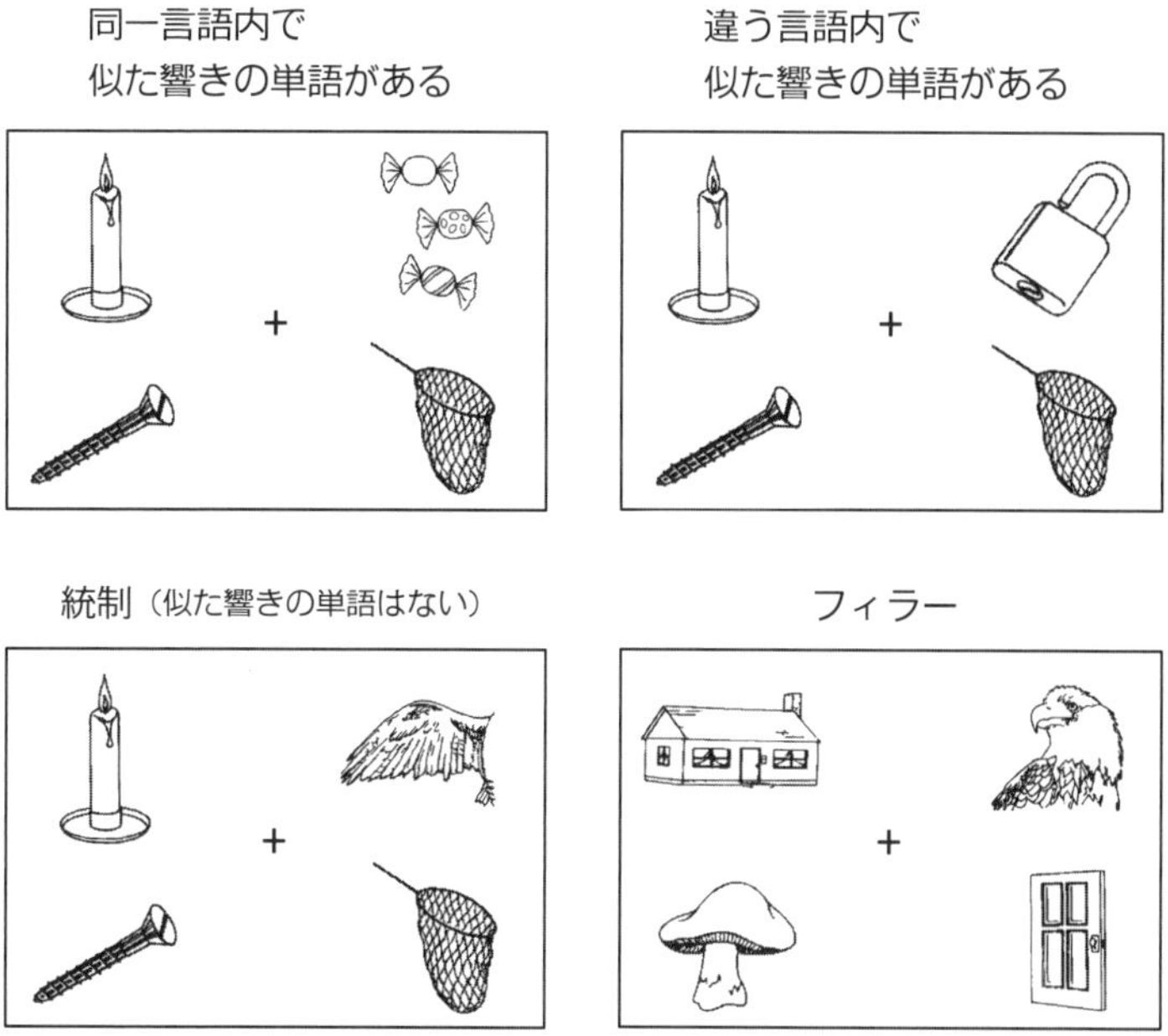

スペイン語と英語のバイリンガルを対象にした実験で用いられた素材。上の段は似た響きの単語がある組み合わせであり、左側は同じ言語（英語の「candle（ロウソク）」と「candy（キャンディ）」）、右側は違う言語（英語の「candle」とスペイン語の「candado（南京錠）」）だ。左下の「統制」の組み合わせには、どの言語でも似た響きの単語はない。そして右下の「フィラー」は実験とは無関係で、分析には含まれない。被験者に実験の目的を悟られないようにするために用いられる。

れると、アヒル以外の3つの画像のうち、シャベルに目を向ける回数がもっとも多くなるのだ。

複数の言語を話す人は、ある単語を耳で聞くと、他の言語で似た響きを持つ単語が脳内に浮かび、その単語を表すイラストに目を向ける回数が多くなるだけでなく、耳にした単語を他の言語に翻訳し、その翻訳と似た響きを持つ単語も脳内に浮かぶ。バイリンガルは、一見したところ発音が重ならない場合でも、脳内で複数の言語にアクセスしているということだ。

脳内で並行処理が行われるのは単語だけではない。構文や文法でも同じ現象が確認されている。[*4]アイトラッキングを用いて構文の並行処理を確認する方法の1つは、言語によって異なる解釈になる文を被験者に見せるというものだ。

たとえば、英語で「Which cow is the goat pushing?」という文があるとしよう。これを英語の構文で解釈すれば、「ヤギが押しているのはどのウシですか?」という意味になるのは明白なのだが、ドイツ語の構文で解釈すると押しているのはヤギではなくてウシのほうだということになる。ドイツ語と英語のバイリンガルは、この2つの言語で解釈が異なる構文を見せられると、解釈が異ならない構文を見せられたときよりも、ドイツ語の解釈に引っぱられた情景を描いたイラストをより多く見るようになる。

マルチリンガルの脳内で複数の言語が並行して活性化するという現象を何かにたとえるなら、それは波紋が多次元に広がるようすかもしれない。水面に小石を投げると、その波紋は360度すべての方向に広がっていく。そして波紋が外に広がるほど、波の高さは低くなるが、波紋の輪は大きくなる。

それと同じように、マルチリンガルの脳内では、ある単語を聞いたり読んだりしたときに、その単語と何らかの類似点がある単語が頭に浮かぶ。元の単語とのつながりが強いほど、脳内で強く想起され、連想の波紋が大きくなり、波紋の影響を受ける単語の数も増える。

たとえば、英語の「POT」という単語で考えてみよう。これは「ポット」と発音され、「料理やお湯を沸かすときに使う器具」という意味もあれば、「ポーカーでの賭け金の合計」や「大麻」という意味もある。あるいは、「植物を鉢に植える」という動詞として使われることもある。

英語話者が「POT」という単語を見ると、この単語が持つすべての意味が無意識下で一斉に活性化される。どの意味がいちばん強く想起されるかは、その人の最近の経験によって決まる（料理をよくする人なら器具のポットが想起され、ポーカーをよくする人なら賭け金の合計という意味が想起される）。

ロシア語と英語のバイリンガルが英語の「POT」という単語を見ると、英語の「POT」が持つすべての意味だけでなく、英語の「ROT」という単語が持つすべての意味も頭に思い浮かぶ。なぜなら、アルファベットの「P」はロシア語で「R」の発音になるので、「POT」は「ROT」とも読めるからだ。

ロシア語の発音で「ROT」は「口」という意味になる。その結果、「POT」という単語を見たロシア語と英語のバイリンガルの脳内では、「口」と関連するあらゆる単語が思い浮かぶ。たとえば、「鼻」、「歯」といった名詞、「キスをする」といった動詞、あるいは「大口を叩く」、「とんがり口」という表現から、「大きい」や「とんがる」といった単語を連想するのだ。また、「POT」の発音（この場合は「ロット」ではなく「ポット」）は、ロシア語の「汗」という意味になるので、「汗」という単語に関連する言葉も脳内に浮かんでくる。

　バイリンガルの脳内では、ある単語を耳で聞いたとき、第一言語と第二言語の両方で、その単語のスペルと発音が持つそれぞれの意味が浮かんでくる。それと同じように、ある単語を見たときも、第一言語と第二言語の両方でスペルと発音が持つそれぞれの意味が脳内に浮かぶ。[*5]この現象は、文字と発音の関係がまったく異なる言語間であっても起こることが確認されている。[*6]

　ここまで読んだだけでも驚きの内容だと思うかもしれないが、事態はさらに複雑になる。単語の視覚と聴覚によるインプット（たとえば、単語を見る、単語を聞くといったインプット）があると、バイリンガルの脳内では両方の言語における意味が想起されるだけでなく、その単語をもう一方の言語に訳したときの単語も想起されるのだ。

　たとえば、「P-O-T」という文字の並びからはロシア語の「口」が想起され、「P-O-T」という発音からはロシア語の「汗」が想起されると、「口」や「汗」という意味の英語も脳内に浮かび、さらには英語の「口」や「汗」から連想される単語のロシア語訳までもが脳内に浮かんでくる。

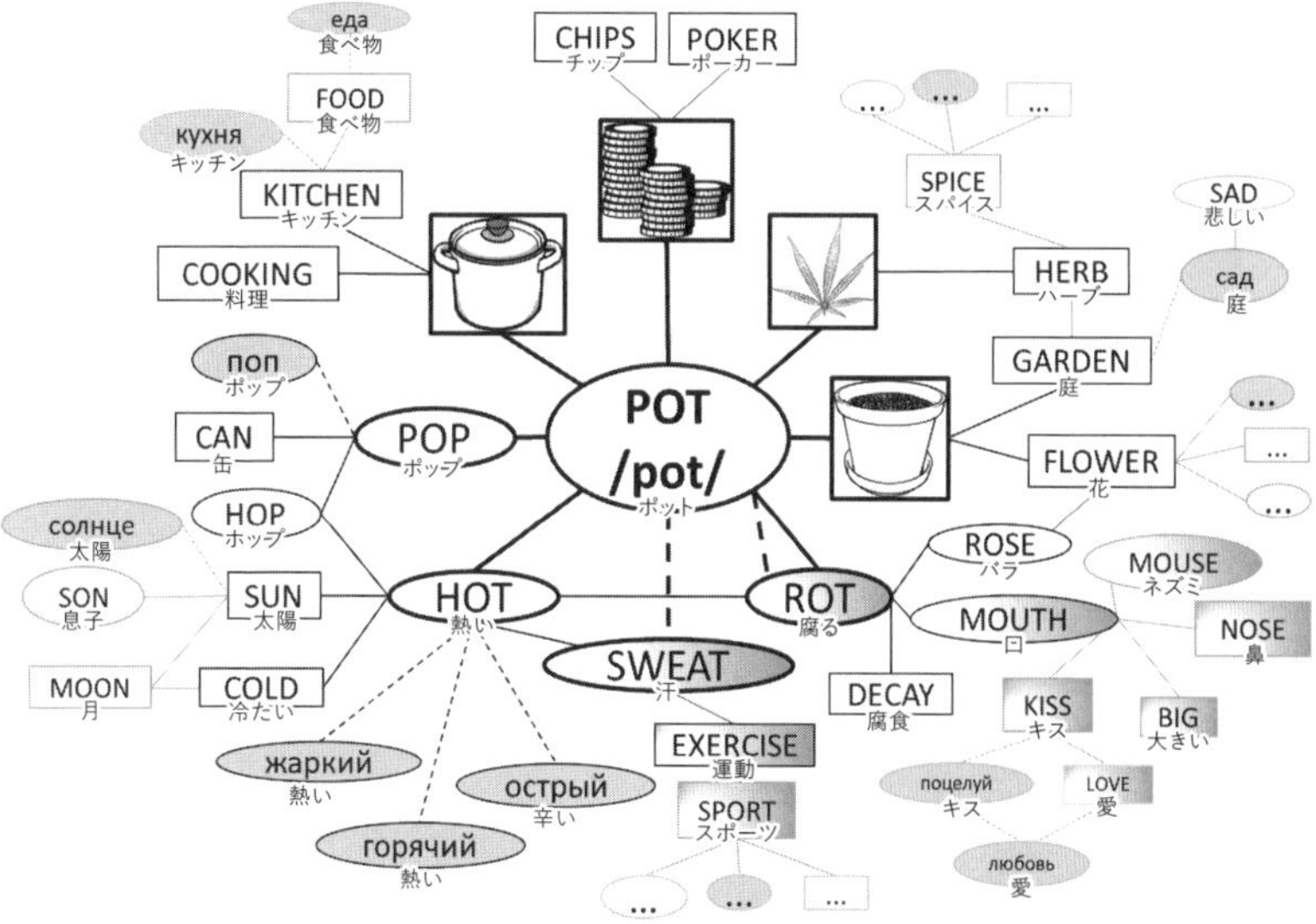

それに加えて、それらの単語と意味が似ている、スペルが似ているといった特徴を持つ単語も、英語とロシア語の両方で脳内に浮かんでくる。バイリンガルの脳内では、英語の「POT」という単語から、このような連想ゲームがまるで波紋のように無限に広がっていくのだ。

「POT」の意味からは、「キッチン」、「ポーカー」、「ライター」、「ガーデニング」といった単語が想起され、そして「POT」の文字の並びからは「ポップ（pop）」、「ホット（hot）」、「ピット（pit）」といった単語、さらに「POT」をロシア語で発音した「ROT」からも、「口」という意味から「キス」、「大口」、「歯」といった単語を連想し、「ROT」という発音から「バラ（rose）」、「役割（role）」、「ロープ（rope）」という単語を連想する。

それに加えて、ロシア語の「POT」の発音は「汗」という意味になるので、そこから「運動」、「暑さ」、「不安」という単語が思い浮かび、「POT」という文字の並びから「ポスト（post）」、「草原（pole）」（poleはロシア語で草原の意味）という単語が思い浮かぶ。

バイリンガルの脳内では、2つの言語を駆使した壮大な連想ゲームがくり広げられている。[*7] ここにあげたのは、そのほんの一例にすぎない。たった3文字の単語だけでもここまでの広がりを見せるのであれば、単語や言語の数が増えれば、連想の範囲は爆発的に広がることになる。

言語の数が1つ増えるごとに、脳内で想起される言葉の数は指数関数的に増加する。英語、ロシア語、ルーマニア語を話すトリリンガルである私の場合を例にとると、「POT」という単語からルーマニア語の意味も想起され（ルーマニア語では「〜ができる」という意味だ）、そこからさらに、発音と意味の両方で連想が広がっていく。それに加えて、連想された単語の英語訳とロシア語訳、そしてそれらすべてと意味や発音がかぶる単語が、英語、ロシア語、ルーマニア語のすべてで想起される。

しかも、この壮大な連想ゲームはすべて一瞬の出来事だ。会話の最中で一瞬にして連想が脳内を駆けめぐり、その間も脳はつねに情報を処理している。

脳内で2つの言語がどの程度まで活性化されるかは、さまざまな要素の組み合わせによって決まってくる。それぞれの言語の構造と形、それらの言語を習得したのは何歳のときで、どんな順番だったか、どの程度まで流暢に話せるか、経験の長さはどれくらいか、最近よく使うのはどの言語か、それぞれの言語はどれくらい似ているか、または似ていないか、といった要素だ。

最近は使っていない言語であれば、同時に活性化することは少なくなる。ある言語をしばらく使わずにいた後で、その言語が話されている国にやってくると、最初のうちはうまく話すことができず、その言語を「取り戻す」までに時間がかかるのもそのためだ。

また、それぞれの言語が似ている場合は、お互いに干渉することが多くなる。たとえば、イタリア語とフランス語は似た言語なので、フランス語を話そうとしているときにイタリア語の単語が頭に浮かぶ確率は、韓国語を話そうとしているときよりも高くなるだろう。最近使っている言語か、似ている言語か、流暢に話せる言語かといった要素が変わると、脳内でもう１つの言語がどの程度まで活性化されるかということも変わってくる。*8

アイトラッキングの技術にはさまざまな可能性が考えられる。たとえば小売店であれば、顧客が店内でどの商品を見ているかを調べることができるだろう。軍隊なら、複雑な視界の中から敵を見つけ出す際に役立てることができる。人間が注目するものがわかるという観点で考えれば、アートの世界でも活用することができるだろう。自分の知っている言語が、自分の世界の見方に影響を与えるということや、さらには目の動きの仕組みそのものまで、アイトラッキングの技術を使って知ることができる。

人間の目の動きや、注意を向ける先が決まるメカニズムを理解すれば、視覚のインプットに頼るタスクへのアプローチが変わるかもしれない。この知識は、絵を描くアーティストから広告コピーを考えることで生計を立てている人まで、幅広く応用することができるだろう。

脳内の同時活性化は、たとえば話す言語と手話という組み合わせのような、違う形式の言語間でも起こることが確認されている。[*9] アメリカ手話（ＡＳＬ）と英語のバイリンガルを例に考えてみよう。

ＡＳＬと英語は、「marker」と「marka」のように発音が重なる部分がないのはもちろん、「聞く言語」と「見る言語」というように形式まで異なっている。それでも脳内で同時に活性化するという事実からは、人間の脳が持つ可能性をうかがい知ることができる。私たちが行った研究でも、ＡＳＬと英語という形式の違うバイリンガルは、ある単語のインプットがあると、手話の構造がそれと似ている他の単語のほうに目を動かすという結果になった。英語しか話さない人にこの現象は起こらない。[*10]

たとえば、英語しか話さない人にとっては、「potato（ジャガイモ）」と「church（教会）」の発音に共通点はまったくない。しかしＡＳＬの「potato」と「church」は、手話を構成する4つの要素のうちの3つまでが共通している（4つの要素は「手の形」、「手の位置」、「手の動き」、「手の方向」で、そのうちの「手の位置」、「手の動き」、「手の方向」が同じだ）。ＡＳＬと英語のバイリンガルが「potato」という単語を聞くと、スクリーンに表示された他の画像よりも、「教会（church）」の画像により多く目を向ける。そして英語のモノリンガルよりも「教会」に目を向けることが多い。

アメリカ手話

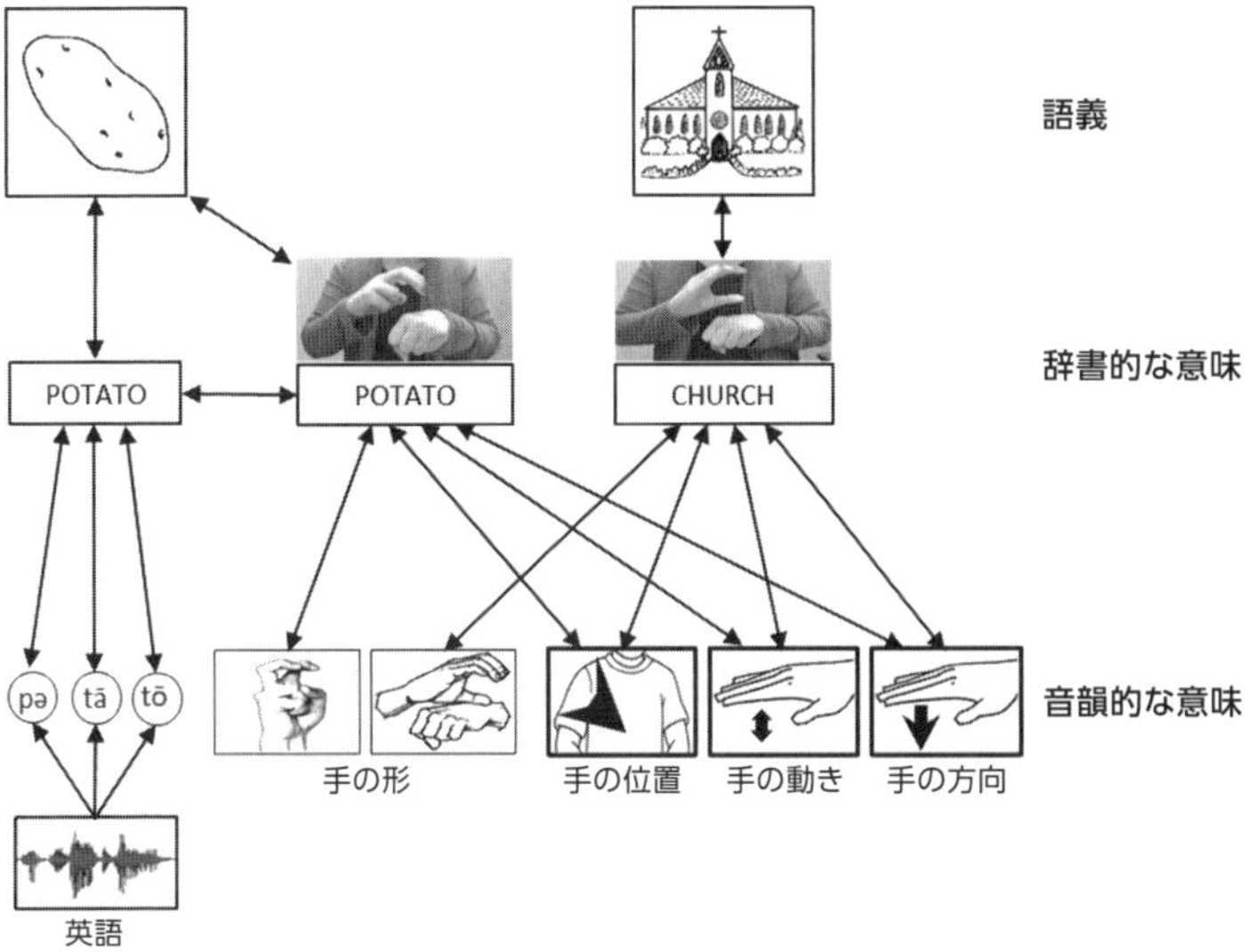

ASLと英語のバイリンガルの脳内で起こる連想を図で表したもの[*11]。英語の「potato」の発音を耳で聞くと、「ジャガイモ」という意味を想起し、そこから同じ「ジャガイモ」を意味するASLの手の動きが連想され、さらにASLで似た手の動きをする「church」が連想される。

中でも特に驚くべきは、たとえ言葉がまったく使われていないときでも、話す言語によって目の動きが異なるということだ！[*12] 前に見たものと同じものを探すという単純な視覚タスクを行う場合、その人が何語を話しているかによって、目を向ける対象も違ってくる。

たとえば、「fly（ハエ）」を探すという視覚タスクを行うとしよう。英語を話す人であれば、「fly」の他に「flag（旗）」のほうにも目を向ける。一方でスペイン語を話す人は「windmill（風車）」のほうに目を向ける。なぜならスペイン語の「ハエ」は「mosca」で、「風車（molino）」と発音が似ているからだ。

さらに英語とスペイン語のバイリンガルとなると、「ハエ」を探すときに「旗」と「風車」の両方に目を向ける。つまりバイリンガルの脳内では、ある画像を見ると、たとえ言語的なインプットがなくても、その画像と似ている単語がどちらの言語でも連想されるということだ。さらにフォローアップの研究[*13]を行ったところ、こちらが妨害を加えて、被験者が頭の中でターゲットとなる単語を発音することができない状態にしても、やはり同じ現象が起こることが確認された。

言語のインプットがない状態でも目の動きが変わるという事実からは2つのことがわかる。1つは、複数の言語を話すということが、言語システム以外のシステムにも影響を与えるということ。[*14] そしてもう1つは、複数の言語が脳内で同時に活性化すると、知覚、注意、記憶など、さまざまな認知機能にも影響が及ぶということだ。[*15]

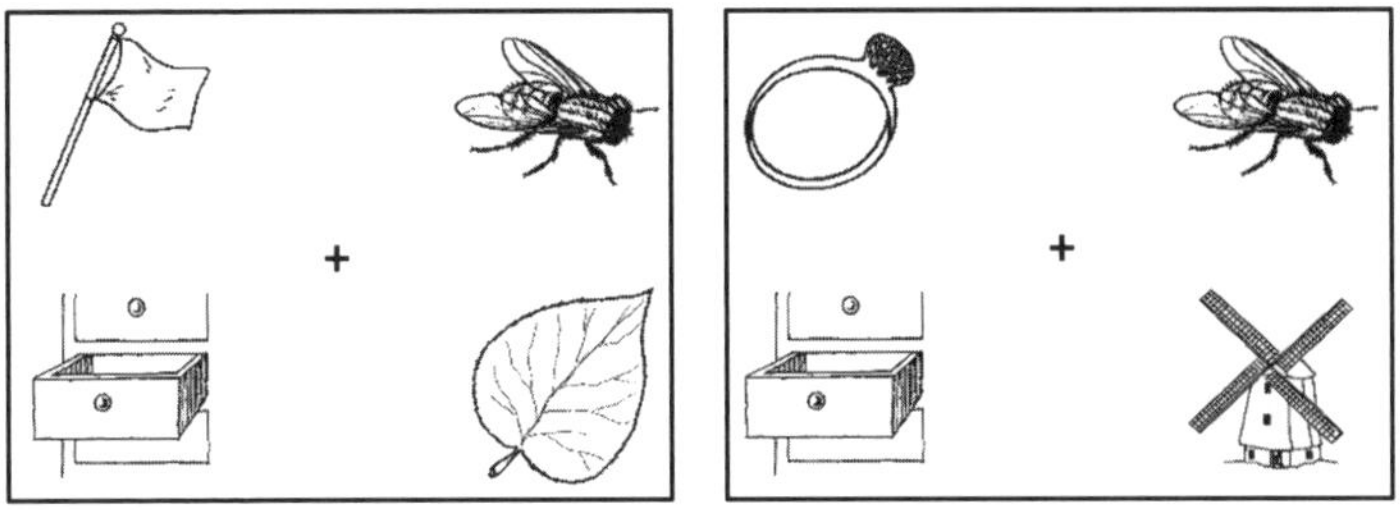

言語のインプットがまったくない状態で前に見た「fly(ハエ)」を探すとき、英語のモノリンガルは「flag(旗)」に目を向けることが多く、スペイン語のモノリンガルは風車に目を向けることが多い(スペイン語の「ハエ」は「mosca」で「風車」は「molino」だから)。そしてスペイン語と英語のバイリンガルは、「ハエ」か「風車」のどちらかか、あるいは両方に目を向ける。

人間の脳は、それぞれが独立したモジュールで構成されているのではない。これを学術的に表現すると、ドメイン固有の言語経験が、ドメイン一般の認知変化に変換されるということだ。

マルチリンガルを理解するもっともいい方法は、それを固定された構造ではなく、永久に流動する状態であると考えることだろう。聴覚、視覚、触覚、嗅覚、味覚、平衡感覚を司る前庭神経系、自分の身体の位置や力の入れ具合を感じ取る固有受容覚など、脳が受け取るあらゆる情報に基づいて、つねに変化を続けているのだ。

複数の言語を話す人の脳内では、言語同士の連想ゲームがより活発に展開されることになるために、言語を抑制する認知のコントロール[*16]がより多く求められる。言葉を話すときや書くときは特にそうだ。マルチリンガルの脳内では複数の言語が密接につながり、同時に活性化されることを理解すると、マルチリンガルが与える影響に対する理解も深まるだろう。

複数の言語が密接につながった認知の構造は、現実の生活にも大きな影響を与えていたのだ。

3 創造性・知覚・思考と言語

創造性とは不思議なものだ。定義するのが難しく、定量化は不可能で、持とうとすれば持てるものでもなく、それでも誰もが創造性を求めている。湖畔の家にひとりでこもり、この本を書いていると、子どもがいてフルタイムの仕事がある私は、どうしてもオデーサに伝わる古いジョークを思い出してしまう。ある男が、妻には愛人と一緒にいると伝え、愛人には妻と一緒にいると伝え、そしてどこかに隠れてひとりで読書を楽しむのだ。

どうやら創造性とは、簡単に獲得できるようなものではないようだ。時間がかかり、努力を続ける意志の強さも必要で、さらには犠牲かリソースのどちらか、あるいは両方がなければならない。

自分にとっての第三言語で書くというのは、対象との間に距離を置けるということを意味する。母語にはどうしても、感受性の強い子ども時代の記憶や、生の感情がつきまとうが、第三言語にそれはない。感情や思考をより客観的に記録することができる。まるで自分が、外部の観察者になったような気分だ。

しかし、言語の違いにはもっと大きな意味がある。私が確信しているのは、英語以外の言語でこの本を書くのは不可能だったということだ。

私は認知科学や神経科学を英語で学んだので、この分野に関する学術用語は英語しか知らず、母語であるルーマニア語やロシア語では書けないからではあるが、それ以外にも、ルーマニア語やロシア語は性差別や男女の役割分担の文化と密接に結びついているという理由もある。

英語で文章を書くときの私は、母語と結びついている偏見から自由になれる。男女の役割分担といった考え方にとらわれず、思想家、著述家、科学者になれる。女性にこのような自由が許されない文化はまだまだたくさんあり、それらの文化と結びついた言語を使うときは、思考も制限されてしまうのだ。

２００４年の民主党全国大会で、バラク・オバマは「この国以外の場所であれば、私の物語はとうてい不可能だっただろう」という有名な言葉を残している。この表現を借りるなら、「英語以外の言語であれば、私がこの本を書くことは不可能だっただろう」ということだ。

それでは、マルチリンガルと創造性の間にはどのような関係があるのだろう？　複数の言語を話すということは、母語や母国の文化と結びついた制約から自由になれること以外に、私たちの創造的な思考を大きく変える力があるのだろうか？

外国人の恋人がいると創造性が向上する

クリエイティブな発想を司る創造的認知に関する研究によると、親しい仲の外国人がいる人はより創造性が高く、創造性のテストで高得点を出すという。外国人の親しい友人や恋人がいると、創造性、職場におけるイノベーション、起業家精神が大幅に向上する。[*1]

10カ月にわたる縦断的研究を行ったところ、外国人の恋人がいる人は、複数の解決策を思いつく、複数の異なるアイデアを統合して1つの解決策を導き出すといった標準的な基準で測った創造性が向上することがわかった。過去に外国人と付き合った経験がある人は、付き合った期間が長くなるほど、新製品の名前を考えるときに、独創的な名前を思いつく能力が高くなる。

また、外国人の友人との連絡頻度が高いほど、起業家精神や職場のイノベーションといった創造的なパフォーマンスが向上する。大手ファッションブランドを対象に調査を行ったところ、デザイナーの異文化体験の豊かさが、ファッションデザインの創造性に関連することがわかった。

しかし、こういった現象が起こる要因は、多様な言語、文化、考え方、価値観に触れることだけではない。そもそもマルチリンガルと創造的思考の間にここまで強いつながりがあるのは、他言語を知ると認知の構造が変化し、脳内で驚くべき並行処理が行われ、前の章で見たような複数言語の同時活性化が起こるからだ。

創造性に関する研究は、これまでほぼモノリンガルを対象に行われてきた。しかし最近になって、マルチリンガルの脳の仕組みに関する研究が進んだ結果、複数の言語を話す能力は、多くの創造的なタスクにおいてパフォーマンスの向上につながることがわかった。

マルチリンガルは、脳内でつねに知っているすべての言語が活性化し、並行して処理が行われているので、ものとものとの間にある関係を見つけ、一見するとまったく関係ないものをつなげることができる。これこそまさに、創造性の基盤となるものだ。

前の章でも見たように、違う言語で同じ特徴を持つ単語というものが存在する。それはスペルが似ているのかもしれないし、発音が似ているのかもしれないし、あるいはアルファベット以外の文字が似ているのかもしれない。声調言語では声調が似ているのかもしれない。

このように何らかの特徴がかぶっていると、マルチリンガルの脳内ではこれらの単語が並行して活性化され、ニューロンの発火につながる。そして、同時に発火するニューロンはお互いにつながるという性質があるので、スペルや発音といった形が共通する単語が同時に活性化するだけでなく、それらの単語と意味のつながりがある単語も同時に活性化することにつながるのだ。たとえば「自転車」という単語がインプットされると、「車輪」や「ハンドル」といった単語も同時に思い浮かぶ。

「自転車」という単語を意味の面から考えると、アメリカに暮らす英語話者であれば、おそらくエクササイズやスポーツジムを連想するだろう。しかしオランダに暮らすオランダ語話者にとって、自転車は何よりもまず移動手段であり、運搬用のカゴだ。

すべての言語に共通する特徴もあれば、1つの言語だけの特徴や、いくつかの言語では共通するが、他の言語では共通しない特徴もある。フランス語の話者が「自転車」という単語を聞いたら、すべての言語に共通する特徴（車輪など）、フランス語とオランダ語に共通する特徴（カゴなど）、フランス語だけの特徴（自転車のカゴに入ったバゲットなど）を連想するだろう。

1010個の単語の意味を41の異なる言語で比較するという研究[*2]によると、それぞれの単語を使う人の文化、歴史、地理的な背景によって、単語の意味は大きく異なるという。しかも、この発見があてはまるのは、「美」のような抽象的な単語や、「家族」といった文化への依存が大きい単語だけではない。たとえば身体の部位を表す単語（「背中」など）であれば、どの文化でも持つ意味は同じだろうと思うかもしれないが、実際は異なっている。

脳内で2つの単語が同時に活性化すると、ニューロンの新しいつながりが形成されるので、活性化された2つの単語が持つ特徴も、複数の言語にまたがってつながるようになる。複数の言語を話す人は、2つのものの間に、1つの言語しか話さない人にはわからないつながりを見いだし（たとえば、「自転車」と「バゲット」）、モノリンガルの脳内では起こらないような新しい発想を生み出すことができる。

そう考えると、2つ以上の言語を話す人が創造性と拡散的思考のタスクで高得点を出すのも、特に不思議なことではないだろう。彼らの脳内では、つねに複数の言語が同時に活性化している。ある言語である単語のインプットがあると、その単語と似た意味や発音を持つ他言語の単語が次々と連想され、脳内では豊かでつながりの強いネットワークが形成されるのだ。

私たちが最近行った一連の研究でも、被験者の行動や脳の活動を計測したところ、2つ以上の言語を話す人は、1つの言語しか話さない人に比べ、ものとものとの間により多くの関係を見つけられることがわかった。言い換えると、複数の言語を話す人は、そうでない人には見えないつながりが見えるということだ。それらのつながりが、新しいアイデアを生み出すとき、問題を解決するとき、洞察を得るときに、重要な役割を果たしてくれる。

マルチリンガルの脳内で同時に活性化するのは、同じ意味の単語だけではない。形が似ている単語でも、マルチリンガルは意味のつながりを見いだしている。たとえば、ヘブライ語と英語のバイリンガルは「dish（皿）」と「tool（道具）」は似た単語だと考える。どちらもヘブライ語で「kli」と翻訳されるからだ。[*3]

マンダリンと英語のバイリンガルの大学院生から聞いた話によると、彼女は夜眠れないとき、ヒツジではなくヤギの数をかぞえることがあるという。マンダリンでは「ヒツジ」と「ヤギ」で同じ漢字を使うからだ。1文字で表すときはまったく同じ「羊」という漢字を使い、2文字で表すときは、ヒツジが「绵羊」、ヤギが「山羊」となり、「羊」という漢字が共通している。

ものとものとをつなげる能力、一見すると何のつながりもないようなものの間に関連性を見いだす能力は、訓練や教育で習得するのが難しいスキルだ。実際、これは生まれながらのスキ

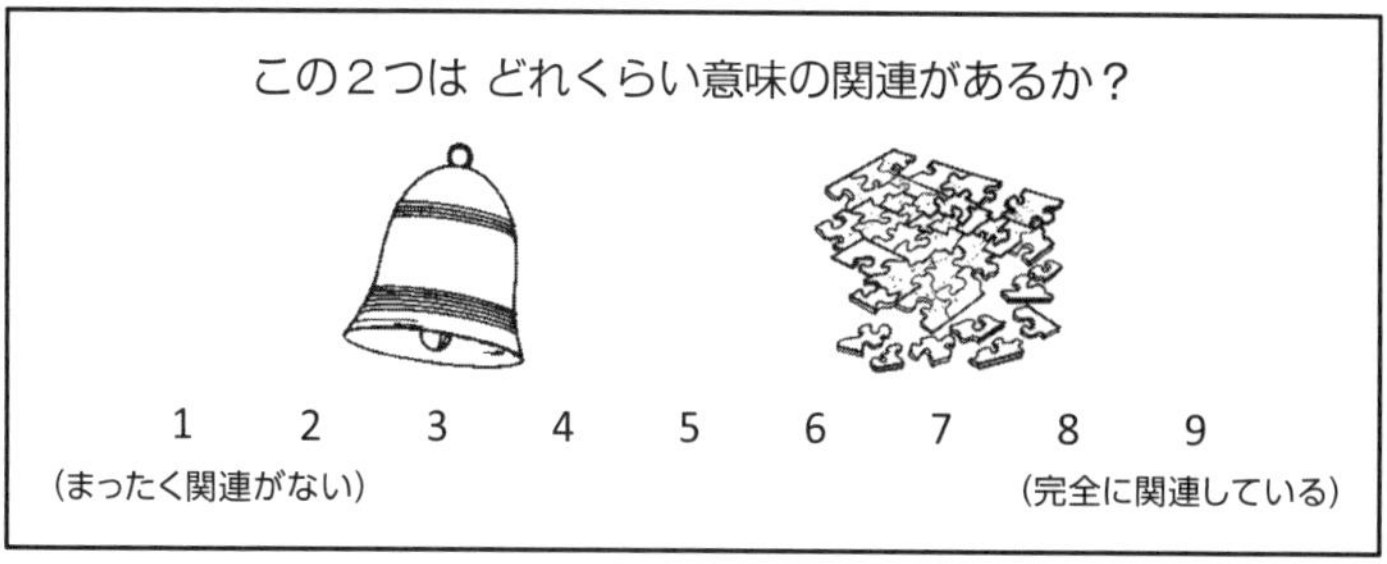

英語のモノリンガル、スペイン語と英語のバイリンガル、マンダリンと英語のバイリンガルを対象に一連の実験を行った。被験者は2つのもののイラストを見て、それらがどれくらい強く関連しているか評価する*4。バイリンガルの被験者は、モノリンガルの被験者に比べ、2つのものの間に関連性を見いだすことが多かった(「ベル」と「ジグソーパズル」のように、一見するとまったく関連のないものでもそうだった)。モノリンガルは行わないような方法で、ものとものとの間につながりを見いだしているようだ。EEGを使って脳内の電気活動を計測したところ、バイリンガルの脳は、モノリンガルの脳に比べ、提示された2つのものをより「関連するもの」として処理していることが確認された。

ルであり、このスキルこそが洞察やイノベーションの根幹だと考えている人は多い。

幼少期における創造性

詩人のリーヤン・リーは、「柿（Persimmons）」と題された詩の中で、小学校で英語を学んだときに、自分が単語の発音や意味をどのように知覚していたかについて書いている。たとえば彼は、「persimmon（柿）」と「precision（正確さ）」という2つの単語を混同していた。それは発音が似ているからであり、そしてそれと同時に、完璧な柿を選ぶには正確さが必要だという意味の関連もあるからだ。「他の言葉も私を混乱させた」と、リーは書いている。「たとえば、fight（戦い）とfright（恐怖）、wren（ミソサザイ）とyarn（紡ぎ糸）だ」

fightは私がfrightを感じたときにするものだ
frightは私がfightするときに感じるものだ
wrenは素朴な小鳥だ
yarnは編み物に使うものだ
wrenはyarnのように柔らかい
私の母はyarnを使って小鳥をつくる＊5

マルチリンガルであるリーの脳内では、一見すると何の関係もないもの同士がつながっている。彼が見いだしたこのつながりのパターンが、彼の詩に独特な感覚を与えている。

バイリンガルの大人や子どもは、さまざまな創造性や拡散的思考のタスクで、モノリンガルの大人や子どもとは違う発想をすることがわかっている。[*6] たとえば、角度によってアザラシに見えたり馬に見えたりする絵を解釈するというタスクを行うと、バイリンガルの若者はモノリンガルに比べ、2つ目のイメージを早く見つけることができた（他にも、女性／男性、顔／リンゴ、ネズミ／男性、サックス／女性、リス／白鳥、全身／顔などの組み合わせがある）。

幼い子どもを対象にした同様の実験でも、[*7] バイリンガルとモノリンガルの違いはわずか3歳でもすでに現れることがわかった。バイリンガルの子どもは、モノリンガルの子どもよりも少ないヒントで2つ目のイメージを見つけることができた。たしかに効果量は小さいが、その違いは一貫しており、統計的に有意でもある（つまり、偶然の結果である可能性は低いということ）。これらは一般の人たちを対象にした実験であり、創造性の高い人たちだけを対象に同じ実験を行えば、両者の違いはさらに大きくなるかもしれない。

創造性を計測するもう1つの方法は、私のかつての同僚で、心理学者の故アネット・カミロフ＝スミスが開発したものだ。これは、実際には存在しないものを描くという方法が用いられる。[*8] 4歳児と5歳児を対象にしたある研究では、英語とヘブライ語のバイリンガルの子どもと、

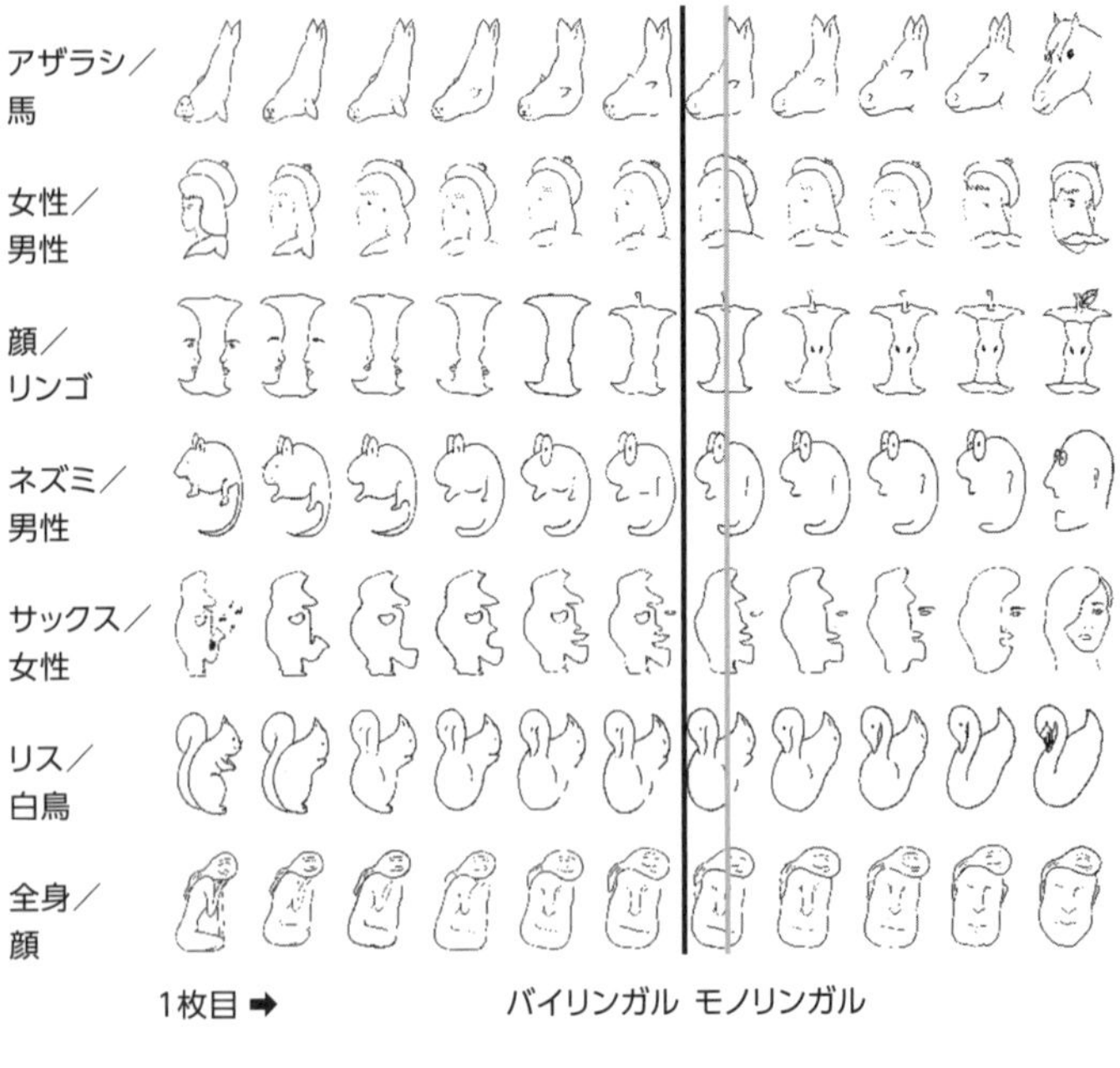

実験の被験者は、最初のイメージを見た後で、そこから少し変化したイメージが描かれたカードを、2つ目のイメージがわかるまで1枚ずつ見ていく。平均すると、バイリンガルはモノリンガルに比べ、2つ目のイメージが見えるまで（たとえば「アザラシ」が「馬」に見えるまで）の枚数が少なかった。

アラビア語とヘブライ語のバイリンガルの子どもに、実際には存在しない花と家の絵を描いてもらい、彼らの絵をモノリンガルの子どもが描いた絵と比較した。

モノリンガルの子どもが描いた絵は要素が欠けていたり（葉がない、花びらが1枚だけ、茎がない、根がない、など）、大きさや形が違ったり（ハート型の花、など）することが多かった。一方でバイリンガルの子どもが描いた絵[9]は、違うカテゴリーのものを組み合わせたものが目立った（キリンの花、尻尾のある花、ラクダの花、「たてがみと尻尾がたくさん生えていて、靴を履いているライオンの花」、腕と足のある花、歯のある花、樹木の花、ドアのある花、蝶の花、凧の花、ロボットの家、椅子の家、ボールの家、など）。

一般的に、このタスクを行うとき、小さな子どもは大きさや形を変えたり、要素を取り除いたりすることが多く、年齢が高い子どもは、要素の位置を変えたり、同じカテゴリーから余分な要素を足したり、違うカテゴリーの要素を統合したりすることが多い。ここからわかるのは、バイリンガルの子どもが描く絵は、モノリンガルの子どもがある程度成長してから身につけるパターンに似ているということだ。

幼少期における創造性は、大人になってからの創造的な達成を予測する基準にもなる。1950年代、子どもを対象にある有名な創造性のテストが行われた。このテストは、開発者のエリス・ポール・トーランスの名前から「トーランスの創造的思考テスト」[10]と呼ばれる。

そして50年後、テストの結果が再評価されることになった。[11]その結果わかったのは、子ども時代のスコアは、その後の人生における達成度を予測する基準になるということだ。またいくつかの指標は、公的な達成の予測にもなっている。

（ただし、私的な達成と公的な達成を区別するときは細心の注意が必要だ。たとえば、この研究を見るかぎり、一般的に男性のほうが女性よりも公的な達成度が高くなっている。しかし私が思うに、公的な場で自らの創造性を発揮できるかどうかは、時代の影響を色濃く受けざるをえない。テストを受けた子どもたちが育った時代は、男女の役割分担が厳格に定められていて、男性と女性では社会から期待されることが異なっていた）。

現代でも、もっとも影響力を持つ人たちの中には、複数の言語に触れてきた人が少なくない。たとえば、グーグル共同創業者のセルゲイ・ブリン、ユーチューブ共同設立者のスティーブ・チェン、ファッションデザイナーのキャロライナ・ヘレラ、ハフィントン・ポスト（現ハフポスト）設立者のアリアナ・ハフィントン、チョバーニヨーグルト創業者のハムディ・ウルカヤをはじめ、歴史をふり返ると、複数の言語に触れて育った起業家、クリエイティブ産業の巨人、政治リーダー、発明家は数え切れないほどいる。

彼らの成功については、移民のルーツと並外れた勤勉さがその理由にあげられることが多いが、複数の言語を話すことの影響、つまり物事やアイデアの間に他の人には見えないようなつながりを発見する能力については、ほとんど見すごされてきた。

創造性とバイリンガルについての研究を分析したある報告によると、24ある研究のうち20の研究で、バイリンガルはモノリンガルに比べさまざまな創造性タスクで高いスコアを出すことがわかった（1つの研究では差はないという結果になり、3つの研究ではバイリンガルのほうがスコアが低くなった。この結果のばらつきは、計測の対象が脳の働きであることを考えると特に驚くことではない）。

創造性を計測するときによく用いられるのは、「代替用途タスク」と呼ばれる方法だ。これは拡散的思考を評価するタスクであり、日常的な道具を見て、普通とは違う使用法を考えることが求められる。短時間でたくさんの使用法を思いつくほどスコアが高くなる。

たとえば、「紙」の代替用途を尋ねたときによくある回答は、「紙飛行機」、「紙の帽子」、「トイレットペーパー」などだ。より独創的な回答では「ランプシェード」、「フィルター」、「カードゲーム」、さらに独創的になると「アンプ」、「風車《かざぐるま》」、「装飾用の人工雪」などがあげられるかもしれない。

代替用途タスクの成績は、芸術と科学の世界での達成と相関する。特筆すべきは、同じバイリンガルの被験者でも、テストの最中に使う言語を変えた場合のほうが、ずっと同じ言語を使った場合にくらべ、スコアが高くなるということだ。

これまでに、コンピューターを使って創造性を自動的に評価できるのではないかという提案が出されたこともある。具体的には、自然言語処理の技術を利用し、テキストに出てくる単語間の意味的距離を定量化して、言語的な創造性のスコアを生成するという手法だ。しかしこのやり方では、創造性のごく一部しか測定することができず、そもそも創造性を測定することの難しさがあぶり出されている。

創造性の定義は誰が決めるのか？　たしかに創造性を測定するテストは存在するが、絶対的な基準はまだ見つかっていない。

たとえば、次の2通りの人物を比べてみよう。小さな発見をたくさんする人と、1つの大きな発見をしてパラダイムの変化を起こした人。実用的なイノベーション、あるいはお金が儲かるイノベーションを起こした人と、芸術面、あるいは感情面で大きな影響があるイノベーションを起こした人。彼らのどちらがより創造的だろうか？　それについて明らかな答えは存在しない。今の時点で、「統一創造性指数」や「統一バイリンガル指数」のようなものは存在しないからだ。

創造性の高さは、そのまま創造的な仕事での成功につながるわけではない。ほとんどの人にとっては、問題解決の能力が高い、話がうまい、新しい経験やアイデアに対してオープンな性格など、日常的な形で創造性が発揮される。新しい経験に対してオープンな性格は、創造性とマルチリンガルの両方と高い相関性が認められている。

もちろん、母語以外の言語を習得したからといって、いきなり創造性がゼロから100まで増えるわけではないが、ゼロの人がある程度の創造性を手に入れ、ある程度の創造性を持つ人がより創造的になることは可能だ。すでに創造的な職業に就いている人なら、さらに創造性を高めることができるだろう。

創造性に関して言えば、そもそも言語そのものが創造的であり、何かを生み出すプロセスだ。言語のもっとも大きな特徴を1つあげるとすれば、言葉の数は有限だが、それらを組み合わせれば無限の思考、感情、行動を表現できるという点だろう。そして、話す言語の数が増えると、言葉の組み合わせは指数関数的に増加する。同じ言語内の組み合わせだけでなく、異なる言語間の組み合わせも可能になるからだ。

▼バラの呼び名を変えると、香りも変わるか

名前が何だっていうの？　私たちがバラと呼ぶものはたとえ他の名前で呼んでも同じ甘い香りがする

これは、シェイクスピアの戯曲『ロミオとジュリエット』に出てくるセリフだ。ロミオへの恋心に苦しむジュリエットは、たとえ名前が違っても、私たちの五感がそれをどう知覚するかは変わらないと宣言する――バラを他の名前で呼んでも、バラの香りは変わらないということだ。

意味を変えることなく、言葉を交換可能なものとして用いること、そして言葉をゲームとし

てとらえるという態度は、ドイツの哲学者ルートヴィヒ・ウィトゲンシュタインが提唱した「Sprachspiel」[*12]にも通じるものがある。Sprachspielは「言語ゲーム」という意味で、言葉が意味を持つのは、言葉を使うすべての人が同じ「ルール」で「ゲーム」をプレーすることに同意しているからにすぎないという考え方だ。

しかし、シェイクスピアとウィトゲンシュタインは正しいのだろうか？　バラは本当に、他のどんな名前で呼んでも同じ香りがするのだろうか？

今から1世紀近く前、言語学者のエドワード・サピアとベンジャミン・ウォーフは、何を考えるか、現実をどう知覚するかということは、言葉の影響を受けるという考えを提唱した。この考え方は、やがて「サピア＝ウォーフの仮説」として広く知られるようになった。

私たちは、自分の母語によって引かれた線に沿って自然を解剖する。人間が経験・感知する世界である「現象界」から切り離されたカテゴリーやタイプは、それらがすべての観察者を凝視するから、そこに存在するのではない。むしろその逆で、世界は万華鏡のようにつねに流動的で、私たち人間は、自分の頭の中でその流動的な世界に秩序を与えているのだ。そしてここで言う「頭」とは、主に自分に備わった言語システムのことをさしている。私たちは自然を切り刻み、断片を並び替えて概念をつくり出し、そこに意味を与える。その主な理由は、私たち人間は（中略）同じ言語を話す言語共同体で交わされた協定に従う存在であり、そ

――してその協定は、私たちが使う言語のパターンによって成文化されているからだ。

サピア＝ウォーフの仮説には、大きな論点が2つある。1つは「言語決定論」であり、そしてもう1つは「言語的相対論」だ。言語決定論では、人間の思考は使う言語によって決まると考える。そして言語的相対論とは、思考と言語の間には関連性があり、違う言語の話者は考え方も異なるとする説だ。

1929年に提唱されて以来、この仮説は盛んに議論されてきた。極端な例では、サピア＝ウォーフの仮説によると、ある特定の単語が存在しないということは、その単語が意味する概念についての思考をあらかじめ除外するということだとする意見もある。しかし、この仮説をめぐる議論の中心は、思考と言語をどのように定義し、計測するかということだ。

ウォーフが自説の根拠としたもっとも有名な事例は、イヌイットの言葉で雪を表す表現がたくさん（50以上）あることだろう。雪はイヌイットの生活に欠かせない存在であり、イヌイットは雪をさまざまな形で活用しているので、イヌイットの雪に対する知覚は、雪に馴染みがない生活を送っている人たちとは異なると彼は主張する。

またウォーフは、アメリカ先住民のホピ族の言語には過去形、現在形、未来形がないことも指摘する。そこからわかるのは、彼の考えによると、ホピ族の時間のとらえ方は他とは違うということだ。

しかし、この仮説が提唱されて以来、イヌイットの言葉でなくてもさまざまな雪の種類を表現することは可能であると指摘されてきた。唯一の違いは、雪の種類を1つの単語で表現するのではなく、複数の単語を組み合わせて表現しているということだ。たとえば、降る雪、積もった雪、固まった雪、凍った雪、ぬかるんだ雪、解けた雪というように。

またホピ族の言語も、英語や他の多くの言語と同じような時制は存在しないかもしれないが、時間を表す自然現象によって過去、現在、未来を表現することはできる（太陽や月などの天体の動き、季節の移り変わり、川の水位、作物の実りなど）。

言語決定論に対するこのような反論はだいたいにおいて正しい。言語決定論は、言語と思考はほぼイコールであるとする極端な考え方であり、言語が持つ影響力の限界を考慮しておらず、研究結果にも一貫性がないことが多い。

ある言語における概念は、たいていの場合、他の言語に翻訳することができる。いつも完璧に置き換えられるわけではなく、注釈が必要になることもあるが、それでも他の言語で表現することは可能だ。それなのに、なぜサピア＝ウォーフの仮説は、いつまでも人々の興味を惹きつけてやまないのだろう？

言語の策略

心理学者のジョン・キャロルは次のように書いている。「それはおそらく、私たちのすべてが、自分でも気づかないうちに言語の策略にはめられているという考え方に、魅力を感じているからだろう。言語の策略とは、使う言語の構造によって、現実を知覚する方法が規定されているということだ。もしそれが本当であるなら、この策略に気づけば、まったく新しい視点から世界を眺められるようになるはずだ」[*13]。現に私の教え子の1人も、外国語を学べば、標準的なアメリカ英語とアフリカ系アメリカ人の英語の違いが示唆する偏見から自由になれるかもしれないとまで考えたことがある。

哲学者のフリードリヒ・ニーチェはさらに過激で、言語を「牢獄」にたとえている。[*14] サピアとウォーフが言語決定論と言語的相対論を唱えるはるか以前から、あるいは科学界がこの考え方を検証する実験を始めるはるか以前から、ニーチェはすでに言語が心に与える制約に言及していた。

複数の言語を話すことは、この牢獄の扉を開けるカギとなるのだろうか？　言語がふるいの役割を果たし、周りの現実をすべてインプットできないのだとしたら、新しい言語を習得することによってふるいの穴が増え、あるいは穴がもっと大きくなり、宇宙についてより多くのことを学べるようになるかもしれない。

すべての思考、記憶、感情、学習に言語が必要だとは、私は思わない。言語決定論の問題は、「見ればわかる、経験すればわかる」という種類の現象を説明できないことだ。たとえば「愛」や「名誉」といった概念は、誰でも体感的に理解できるが、言葉で説明するのは難しい。また、自転車に乗る技術や、泳ぐ技術など、習得するのに言語を必要としない技術もたくさんある。有名なパブロフの犬の実験（エサの時間にいつもベルを鳴らしていると、犬はベルの音を聞いただけでよだれを出すようになるという実験）も、言語を必要としない学習の一例だ。

今から1世紀以上前に行われた記憶に関する有名な実験でも、人間の脳には言語を使わずに記憶、学習する能力があることが証明された。スイス人神経科医のエドゥアール・クラパレードが、前向性健忘症（外傷や精神的トラウマを受けた時点を起点として、それ以降に新しく記憶することができなくなる症状）の女性の治療にあたっていた。[*15]

その女性は、子ども時代のことや、大人になってからのことも覚えているが、新しく記憶することができない。クラパレードが1時間ほど診察室を離れていると、彼女はすぐにクラパレードのことを忘れてしまう。たとえ毎日彼の診察を受けていたとしても、彼に会ったことも思い出せない。

ある日、クラパレードは手のひらにピンを隠し、彼女がやってくるとそのまま握手をした。彼女は手にピンが刺さるのを感じた。その翌日、診察室を訪れた彼女は、クラパレードと握手することを拒否した。もちろん彼に会ったことも、前日に握手したときにピンで刺されたことも覚えていないが、それでもいつもしていた握手を拒否し、その理由を本人は説明できなかった。

つまり、彼女の顕在意識の中に手をピンで刺された記憶はないが、それでも記憶はたしかに存在しているということだ。クリストファー・ノーラン監督の映画『メメント』を観た人なら、保険会社の調査員である主人公が、同じ手法を使って患者が記憶障害を偽っているか確認したシーンを思い出すかもしれない。

言語と思考がまったく同じものではないことは明らかだ。とはいえ、たしかに言語は思考のすべてを決定するわけではないが、私たちが何を考えるか、私たちは何者かということに意義深い貢献や影響を与える要素の1つであることは間違いない。

雪のさまざまな状態を表現する単語がなくても、あるいは時制を表現する文法がなくても、文章を使えば雪の状態や時制を伝えることは可能だ。それと同じように、言語が思考に与える影響とは、「何が表現できるか」ということよりも、「それをどう表現するか」ということなのだろう。

たとえば、X（旧ツイッター）やレディットで、マルチリンガルたちは「attention（注目）」という言葉についてこんな指摘をしている。スペイン語で「注目する」と言う場合、「lend attention（注目を貸す）」という表現を使う。これは後で「attention」を返してもらうという意識があるからだ。

一方フランス語では「make attention（注目をつくる）」という表現になる。注目は何もしなければば存在せず、自分でつくり出さなければならないからだ。英語で「pay attention（注目を払う）」と表現するのは、注目がお金のように価値のあるものだという意識があるからだ。さらにドイツ語では、注目は「gift（贈り物）」として扱われる。

このような言語に関する考察には、実証実験の裏づけもある。色覚、時間、空間関係、基準となる枠組みをはじめ、言語に影響を受ける領域は多い。

色

たとえば色を例にすると、基本的な色を表す言葉の数は言語によって大きく異なっている。色彩語研究のワールド・カラー・サーベイの推計によると、世界の言語のうち少なくとも20の言語は、基本的な色を表す言葉が3つか4つしかない（「白」か「薄い色」を表す言葉が1つ、赤と黄色の色合いを表す言葉が1つ、黒・緑・青の色合いを表す言葉が1つ）。

言語は、外界からのインプットが文化的に重要な意味を持つかどうかを判断するときのガイドであり、どの言語もすべての可能なオプションの一部だけを語彙化しているので、違う言語を話す人は、色を知覚する方法も、色を記憶する方法も異なるということだ。

英語には、青を表す言葉は「blue」しかない。一方でロシア語は、薄い青（goluboy）、濃い青（siniy）の2つの言葉がある（もちろん英語でも、複数の単語を使えばさまざまな色合いの青を表現できるが、英語で青の微妙な違いを表す表現は一般的ではなく、子どものころに習う原色には含まれていないことが多い)。

英語話者とロシア語話者を対象に色を識別するテストを行うと、ロシア語話者は、提示された2つの色がそれぞれ違う名前で呼ばれている場合、より早く色を識別することができる。ギリシャ語話者と英語話者を対象にした研究でも同じような結果になった。

この研究では、EEGを使って被験者の脳の電気活動を計測している。ギリシャ語にも、薄い青(galazio)と濃い青(ble)を表す2つの言葉がある。EEGの反応からわかったのは、ギリシャ語話者は、薄い緑と濃い緑の違いよりも、薄い青と濃い青の違いを敏感に感じ取るが、英語話者にはそのような違いはなかったということだ。

もちろん、薄い青と濃い青を表す単語がない言語を話す人でも、両者を区別することはできる。違う色合いの青それぞれに個別のラベルがないからといって、周りの環境の微妙な違いを知覚できないというわけではない。さまざまな状態の雪それぞれに個別のラベルがなくても、違いはわかるのと同じことだ。

とはいえ、反応の速度や、周りの環境を符号化して記憶する速度にはたしかに影響があるようだ。2人の人を見て、彼らの瞳の色や服の色を記憶する場合、それぞれの色に違う名前がついている(たとえば「青」と「緑」)ほうが、同じ名前の色(「青」)か、2つ以上の単語を使って違いを表現する(「薄い青」と「濃い青」)よりも、色を記憶するのが簡単になる。そしてもちろん、色の違いを友だちに説明するのも簡単になるだろう。

これを書きながら、私はあることに気がついた。私は子どもの目の色を思い浮かべるとき、英語では「やや暗い青」と表現し（そのときは「blue」という単語を使う）、ロシア語では「goluboy」という1つの単語で表現している。ただの「青（blue）」と「goluboy」は厳密には違う色であり、私の心象表現に影響を与えているからだ。

時間

色の他に広範な研究の対象になっている分野をもう1つあげるなら、それは「時間」だろう。SF映画の『メッセージ』では（以降ネタバレ注意！）、エイミー・アダムス演じる言語学者が、異星人の言語を習得したことでタイムトラベルができるようになる。この異星人の言語には、時間を超越する力があったからだ（ここからわかるのは、将来的に異星人との意思疎通を目指すなら、人類とは違うコミュニケーション法を習得した心理言語学の専門家が必要だということだ）。

時間は水平に進むと考える人もいれば、垂直に進むと考える人もいる。あるいは、時間はぐるぐると循環すると考える人もいる。英語を話す人は、時間は水平方向に延びる直線であると考える傾向がある。何かを基準にして、その前に起こったか、その後に起こったか、ということだ。将来の出来事を楽しみにするときは「look forward（前を見る）」という表現を使い、子ども時代を思い出すときは「think back（後ろに考える）」という表現を使う。

一方でマンダリンの話者は、時間を垂直方向と水平方向の両方で表現する。先に起こった出来事について話すときは「上（shang）」という言葉を使い、後に起こった出来事について話すときは「下（xia）」という言葉を使う。

言語が時間の表現に与える影響について調べた研究[*16]によると、「3月は5月の前に来るか？」という質問に対して、英語の話者は、各月が水平方向に並んでいるのを見たときのほうが答えが早くなり、一方でマンダリンの話者は、各月が垂直方向に並んでいるのを見たときのほうが答えが早くなった（ただし英語話者も、学習すれば時間を垂直方向にとらえられるようになる。新しい話し方や考え方を学習によって身につけることは可能だ）。もちろん、時間は空間がないと存在できないと物理学者は信じているとはいえ、実際の時間は決して線形ではない。

また、時間を主に「量」としてとらえるか、あるいは「距離」としてとらえるかということも、話す言語によって違ってくる。英語の話者は、時間について話すとき、「量」のメタファーと「距離」のメタファーの両方を使うが、「距離」のメタファーのほうをより多く使うようだ。

距離のメタファーは、たとえば「let's move the meeting forward（ミーティングを前に動かそう）」（「ミーティングの時間を前倒しにする」という意）や、「a short intermission（短い休憩）」などがあり、量のメタファーは「lots of time（たくさんの時間）」や「saving time（時間を節約する）」などがある。

しかし、すべての言語でこれがあてはまるわけではない。

時間を表現するメタファーが時間の見積もりに与える影響を調べるために、2つの実験が行われた。英語、インドネシア語、スペイン語、ギリシャ語それぞれを母語とする人を対象に、「線が完全に伸びるまでの時間」と「コップに水が満杯になるまでの時間」を見積もってもらった。距離のメタファーを多く使う言語（英語やインドネシア語）を母語とする人は「線の長さ」により影響を受け、量のメタファーを多く使う言語（スペイン語やギリシャ語）を母語とする人は「水の量」により影響を受けた。

方向感覚

言語には方向感覚に影響を与える力があることもわかっている。英語では、「東西南北」といった方位を使うこともできれば、「上下左右・前後」といった自分を中心にした方向感覚を使うこともできる。

しかしある種の言語には、方向を表す表現がどちらか一方しか存在しない。方位しかない言語では、その言語を話す人はつねに東西南北を把握しておく必要がある。自分がいる位置を描写するときはもちろん、「南の手にリンゴを持っている」というように、自分の身体の部位を表すときも方位を使うのだ。

知覚の幻想

しかし、このような言語による時間や色のとらえ方の違いは、すべての研究で確認されているわけではない。サピア＝ウォーフの仮説で説明されるような現象の中には、言語の影響が存在する状況がまだきちんと特定できていないものもある。

言語決定論に関する研究で結果にばらつきが生じるのは、それぞれの研究で使われる定義や計測基準が違うということも理由の一部になっているだろう。バイリンガル、トリリンガル、マルチリンガルをどう定義するかということさえ、すべての研究で一致していない。

第二言語、第三言語（あるいは第四言語、第五言語）を学ぶ人は、具体的にどのレベルまで習得すれば、その言語の話者であると正式に認められるのだろう？　バイリンガル、あるいはマルチリンガルを自認するかどうかということも、個人のとらえ方だけでなく、研究によっても違ってくる。

どの認知機能が言語の影響を受け、どの認知機能が影響を受けないのかについては、まだはっきりわかっていない。また、いつ影響を受けるのか、なぜ影響を受けるのか、どのように影響を受けるのかについてもわかっていない。

しかし、次第に明らかになってきたこともある。それは、たしかに言語が思考を決めるわけではないが、言語には思考を形づくる強い力があるということだ。エドワード・サピアの言葉を引用しよう。

「言語は単に、コミュニケーションと内省の問題を解決するための付随的な手段であると考えるのは（中略）、明らかな幻想であると言わざるをえない。『現実世界』のかなりの部分は、使う言語の習性によって無意識のうちに形づくられている。これが厳然たる事実だ[*17]」

とはいえ、幻想もときには役に立つことがある。脳の現実に対する解釈がどこまで主観的かを理解したいのなら、幻想が謎を解くカギになるからだ。私たちは直感的に、知覚は直接的であると考えている。つまり、外側の環境からの刺激をそのまま受け取っているのであり、同じ環境にいれば誰でも同じ現実を体験するということだ。

そもそも人間の五感は、個人の意見に左右されるものではない――このような思い込みがあるからこそ、自分には金色に見えるドレスが他の人からは青く見えたり、自分には「ヤニー」と聞こえるのに他の人には「ローレル」と聞こえたりすると、私たちは心底びっくりしてしまうのだ。ここにあげた2つの例は、近年インターネットで大きな話題になったので、知っている人も多いだろう。実際、このような知覚の幻想の例は、他にもまだまだたくさんある。

「ヤニー」と「ローレル」は錯聴（聴覚の幻想）の一例であり、まったく同じ音を聞いても、ある人には「ヤニー」と聞こえ、他の人には「ローレル」と聞こえる。金色のドレスと青いドレスは錯視（視覚の幻想）の一例で、まったく同じドレスの写真でも、ある人には青と黒に見え、他の人には白と金色に見えた（どちらの例もグーグルで検索すればすぐに見つかる）。

このような知覚の幻想、すなわち錯覚からわかるのは、私たちが見たり聞いたりするものは、脳内でどのニューロンがもっとも高い確率で発火するかによって決まるということだ。そしてどのニューロンがもっとも高い確率で発火するかは、最近の経験でどのニューロンが発火したかによって決まる。

まったく同じ発音を聞いても、たとえば「brainstorm（ブレインストーム）」と「green needle（緑の針）」というように、人によって違う音に聞こえることもある。どちらが聞こえるかは、その人が以前にどんな音を読んだり聞いたりしたかによって決まるのだ。

私たちの脳内では、経験を重ねるごとに新しい神経ネットワークが形成されていく。そのため、まったく同じ刺激を受けても、発火するニューロンは同じではない。同じ人が同じドレスを見る場合でも、いつ見るかによって見える色が違うという可能性もある。あるいは、午前中は「ヤニー」と聞こえて、午後は「ローレル」と聞こえるということもあるだろう。

多くの場合において、発火するニューロンのネットワークが違っても、本人が気づくほど大きな経験の違いになることはない。しかし、ときにはある閾値《いきち》を超え、まったく同じインプットでも、まったく違う知覚を経験することもある。

これが「感情」であれば、まったく同じ環境でも人によって引き起こされる感情が違うということは、たいていの人が理解できる。しかし「知覚」となると、同じインプットが違う経験を生むということを理解するのは難しい。
事実、「感情」も「知覚」も主観的な経験だ。知覚もまた、そのときに見ているものや、そのときに話している言語の影響を受け、刺激されたり、ゆがめられたり、変換されたりする。[*18]
バイリンガルが話す言語を切り替えると、彼らの脳内ではニューロン活動のネットワークに変化が起こり、その結果、現実の知覚や解釈も変化する。有名な「ダブルフラッシュ錯覚」とは、何かが1回出現（フラッシュ）するときに、短い音を2回聞くと、それが2回出現したように見えるという現象だ。しかしマルチリンガルは、フラッシュと音のタイミングを正確にそろえないと、この錯覚が起こらないことがわかっている。モノリンガルはそこまで正確にそろえる必要がない。
つまり言い換えると、2つの違う形式のインプット（フラッシュと音）の間に自然なつながりがない場合、バイリンガルは、たとえばタイミングなどの刺激を感知する能力が高まるということだ。その理由は、視覚情報と聴覚情報をいつ統合するかを判断するときに、バイリンガルの脳内ではより効率的なトップダウンの命令系統が働いているからだと考えられている（統合するタイミングの判断は、空間、時間、意味の特性が基準になる）。

共感覚

言語の影響を受けるのは、五感の情報を知覚するときだけではない。それらの情報をどう統合するかということも言語の影響を受ける。種類の違う五感情報を統合する現象の中で、もっとも劇的な例をあげるとすれば、それはいわゆる「共感覚」と呼ばれるものだろう。

共感覚とは、ある知覚による経験が、別の知覚による経験を引き起こすという現象だ。たとえば、ある音を聞くと必ずある色が見えたり、ある生理的な感覚が起こったりするといったことだ。画家のワシリー・カンディンスキーは、絵画を見ると音楽が聞こえたという。また、物理学者のリチャード・ファインマンは方程式を見ると色が見え、アーティストのファレル・ウィリアムスは音楽を聴くと色が見える。

もちろん、ほとんどの人はここまで極端な「異種感覚統合」を経験することはないが、それでも異なる感覚の影響は受けている。たとえば、なめらかな音楽を聴きながらチョコレートを食べると、チョコレートのクリーミーさが増したように感じたりする。私たちの誰もが、異なる形式の感覚から入ってくる情報を統合している。言語を処理するときもそれは同じで、聴覚情報と視覚情報を同時に知覚しているのだ。

マガーク効果

ダブルフラッシュ錯覚の例でも見たように、たしかにマルチリンガルは、音と光のようにお互いに無関係で、なおかつ非言語的な刺激を処理するときに、タイミングに対してより敏感になる。とはいえ、マルチリンガルの感覚統合でもっとも頻繁に起こるのは、言語を処理するときに視覚情報と聴覚情報を統合することだ。マルチリンガルは、発声された言語のインプットを統合するときに、耳で聞いた音と、目で見た唇の動きを融合させることが多い。

「マガーク効果」とは、耳で聞いた情報と目で見た情報が脳内で融合される現象のことだ。たとえば、耳では「ガガ」という音を聞き、発声者の唇の動きは「ババ」と言っているように見えた場合、あなたの脳はその情報を「ガガ」とも「ババ」とも解釈せず、まったく新しい「ダダ」という音だと解釈する。

このような多感覚の統合は、発声された言語を解釈するときに誰もが自然に行っている現象であり、言語の発達段階のごく初期から見られる。耳が聞こえ、目が見える人であれば、その人の脳は、ある特定の視覚情報と聴覚情報を組み合わせることを学習する。そしてこのつながりは、時間の経過とともに強固になっていく。そこで予期していなかった組み合わせが発生すると、脳はなんとかつじつまを合わせようとする。その結果がマガーク効果だ。

私たちの研究によって、バイリンガルはモノリンガルと比べてマガーク効果をより経験しやすいことが確認された。[*19] そこから考えられるのは、マルチリンガルであることによって、異種感覚統合に変化が起こっているのではないかということだ。おそらくその理由は、複数の言語を話す人は、新しい言語を学ぶ間、少なくとも最初のうちは視覚情報に頼る必要があるからかもしれない。

新しい言語の習得過程にある人は、話者の口の動きを見て解釈の助けにすることがよくある。それは裏を返すと、電話で新しい言語を理解するのはとても難しいということでもある。電話では相手の口の動きが見えないからだ。現に、複数の言語が話される家庭で育つ赤ちゃんは、モノリンガルの家庭で育つ赤ちゃんに比べ、話者の口をより熱心に見る傾向がある。バイリンガルとモノリンガルの間には、発達の初期段階から発声された言語に関するインプットに対する反応の違いがあり、その違いが生涯にわたってそれぞれの感覚処理に影響を与えているのだ。[*20]

言語に影響を受ける知覚は視覚と聴覚だけではないが、その他の知覚に関する研究はごく少数しか存在しない。知覚を符号化する方法は言語によって異なる。それぞれの知覚を表現する単語の数が言語によって違うのはもちろん、たとえ同じ言語を話していても、知覚をどのように表現するかは人によってさまざまだ。たとえば嗅覚は、ほぼすべての言語で、他の知覚に比べてそれを描写する表現が貧弱だ。

さまざまな物質の味、匂い、手触りを想像してもらうという研究によると、母語以外で想像したマルチリンガルの被験者は、母語で想像したときと比べ、触覚、運動感覚、聴覚、視覚の描写が貧弱だった。そこからわかるのは、それぞれの最初の体験が母語と結びついているということだ。

言語は痛覚にまで影響を与えることもある。汚い言葉を使うと、冷たい氷水に手を入れていられる時間が長くなる。[*21] それはおそらく、汚い言葉を使うことでストレスが発散され、痛みを感じる閾値が変化したからだろう。今度、子どもが散らかしたレゴブロックを踏んでしまったら、この実験で証明されたエビデンスを言い訳にするといいだろう（さあ、汚い言葉を言ってしまってください。気分がよくなりますよ！）。

周りの世界から入ってくる情報を処理して整理するとき、言語はもっとも強力なツールの1つになってくれる。私たちは、言語というフィルターを通して現実を知覚する。そして新しい言語を習得すると、たった1つの言語しか知らないという制約から解放され、より自由に周りの世界を知覚することができるようになる。

マルチリンガルがこの世界をより多角的に知覚できるのは、ある1つの言語によって強制されたスカラー場の勾配を超越することができるからだ。[※] 新しい感覚を手に入れたいなら、わざわざドラッグに手を出す必要はない。なぜなら私たちには、言語（あるいは複数の言語）があるからだ。

※著者は、マルチリンガルが世界を多角的に知覚できる理由を「スカラー場」という語を用いて、「スカラー場の勾配（傾き、傾きの程度）を超越する」とたとえている。「スカラー」とは大きさのみを持つ量のこと。大きさと向きを持つベクトルと対比する概念。位置に応じたスカラーが存在する空間を「スカラー場」と呼び、「スカラー場の勾配」とはスカラー場におけるスカラーの変化率をさす。

4 言葉は受肉した

はじめに言葉ありき（中略）
そして言葉は受肉した
――ヨハネによる福音書　第1章第1節、第14節

私がマルチリンガルの脳の研究を始めたのは1990年代のことだ。[*1]当時の私は、ニューヨーク州のイサカからマンハッタンまで5時間かけて通い、スローン・ケタリング記念がんセンターでバイリンガルの脳画像を撮影していた。あのころはまだ、fMRIの技術[*2]が登場したばかりだった。

神経科学者で、私にfMRIの使い方を教えてくれたジョイ・ハーシュと一緒に、夜遅くまで脳画像を穴の空くほど眺めていた。病院で体内の画像を撮影するときはMRIの機

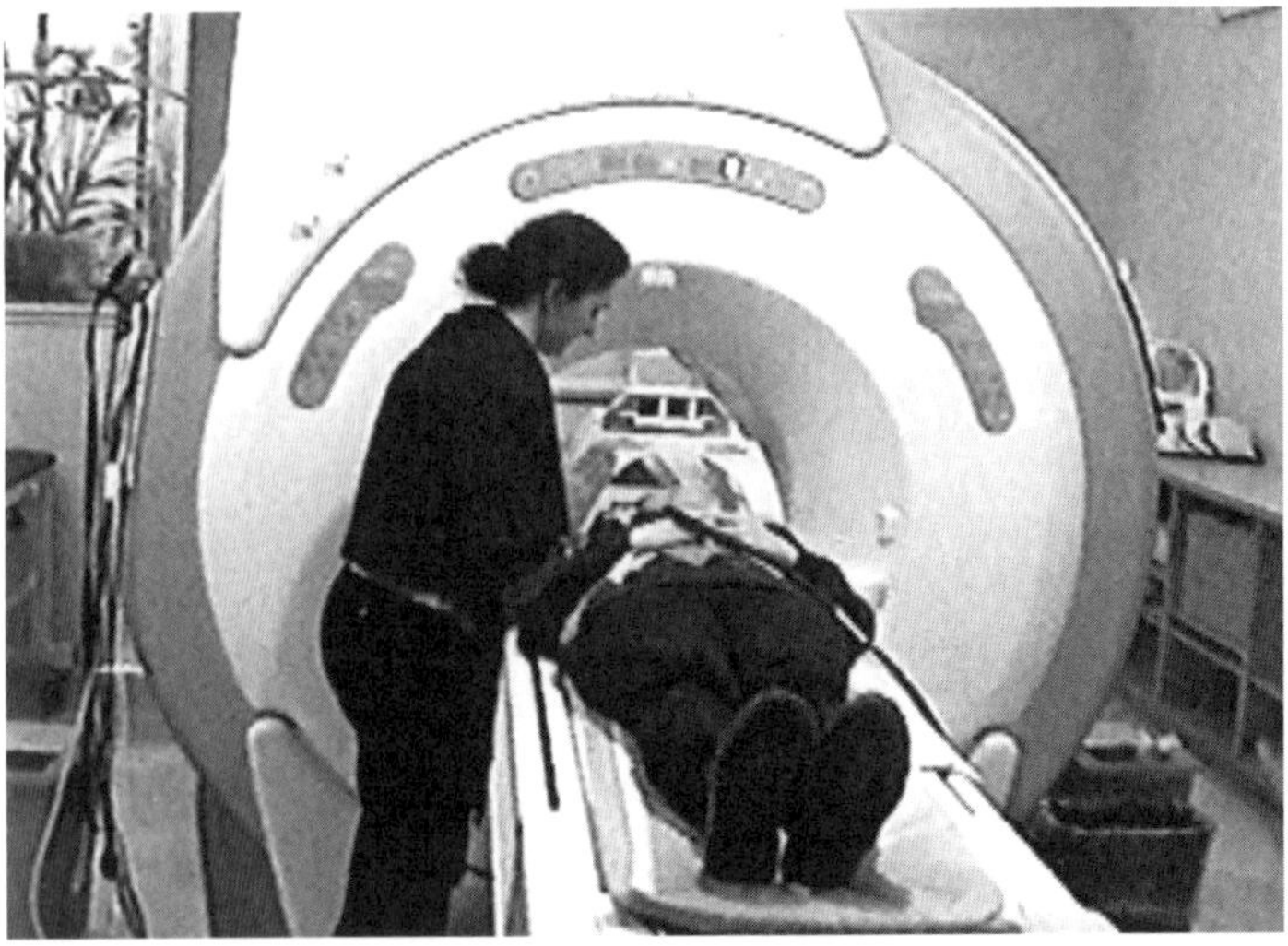

fMRIを使ってバイリンガルの脳を検査する準備をする著者の写真。1998年、ニューヨーク市のスローン・ケタリング記念がんセンターにて。

械を使うのが一般的であり、fMRIも同じ機械を使うのだが、MRIが体内の構造を撮影するのに対し、fMRIは脳のさまざまな部位の血流や酸素レベルを観察することで、脳の機能を計測する技術だ。

MRIは当初、脳内の腫瘍を発見したり、脳の解剖画像を撮影したりするのに使われていた。その後は手術計画の場にも進出し、基本的な生命維持に必要な脳の部位を傷つけるのを防止するために活用された。しかし、脳の構造と機能を特定する技術が向上するにつれ、認知タスクを行っている脳の活動を検査する技術が新しく開発されることになった。

血中酸素濃度依存コントラスト法と

呼ばれる技術が、活動する脳の撮影で使われるようになった。ある認知タスクに、ある脳の部位が関わると、その部位でニューロンの活動が活発になる。ニューロンが活発になると、その部位の血管が拡張し、代謝率が上昇するとともに、その部位の血流も増える。血流が増えると、その部位の酸素化率が変化する。ｆＭＲＩは、脳のさまざまな部位でその酸素化レベルの変化を検知する技術だ。

簡単に言うと、私たちが頭を使って何かのタスクを行うとき、そのタスクに必要な脳の部位では血流が増し、ｆＭＲＩの強力な磁気がその血流の変化を検知するということだ。

当初、マルチリンガルの脳の研究が目指していたのは、脳内で母語の部位と母語ではない部位を特定することだった。今となっては間違いだったとわかっているその研究は、脳が外傷から回復する仕組みに関する臨床研究から生まれている。

マルチリンガルの失語症

失語症とは、脳の損傷が原因で、言葉を理解したり、言葉で表現したりする能力を失うことだ。脳卒中を発症したトリリンガルは、それ以前に話せた3つの言語のうち2つの言語を失い、その後に失われた2つの言語のうちの1つを取り戻すこともある。

マルチリンガルの失語症で、とても興味深い事例がある。ある尼僧は、北アフリカのモロッコの都市カサブランカでフランス語を話す家庭に生まれ、10歳からアラビア語を学んだ。彼女はどちらの言語も堪能になり、病院の小児科で24年間にわたって看護師として働いた。患者とその身内と話すときは主にアラビア語を使い、病院のスタッフと話すときは主にフランス語を使っていた。

しかし48歳のときに交通事故に遭い、脳の損傷で意識不明の状態になった。その後、意識は回復したが、彼女はフランス語もアラビア語も失い、まったく話せなくなっていた。そして4日後、アラビア語だけでいくつかの単語を話せるようになった。神経学的にも心理学的にも、他に問題はまったく見当たらない。意識は明晰で、知能レベルも事故前と同じだ。

それからの14カ月は、アラビア語とフランス語が交互に回復するような状態だった。アラビア語は話せるがフランス語は話せない日もあれば、その逆の日もある。そして両方の言語を回復してからも、「アヴェ・マリアの祈り」と「主の祈り」をラテン語で唱えることができなかった。どちらの祈りも、それこそ何千回にもわたってくり返し、完全に暗記していたにもかかわらず。このような特殊な失語症は「交互拮抗的失語症」[*3]と呼ばれ、思っているほど珍しい症例ではない。

マルチリンガルの失語症に関する初期の組織的な研究の1つは1895年に発表された。神経科医のアルベール・ピトレ[*4]が、マルチリンガルにおける失語症のさまざまな症状を調べ、その発症と回復のパターンを解明しようとしたのだが、個人による差が大きいために断念せざるをえなかった。

どの言語を失い、どの言語を回復するかを決める要素はたくさんある。脳内のどの機能が損傷したのか、その言語をいつ習得したのか、どうやって習得したのか、どこまで堪能だったのか、日常的に使っていたのか、それともしばらく使っていなかったのか、といった要素だ。

神経言語学の分野では、マルチリンガルの失語症の研究が行われてきた。[*5] 研究の対象者は、2つの言語を話す人から、実に54の言語を話す人までいる。

症例も、母語を失ってから取り戻す、第二言語を失ってから取り戻す、古代ギリシャ語やラテン語など、すでに失われた言語が回復した逆説的な例、選択的な失語症（多くの言語の中から1つの言語だけ失う）、言語によって症状に差異のある例（ある言語は理解することができず、別の言語は話すことができない）、交互に起こる失語症（ある言語を失うときもあれば、別の言語を失うときもある）、言語の病的な混同（どの言語をいつ使うかということを自分でコントロールできず、2つの言語を混同してしまうこと）など、実にさまざまだ。

当初、マルチリンガルがある言語を話す能力を失っても別の言語は失わないのは、言語によって使われる脳の部位が違うからだと考えられていた。マルチリンガルの失語症では選択的な言語の喪失と回復が起こるという事実から、初期の研究者たちは、それぞれの言語を司る脳の部位を探すという間違った道を進むことになった。

19世紀の終わりになると、外科医たちは、脳に直接電気の刺激を与えるという方法で、言語を司る脳の部位を探すようになった。その目的は、脳の腫瘍を切除したり、発作を緩和したりする手術の際に、言語を司る部位を傷つけないようにするためだ。マルチリンガルの脳に関する初期の研究では、皮質刺激と呼ばれる技術を使って、言語を司る脳の部位を特定しようとした。ウサギの穴に潜って、それぞれの言語の場所を探すような作業だ。

マルチリンガルの脳が皮質刺激を受けると、ある言語の機能は下がるが、他の言語の機能は下がらないという現象が起こる。その結果を受けて、科学者たちの間では、言語を司る脳の部位を特定しようという動きがさらに加熱した。どの部位が特定の言語だけを司り、どの部位が複数の言語によって共有されているのか？

現在では、マルチリンガルが複数の言語を操れるのは、言語特有の性質や、その言語がどの程度まで堪能かといった要素によって変わることもあるが、主に脳内で重なり合う複数のネットワークを活用しているからだとわかっている。そして、ある言語を失っても他の言語は失わないというような選択的な障害が起こるのには、複数の原因が関係している。

マルチリンガルの言語は、脳内の同じ場所で処理されているのか、それともそれぞれ別の場所で処理されているのかを探る研究は、そもそも問いの設定が間違っていた。人間の脳は、言語ごとに決まった部位が割り当てられているわけではない。むしろ、1つの言語だけを使うときも、複数の言語を統合するときも、緻密、かつ広範囲に張り巡らされた神経ネットワークが使われているのだ。

脳は言語をどう処理するか

近年、神経科学の分野で大きな飛躍があった。具体的には、脳の働きを計測する方法が進歩し、脳は言語をどのように処理するか、新しい言語を習得すると脳内の神経ネットワークはどのように変化するかという疑問の解明が進んだのだ。複数の研究の結果、言語の処理に関わる脳の部位は、前頭葉、側頭葉、頭頂葉、後頭葉などかなりの広範囲にわたり、それらの部位の相互作用によって言語の処理が行われることがわかっている。

脳の広範囲で行われる同時進行型の言語処理は、もちろんマルチリンガルに特有のものではない。最近の研究によると、どうやら知覚情報、言語・意味論的情報は、一般的な言語システムの中で並行して処理されているようであり、それはモノリンガルも変わらない。

言語処理において、かつてはプロセスの後半に活発になると考えられていた脳の部位は、実際は音を聞いた瞬間に活発になっている。かつて科学者たちは、耳で聞いた言語の処理は連続的に行われると考えていた。まずは音の周波数のような聴覚情報が主に聴覚野と呼ばれる部位で処理され、その後で、上側頭回と呼ばれる部位で音が何らかの意味を持つ言葉に変換される[*6]というようにである。

新しい手法の開発によって、聴覚野の全領域に小さな電極を設置し、言語処理のときに発せられる神経のシグナルを同時に集めることが可能になった。このような新しい手法を用いた神経科学の実験の結果、脳内の言語処理は、まず音の知覚という低次の処理で始まり、その後で意味の解釈という高次の処理に移行するわけではないということがわかってきた。脳は言語の情報を、同時に並行して処理しているのだ。

すでに見たように、マルチリンガルの脳内では複数の言語が同時に活性化している。この現象によって、人間の脳の非モジュール性（脳は機能ごとに個別のモジュールに分けられるわけではないということ）に、別の角度から光が当てられることになった。

そもそも、人間の脳は機能ごとのモジュールに分けられるという議論は、1700年代から1800年代にかけて盛んに唱えられた骨相学という疑似科学に起源がある。フランツ・ヨーゼフ・ガル（1758〜1828）をはじめとする骨相学者たちは、人間の脳の機能はそれぞれ決まった部位に収まっていると主張した。骨相学者が描いた脳の図を見ると、この部位はXという機能、この部位はYという機能、この部位はZという機能というようにはっきりと分かれている。

20世紀に入り、哲学者のジェリー・フォーダーが、人間の精神のモジュール性について新しい考え方を提唱した。彼の著書である『精神のモジュール形式』（産業図書）を読むと、人間の脳は機能ごとに部位がはっきり分かれているという考え方は登場しないが、機能それ自体はモジュールであるという大胆な主張を見ることができる。[*7]

それはつまり、人間の精神は機能のはっきり分かれたモジュールの組み合わせであり、それぞれのモジュールは進化の過程で形成されたということだ。そして各モジュールの間に相互作用はなく、互いに影響を与えることはない。言語は言語のモジュールが担当し、知覚は知覚のモジュールが担当し、記憶は記憶のモジュールが担当する、というように。

新しい手法の開発によって、ジェリー・フォーダーの時代には不可能だったデータの収集ができるようになった。その結果わかったのは、人間の脳はモジュールの組み合わせではないということだ。

全般的な脳の機能と、それが生み出す知能は、個別のモジュールを研究していては理解することができない。そして、マルチリンガルの脳内で大規模な複数言語の同時活性化が起こっていることが解明されると、「人間の脳はモジュール性である」という考え方にも、ついにとどめが刺されることになった。

現代の神経言語学では、言語の機能を脳内の場所と切り離して解釈している。ここで、脳内の神経ネットワークは、創発論によって説明される他の複雑系[*8]と同じだと考えてみよう。複雑系には2つの大きな特性がある。1つは、全体は部分の総和よりも大きいということ、そしてもう1つは、部分がきわめて密接につながり、動的であるということだ。

私たちの言語能力は、それがどんな言語であれ、脳全体が協奏曲のように協調して働くことによって生まれた創発的な特性を持つと考えられる。そして協奏曲の比喩を続けるなら、英語を話すこととフランス語を話すことの違いは、チューバを演奏することとバイオリンを演奏することとの違いというよりも、むしろオーケストラ全体がベートーベンの交響曲第5番を演奏することと、同じくオーケストラ全体がチャイコフスキーの交響曲第6番を演奏することの違いにたとえられる。

マルチリンガルも、たしかに言語機能は相互に重なり合う神経ネットワークに大きく依存しているが、ある言語だけを失って、他の言語は保持するということもある。それはたとえるなら、同じオーケストラが2つの違う交響曲を演奏する場合、1つの曲ではバイオリンを失うことが大きな痛手になるが、もう1つの曲ではそれほどではないかもしれないというのと同じことだ。

新しい神経の通り道

言語の能力が時間の経過とともに変化するのは、複雑系の2つ目の特性で説明できる。脳は自己組織型の器官であり、インプットや経験から学習して適応していくことができる。神経のネットワークは生まれ、そして変化する。ネットワークのつながりは使うことで強化され、使わないことによって消滅する。

創発の背景にある原則は、数学者のアラン・チューリングによって数学的に説明されている。[*9]チューリングは、複雑な組織はマスタープランがなくても自らを組み立てる能力があることを実証した。

自己組織型のシステムは、自然界にも人工の世界にも存在する。自然界の例は粘菌の動きやアリのコロニーであり、人工物の例は市街地の構造などだ。そして現代の人類は、ＡＩを用いてさらに複雑な自己組織型のネットワークをつくり出している。

ＡＩは何度も問題解決に挑戦することで自ら学習する。ＡＩであれば、無限のトライアル・アンド・エラーをくり返すことが可能だ。そのくり返しの中からもっともうまくいく方法を発見し、ついにチェスのグランドマスターに勝つまでに成長した。以前は絶対に不可能だと考えられていたことだ。自己組織化と自己複製を自動的にくり返すＡＩの神経ネットワークは、さまざまな脳の部位の相互作用によって創発する人間の知能とよく似ている。[*10]

個々のニューロンの能力は限られているが、たくさんのニューロンがつながり、協力して働くと、「全体は部分の総和よりも大きい」という結果になる。そして集まったニューロンが自己組織化することで、複雑な認知機能が可能になる。多くの言語を話すマルチリンガルの場合、この自己組織型のシステムはさらに複雑さを増す。

２つのニューロンがある刺激（たとえば発声された言葉）に反応すると、それらのニューロンはお互いに化学的・物理的につながる道を形成する。そうやって新しくできたつながりは、一緒に活性化することが多ければ強化され、少なければ結びつきが弱くなる。

たとえば、「眠る」という単語と「疲れた」という単語の組み合わせは、「眠る」という単語と「緑色」という単語の組み合わせよりも頻繁に発生するだろう。「眠る」と「疲れた」という組み合わせを何度も経験するうちに神経認知のシステムが変化し、そしてシステムの変化が脳の物理的な構造の変化にもつながるのだ。[*11]

ニューロンの発火は学習の基盤であり、ニューロンが発火すると脳内で灰白質と白質が形成される。違う言語を学習すると、脳内で起こるのは、ただ新しい語彙が増えることだけではない。新しいネットワークが生まれ、脳の構造が物理的に変化するのだ。[*12]そしてその結果、より豊かな認知の層が形成される。

たしかに言語には、情報を外部に伝える、コミュニケーションを可能にする、人と人をつなげるという役割がある。しかしそれと同時に、自分の脳内にある神経ネットワークを拡大するという役割もあるのだ。言語によってニューロンが発火し、新しい神経の通り道が形成され、すでにある通り道が強化される。脳の構造が変化してより効率的になり、学習効果が最大化され、機能が最適化される。

運動が肉体を変えるように、新しい言語を学ぶ・使うという脳の活動も、脳の物理的な構造を変えることができる。実際、バイリンガルの脳は、前頭部の灰白質が普通よりも分厚くなっていることがわかってきた。

灰白質はニューロンの細胞体が集まる場所であり、情報を処理する役割を果たしている。そして白質は有髄軸索で形成されていて、神経インパルスを通じてある灰白質から別の灰白質へとシグナルを送る。

この仕組みを簡単に説明するなら、ハイウェイでつながれた街を想像するといいかもしれない。灰白質は処理が行われる場所（街）で、白質はコミュニケーションが提供される場所（ハイウェイ）だ。世界的な科学誌『ネイチャー』に掲載されたある研究によると、第二言語を幼いころに習得し、かなり流暢に話せるバイリンガルは、さまざまな皮質で灰白質が通常より分厚くなっていることが確認されたという。*13

マルチリンガルの脳はまた、前頭部と後頭部、前頭部と皮質下の知覚・運動を司る部位を結ぶ神経の通り道で、白質が通常よりも多いことがわかっている。*14 彼らはこの特徴のおかげで、通常であれば前頭部が司る作業のいくつかを、手続き的な作業を担当する他の部位に回すことができるのかもしれない。こうして負担が軽くなった前頭部は、本来の役割である認知的なタスクにより集中することができる。

灰白質の量と、白質の統合度は年齢とともに低下するが、複数の言語を話すことによって、その低下を遅らせることができる。私たちの脳は、自らを再組織し、ニューロン同士の新しいつながりを生成するという驚くべき能力を、経験とともに身につけてきた。*15

複数の言語を話すという経験は、言語に関わる脳の部位の物理的な構造を変えるだけでなく、言語以外の機能も持つ脳の部位の間に新しいつながりをつくり出し、その結果として、言語とは関係ないパフォーマンスにも変化を起こす。

言語は遺伝するか？

これまで見たように、マルチリンガルの経験は脳の灰白質と白質に影響を与えるが、マルチリンガルの脳に関する最新の研究からさらに驚くべきことがわかった。[*16]

複数の言語を話すと、脳の構造、組織、機能だけでなく、細胞の化学物質濃度と代謝物濃度も直接的な影響を受けて変化するのだ。脳内の神経活動は多くのエネルギーを消費するため、代謝物濃度は、神経変性（特定の神経細胞が徐々に死滅していくこと）と、経験による脳の神経可塑性（脳の物理的な構造が変化すること）の両方によって変化する。

脳の代謝活動と、神経化学物質の活動に生じる変化は、アルツハイマー病による認知力の低下、多発性硬化症、パーキンソン病、ハンチントン病、そして原発性進行性失語症との関連が認められている。

代謝レベルの変化はまた、認知の老化によっても現れる。健康な人であれば、代謝物濃度は、記憶、実行機能（複雑な課題の遂行など、高度な作業を行う脳の機能）、読むことなどの認知機能から影響を受ける。代謝物濃度を測定するという方法は、脳内の神経化学物質の状態を正確に知ることができるので、ただ行動を観察する方法よりもかなり有用性が高い。

ＭＲスペクトロスコピー（ＭＲＩの手法の1つ）を使ってバイリンガルの脳における代謝の相関を調べた研究によって、バイリンガルとモノリンガルは脳の代謝レベルに違いがあることがわかった。[*17] バイリンガルの脳は、myo－イノシトールと呼ばれる化学物質の濃度が高く、N－アセチルアスパラギン酸と呼ばれる化学物質の濃度が低い。どちらも代謝の過程で生成される代謝物であり、経験による脳の再組織に関連があるとされている。

どちらの物質の濃度も、バイリンガルとして両方の言語を使う頻度と相関性がある。ここからわかるのは、複数の言語を使うことにより、脳内の代謝物濃度を変化させるのにちょうどいい種類の認知的な負荷が生まれるらしいということだ。

脳細胞内で代謝物に変化が起こることに加え、マルチリンガルの経験は、エピジェネティクスの細胞の変化にも関連があるようだ。

エピジェネティクスとは、遺伝子そのものの変化ではなく、遺伝子の発現が変化する仕組みを研究する学問分野のことだ。エピジェネティクスの語源はギリシャ語で、「エピ（epi）」は「～の上に」、あるいは「～に加えて」という意味である。つまり、「遺伝情報の上にある遺伝」ということだ。

エピジェネティクスの変化が起こると、細胞内でプロテインが生成されるかどうか、どのプロテインが生成されるかが決まり、そしてエピジェネティクスの変化自体は環境や行動で決まる。

DNAメチル化のようなエピジェネティクスの変化は、遺伝子を「オン」にしたり、「オフ」にしたりできる。これらの変化は、可逆性があると同時に、遺伝しうる。どちらの結果になるかを決めるのは、本人かその祖先がどのような人生を送ったかということだ。

エピジェネティクスの変化が変化前の状態に戻るのは、たとえば喫煙者だった人がタバコをやめた場合などだ。喫煙者のDNAは、非喫煙者のDNAに比べてメチル化レベルが低い。一般的に、メチル化が起こると遺伝子は「オフ」の状態になり、脱メチル化が起こると遺伝子は「オン」の状態になる。そのため、脱メチル化が起こると、ある種の病気の遺伝子が「オン」になる可能性が高くなる。禁煙し、そのままタバコを吸わずにいると、DNAのメチル化レベルが上昇し、いずれ非喫煙者と同等のレベルになる。

エピジェネティクスの変化が遺伝する事例[*18]のうち、私がいちばんおもしろいと思うのはミジンコの形態だ。ミジンコには、トゲのついたヘルメットをかぶった種類と、何もかぶっていない種類がいる。丸い頭のミジンコも、トゲのヘルメットをかぶったミジンコも、DNAはまったく同じだ。ヘルメットをかぶっているかどうかは、そのミジンコの母親がどんな経験をしたかで決まる。

母ミジンコが捕食者に襲われた経験があると、その子どもはトゲのヘルメットをかぶって生まれてくる。母ミジンコが一度も捕食者に襲われずに命を終えると、その子どもはヘルメットなしの丸い頭で生まれてくる。母ミジンコも、子ミジンコも、持っている遺伝子はまったく同じだ。しかし、母ミジンコの経験によって、子ミジンコが持つ遺伝子の発現が変化する。これがエピジェネティクスの変化であり、この変化によって、子ミジンコがトゲつきのヘルメットをかぶって生まれるかどうかが決まるのだ。

　エピジェネティクスの研究者の間では、このような現象は「bite the mother, fight the daughter（母親を噛むと、娘と戦うことになる）」と呼ばれている。そしてこの現象が見られるのはミジンコだけではない。自然界に自生するラディッシュも、親となるラディッシュが蝶の幼虫に葉を食われたかで遺伝子の発現に変化が起こる。[*19] また、マウスを使った実験では、エピジェネティクスの変化が２代先まで受け継がれることがわかった。桜の花の香りをかぐと同時に電気ショックを与えられたマウスは、その子どもと孫も桜の花の香りを恐れるようになる。

　ここで注目してもらいたいのは、エピジェネティクスという考え方は、チャールズ・ダーウィンが唱えた進化論とは性質が違うということだ。ダーウィンの進化論では、何かのきっかけで遺伝子が変化し、その変化した遺伝子が長い時間をかけて継承され、淘汰されると考える。これは何世代にもわたる変化だが、一方でエピジェネティクスでは、親の経験が、すぐに子どもの変化となって現れるのだ。

　細胞内での大規模な情報交換を起こしているとされるエピジェネティクスの指標（マーカー）は、「細胞の言語」[*20]の役割を果たしているのではないかと考えられてきた。何がある種の遺伝子を「オン」にしたり、あるいは「オフ」にしたりしているのか、エピジェネティクスの変化はどの程度まで遺伝子の発現に影響を与えているのかという疑問については、まだはっきりした答えは出ていない。その理由の一部には、エピジェネティクスという分野そのものが２００年以上前から激しい論争の的になり、学問として認めないという動きもあったことが関係しているだろう。現在でも、エピジェネティクスに疑いの目を向ける科学者は存在する。

エピジェネティクスの変化を起こすのは、どうやらネガティブな経験だけではないようだ。ポジティブな経験、人生を豊かにするような経験も、エピジェネティクスの変化につながる。ラットを使った研究でわかったのは、両親が刺激のある環境で生息すると、その子どもは、エピゲノム（遺伝子の発現を制御する仕組み）、脳、行動が変化するということだ（父親のラットは交尾前の環境が子どもに影響を与え、母親のラットは妊娠前から妊娠中までの環境が子どもに影響を与える）。

人生が豊かになるような刺激的な環境を用意し、オスのラットは交尾前をその環境ですごし、メスのラットは妊娠前と妊娠中をその環境ですごすと、その2匹の間に生まれた子どもは、脳の海馬と前頭葉のメチル化レベルが低下していることがわかった。ラットにとっての刺激に満ちた豊かな環境[*21]とは、ケージが広く、多様な体験ができて、刺激的なおもちゃがたくさんあり、交流できる仲間がいるということだ。

人間の場合も、刺激的で豊かな経験によってエピジェネティクスの特性に変化が起こるのだろうか？　この疑問に関する研究はまだ始まったばかりだ。ドラッグ、アルコール、タバコ、毒素、食事、飢餓、気温、光といった環境的な要因は、すべて遺伝子の発現に影響を与える。

最近の研究で、ホロコースト生存者の子どもと、9・11同時多発テロ生存者の子どもにおけるエピジェネティクスの変化が報告されている。[*22]　エピジェネティクスは幼児期の発達に影響を与える。[*23] 具体的には、脳の発達、学習、言語の獲得と障害などだ。人間の認知障害や学習障害も、エピジェネティクスの影響が指摘されている。

複数の言語を話すことが、エピジェネティクスの変化につながるかどうかはまだわからない。言語能力を1本の線とするなら、一方の端には「ギフテッド」と呼ばれるような天才がいて、もう一方の端には言語障害と診断される人がいる。そのどちらも遺伝が関係しているようだ。しかしだからといって、ある1つの遺伝子が言語能力を決めているわけではない。言語能力には、複数の遺伝子とその発現が関わっているからだ。

脳細胞は、DNA2本鎖切断（DNAを構成する2本の鎖が同時に切れること）を利用して、学習と記憶に関連する遺伝子の発現を早めることができる。[*24] すでに見たように、豊かな経験ができる環境はラットのエピジェネティクスに変化を起こし、人間の場合は遺伝子の発現によって学習と記憶の能力が変化する。それを踏まえれば、マルチリンガルが経験するような言語的・社会的に豊かな環境が人間の遺伝子の発現を変えると考えるのも、理にかなっているといえるのではないだろうか。

マルチリンガルの人生には、さまざまな音があり、景色があり、経験があり、文化がある。そういった多様性のある環境も、エピジェネティクスの変化を引き起こすのかもしれない。現時点でこれはあくまでも推論であり、実験によって証明していく必要があるだろう。しかし、マルチリンガルはエピジェネティクスの変化と関係があるという考え方が、エピジェネティクスの理論と矛盾しないことはたしかだ。

すでに見たように、マルチリンガルであることは、脳の構造と機能を変え、細胞レベルの化学物質を変え、さらにはエピジェネティクスの変化まで起こしている可能性もある。驚くべきことに、言語や言葉といった実体を持たないものが、脳という物理的な存在や、脳を構造する物質を変える力を持っているのだ。

第2章に登場した目の動きの変化から、内耳の内部にある有毛細胞の振動の変化まで（有毛細胞は第11章に登場する「耳音響放射」にも関係している）、違う言語を学ぶことには、物理的な肉体を変える力がある。

あなたはここで、「言葉は受肉した」という聖書の一節を思い出しているかもしれない。この一節は聖書のどこかにさりげなく登場するのではなく、ヨハネによる福音書のまさに冒頭を飾っている。

言葉が物質を変えるという考え方は、世界中の多くの宗教や神話で見ることができる。祈りやチャントは言葉でできている。呪文やおまじないを信じる人が、なぜそれらを信じているかというと、言葉やコードには人の行動や感情をある方向に動かす力があると信じているからだ。しかし、そもそもそれが言葉の本来の役割ではないだろうか？　言葉とは、誰もが見ることのできる魔法だ。

日本語には「言霊」という言葉がある。この言葉の背景にあるのは、言葉には現実を変える力があるという考え方だ。言霊の考え方は、「元号」という日本の伝統にも現れている。元号とはある年代につけられた名前のことで、日本では天皇の交代とともに元号が変わる。現在の元号である「令和」は、今上天皇・徳仁が即位したときに始まった。

言葉が現実を変えるという考え方は、かつては神話の世界の話だったが、今では科学的な研究の対象になっている。言葉はたしかに現実の世界を変える。私たちの肉体の生理機能も、言葉の影響を受けているのだ。

5 子どもの脳と大人の脳

人類が追い求める聖杯といえば、永遠の若さを与えてくれる不老不死の薬だろう。この聖杯を探す旅は、聖書と同じくらいの歴史がある。そして現在、私たちは「ブルーゾーン」と呼ばれる場所を研究している。

ブルーゾーンとは、健康長寿の人が多く暮らす地域のことだ。地球上の他の場所に比べて平均寿命が長く、１００歳を超えている人の割合も高い。研究の目的は、高齢になっても健康を保ち、寿命を延ばす秘訣を探ることだ。たしかに「聖杯」はまだ見つかっていないが、健康長寿に貢献していると考えられる要素ならいくつかわかってきた。特に大きな要素は、運動、栄養、教育だ。

そしてバイリンガルであることも、加齢に伴う認知力の低下を抑える働きがあることがわかってきた。

ここで想像してみよう。何年にもわたって毎日同じ道を通って帰宅していたのに、ある日その道が崩壊し、もう通れなくなってしまった。他にも道がたくさんあるのなら、1本の道が通れなくなっても、他の道を通って帰ればいい。しかし、家に帰る道がそれしかなかったとしたら、あるいはあなたがその道しか知らなかったとしたら、道が通れなくなることは大きな問題だ。

脳の中の通り道もそれと同じだ。1つの道が劣化し、もう記憶や情報にたどり着けなくなったとしても、マルチリンガルの脳内には他にも道がある。長年にわたって複数の言語を話してきた結果、違う言語の単語、記憶、経験などが蓄積し、たくさんの神経の通り道が形成されてきたからだ。

認知症の発症が遅くなる

夫の母親のウィルヘルミーナはオランダ人で、年齢は80代だ。4カ国語に堪能で、頭もとてもしっかりしている。最近の研究によって、複数の言語を話すことは脳の健康に有効だということがわかってきた。その研究結果を裏づける高齢者はたくさんいるが、ウィルヘルミーナもその1人だ。

マルチリンガルを対象にした神経科学の研究からさまざまなことがわかってきたが、最近の発見の中で特筆すべきは、複数の言語を話すことは、アルツハイマー病やその他の認知症の発症を平均して4年から6年遅らせるというものだろう。運動と食事を別にすると、脳の老化を予防するのにここまで効果がある方法は他になく、まさに驚くべき発見だ。

認知症の発症が数年遅れるということは、自立して生活し、人生を楽しめる期間が延びるということを意味する。そしてもしかしたら、孫と一緒に遊び、その成長を見守る人生と、孫が誰だかわからない人生を分けるカギにもなるかもしれない。

2つ以上の言語をつねに使い分けていると、脳内ではより多くの神経の通り道が形成される。加齢による脳そのものの衰えは避けられないが、普通よりもたくさんある神経の通り道が、その衰えを補う役割を果たしてくれるのだ。

もちろんバイリンガルも、認知症になれば脳の機能は低下するが、脳内につながりがたくさんあるおかげで、残りの機能をより効率的に使うことが可能になる。言い換えると、マルチリンガルも認知症にはなるが、その症状は脳が同程度に衰えたモノリンガルに比べて軽いということだ。

マルチリンガルは、たとえ脳の機能が認知症と診断されるほど衰えても、日常生活への影響が出にくい。モノリンガルとバイリンガルの脳の機能を厳密に比較した研究によると、バイリンガルは、記憶力と認知機能の低下がモノリンガルよりも少ない。それに、ＭＭＳＥ（ミニメンタルステート検査）など認知機能を測定する標準テストでもモノリンガルより好成績だった。

複数の言語を話す人は認知症の発症が遅くなるという現象は、「認知予備能」として知られている。認知予備能とは、脳の生理学的な状態と、実際の認知機能のレベルの違いを表す表現だ。代替となる認知リソース（予備能）を持っていることは、脳の病気やストレスといった抑制に対抗する有効な手段となる。

この能力を、脳のダメージに対するレジリエンスだと考えてみよう。認知能力の予備をたくさん持っている人は、予備の少ない人に比べ、たとえ病気、加齢、ストレス、一時的な健康状態の悪化などで脳が同程度のダメージを受けていても、認知機能を使うタスクで高い能力を発揮することができる。

映画『アリスのままで』は実話を元にした物語であり、ジュリアン・ムーアが認知症を発症した言語学者のアリスを演じている。アリスは日常生活を送るために、メモ、日記、リマインダーなどの外部記憶補助の助けを借りていた。彼女はこの分野の研究に詳しく、記憶を助ける手段についての知識もあったので、発症からしばらくの間は病気とうまく付き合うことができたが、それでも最後にはつらい結末が待っている。

認知症や、認知機能の衰えに関する研究からわかるのは、教育レベルと、複数の言語を話すことは、病気の進行を遅らせる要素になるということだ。この2つのライフスタイル要素は、運動、ストレス管理、そして生涯を通じて好奇心を保つことと並んで、年を取っても頭脳明晰でいる助けになってくれる。

高齢者を対象にした研究

もちろん、脳の健康に効果がある経験は、母語以外の言語を話すことだけではない。音楽は豊かな聴覚体験の一形態であり、聴覚処理能力を向上させる助けになってくれる。ただ読むことも一種の認知体験であり、単語と意味をつなげる働きがある。またゲームをすることも、認知制御といった脳の機能にいい影響があるとされている。何か新しい挑戦を経験することも、それが旅行であれ、あるいはクロスワードパズルやジグソーパズルであれ、高齢になっても脳の健康を保つ助けになる。

中でも特に影響が大きい要素は教育であるようだ。最近の研究によると、学士号を持つ80歳の女性の記憶力は、平均すると高卒の60歳の女性の記憶力と同程度になるという。研究者たちはこの結果を受けて、4年間長く教育を受けることは、20年間の加齢による記憶力の低下を補う力があると考えた。[*1]

マルチリンガルであることが特別なのは、影響が広範囲にわたることと、これまで見たような活動の利点をすべて併せ持っていることだ。マルチリンガルには、音楽の訓練に伴う聴覚の向上、読むことに伴う単語と意味のつながりの強化、ゲームをすることに伴う認知制御の拡大、刺激のある活動をすることに伴う脳の健康向上、教育に伴う学習能力の向上、運動に伴う認知症の予防といった利点をすべて実現してくれる力がある。メタ分析（複数の研究を対象にした分析のこと）によると、バイリンガルであることが認知機能に与える影響は、運動が認知機能に与える影響とだいたい同じだという[*2]。

　マルチリンガルだけの特質をもう1つあげるなら、それは新しい言語を習得してしまえば、後は特に何もしなくてもマルチリンガルであることの利点を享受できるという点だ。脳に刺激を与える他の活動、たとえば大学に通う、クロスワードパズルや数独を解く、運動をする、本を読むといった活動の場合、効果を上げるためにはその活動をずっと続けなければならない。そのためには時間が必要であり、ときにはお金が必要になることもあるだろう。

　一方でマルチリンガルの場合は、ただ普通に日常生活を送っているだけでいい。複数の言語を管理するということは、それだけで認知機能のエクササイズになるからだ。使う言語を選ぶ、使わない言語を抑制する、言語を使いこなす、言語を管理するといった認知機能のエクササイズが、マルチリンガルの脳内ではすべて自動的に行われている。知っている複数の言語を操るにはこういった脳の体操が必要であり、この脳の体操によって脳が実際に変化し、高齢になってからも認知機能を維持できる確率を高めているのだ。

　神経科学の世界では、「認知予備能」と「神経予備能」[*3]を区別するようになってきている。認知予備能が意味するのは、認知機能の衰えを補う能力全般のことだ。対して神経予備能の意味はもっと限定的で、灰白質の増加、白質の統合、脳の構造や機能のつながりの強化など、具体的な脳の「補強」をさしている。

どちらの予備能も、複数の言語を話すことによって向上するようだ。そして生涯を通じて、それぞれの言語をたくさん使い、堪能になるほど、認知予備能も神経予備能もさらに強化されていく。

平均年齢81歳の高齢者を対象にした研究[*4]で、英語と他の言語を話すバイリンガルは、同年代のモノリンガルに比べ、以前に見た写真の情景をよく覚えていることがわかった。研究の参加者は、バイリンガルかモノリンガルかにかかわらず、非言語性知能、教育を受けた年数、英語の語彙は同程度だった。さらにバイリンガル同士を比較した研究では、第二言語の習得が早く、バイリンガルとしてすごした年数が長いほど、記憶力が優れているという結果になった。また別の研究では、3つ以上の言語を話すマルチリンガルの高齢者は認知障害のリスクが低下することがわかった。さらに年齢と教育レベルを考慮して調整を加えても、やはり結果は同じだった。

2つの言語を話すバイリンガルと、3つ以上の言語を話す人を比較する研究はそれほど行われていないが、数少ない研究の結果によると、3つの言語を話すトリリンガルであることは、バイリンガルであることよりもさらにいくつかの認知機能の強化につながるようだ[*5]。

各国の公衆衛生研究を分析したところ、マルチリンガルの国ではアルツハイマー病の罹患率が低いということがわかった[*6]。国民が話す言語の数が平均して1つの国は、その数が平均して2つ以上の国に比べ、アルツハイマー病の罹患率が高くなっている。アルツハイマー病の罹患率は話す言語の数が増えるごとに一貫して低下を続け、国民が話す言語の数とアルツハイマー病の罹患率の間には直接的な関係がある。

子がバイリンガルで育つとどうなるか

新しい言語を習得すると、あなたの目の前にはまったく新しい世界が開ける。その新しい言語を話す人たちとの間につながりができ、外国を旅行するときの体験も一変する。母語以外の言語を学ぶことの効果は、幼児期のようなごく早い段階から確認でき、その後も高齢になるまで生涯にわたって効果が持続する。

子どもを小児科に連れていったときのことだ。私が子どもに外国語のアクセントで話しているのを聞いた看護師が、子どもには英語だけを話したほうがいいと忠告してきた。親が複数の言語で話しかけると娘が「混乱」し、将来的に悪い影響があるとのことだ。

しかし、この看護師は間違っている。

たしかに、彼女と同じことを主張する人は昔からたくさんいるが、2つ以上の言語や方言が使われる環境で育つことが子どもの発達に悪い影響を与え、コミュニケーション能力が阻害されるという証拠は1つも存在しない。

それに加えて、バイリンガルも、複数の方言を話すことも、認知機能の低下にはつながらない。複数の言語や、複数の方言で育てられた子どもに吃音の増加は見られず、聴覚障害のリスクも他と比べて高くはない。また、複数の言語や方言のせいで「混乱」することもない。

もちろん、2つ以上の言語を話す環境で育った子どもがコミュニケーションや学習で困難を抱える例も数多くあるが、その比率はモノリンガルの子どもに比べて高いわけではない。そういった子どもたちは、どんな言語環境で育っていても、同じような困難を抱えることになっただろう。[*7]

初めて子どもを育てる親の中には、看護師、医師、教師、学校スタッフ、家族、さらにはタクシー運転手の間違ったアドバイスを信用し、子どもを1つの言語だけで育てようとする人もいる。しかしそうすることで、複数の言語や文化を学んで人生をより豊かにするチャンスだけでなく、脳の機能や認知力を発達させ、社会的・経済的に成功するチャンスも子どもから奪っているのだ。

バイリンガルで育てるのは子どもの発達に悪い影響を与えるという「常識」は、実は間違っている。近年になって、その事実がようやく浸透してきた。しかもそれだけでなく、2つ以上の言語が使われる環境で育つことは、子どもにとって生涯にわたる利点があるということも実証されてきている。[*8] たとえば子ども時代であれば、多くの知覚タスクと分類タスクで好成績につながるという利点があり、[*9] さらには認知的柔軟性とメタ認知スキルの向上も確認されている。[*10]

メタ認知とは、思考について思考するという意味だ。計画を立てる、自分の行動を監視する、自分の理解、学習、パフォーマンスを評価するといったときに使うプロセスや自己認識のことをさす。そしてメタ言語能力とは言語についてのメタ認知であり、簡単に説明すると、言語の本質をとらえる能力のことだ。

バイリンガルの子どもは、ものの名前とそのもの自体は同じではないということを、モノリンガルの子どもよりも早く気づくことができる。1つのものが2つ以上の名前を持つことや、自分の周りにあるもの同士のつながりと、それらのものの名前は、すべて恣意的であるということを理解している。言語とは記号的な照合システムであるということを理解することは、認知の発達における重要な指標となる。

子どもを対象にした研究

私たちは、マンダリンと英語のバイリンガルの子どもと、英語のモノリンガルの子どもを対象にした研究で、言葉の意味的連想タスクを使った実験をくり返した。*11 子どもの年齢は5歳から8歳で、バイリンガルの子もモノリンガルの子も動作性IQは同程度だ。

子どもたちは、見せられた言葉から連想する言葉を3つ答える（たとえば「犬」という単語を見せられたら、「猫」、「吠える」、「リード」など）。「犬―吠える」のような言葉をつなげる発想の回答は、年齢の低い子どもに多く見られた。この種の答えは、「犬―猫」のような同じ枠組みのものに比べ、抽象的な概念がまだ発達していないことを表している。5歳の子どものほとんどは言葉をつなげる発想で答えたが、9歳に近くなるほど単語の概念を理解した回答が多くなる。

私たちの研究では、バイリンガルの子もモノリンガルの子もだいたいにおいて同じような答えだったが、バイリンガルの子は、動詞を見せられたときの最初の発想で、同じ枠組みのものを答えることが多くなった。そこからわかるのは、バイリンガルであることによって、幼いころから情報を整理する方法がモノリンガルとは異なり、物事を枠組みで考える能力が高くなるということだ。

2つ以上の言語で育つ環境が認知能力に与えるもう1つの利点は、タスクの切り替えがうまくなることだ。それを実証する手段として、たとえばＤＣＣＳ課題があげられる。ＤＣＣＳとは「Dimensional Change Card Sort」の頭文字で、「次元を変えてカードを並び替える」という意味だ。

この課題では、さまざまな基準でカードを並び替えることが求められる。たとえば、ボートが描かれたカードと、ウサギが描かれたカードがあるとしよう。カードは赤か青のどちらかに塗られている。このカードを「色」を基準に並び替えるとしたら、赤いボートと赤いウサギが同じグループになり、青いボートと青いウサギが同じグループになる。「何」が描かれているかを基準に並び替えると、赤いボートと青いボートが同じグループになり、赤いウサギと青いウサギが同じグループになる。

「何」を基準に分類するときは「色」は無視しなければならず、反対に「色」を基準に分類するときは「何」を無視することになる。この切り替えが苦手な子どももいて、ある基準で分類することに慣れると、違う基準が出されたときにうまく分類することができない。バイリンガルの子どもはこの種の切り替えタスクが得意なことが多く、自分が注意を向ける次元を柔軟に切り替えることができる。

バイリンガルの子どもはまた、重要なものに意識を集中し、重要でないものを無視するのも得意だ。[*12] この能力を測定する手法の1つが「フランカー課題」だ。次頁のイラストのように魚を左向きか右向きに並べ、たとえば左向きの魚だけを選び、右向きの魚は無視するといった課題が与えられる。[*13] 所要時間はほんの1秒か2秒だが、バイリンガルの子どもはモノリンガルの子どもに比べ、この種のタスクに早く答えられる傾向がある。[*14]

それに加えて、バイリンガルの子どもは、他の人の信じていることや知っていることは自分とは違うということを、より幼いうちから理解できることを示す研究結果まである。それらの研究で使われたのは、「心の理論課題」[*15] と「誤信念課題」[*16] だ。

心の理論とは、自分の心の状態と他者の心の状態を区別し、他者の心の状態や物事の解釈は自分とは異なるということを理解する能力のことだ。そして誤信念とは、信念は人によって違い、自分の信念が間違っていることもあると理解できる能力であり、たとえば2体のパペット

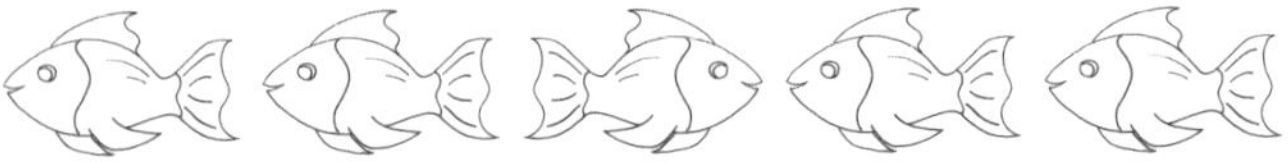

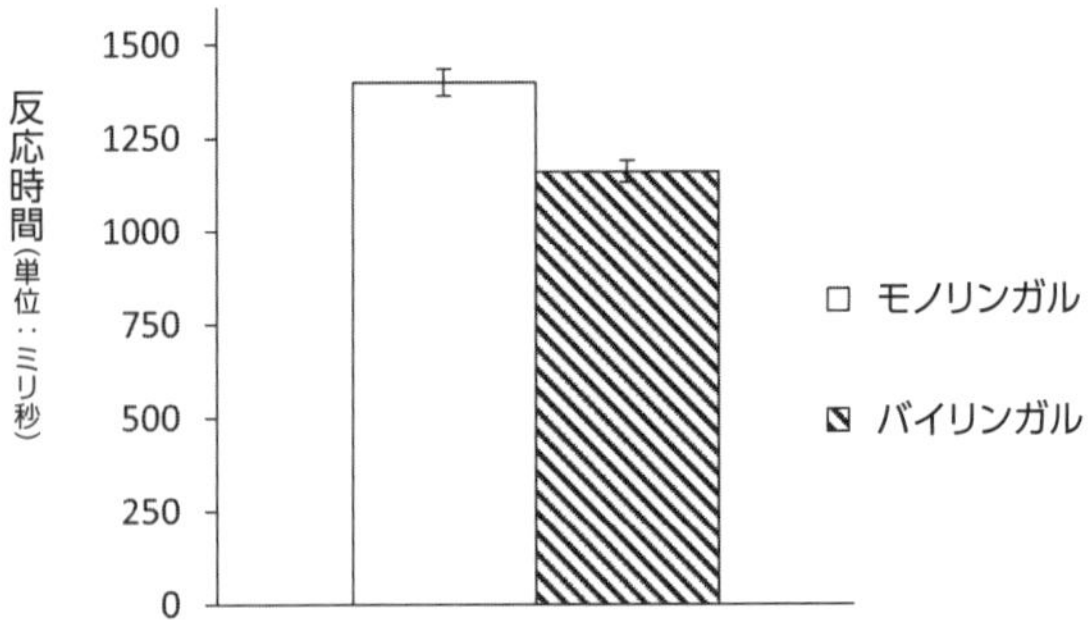

がおもちゃで遊ぶようすを観察するという課題を子どもに与えて測定する。

1体のパペットが、おもちゃを箱に入れて部屋を出た。残されたパペットは、そのおもちゃを別の場所に移した。そして最初のパペットが戻ってきたときに、「このパペットはどこでおもちゃを探すか?」という課題を子どもに与える。

4歳かそれ以上の子どもはだいたい正解で、そのパペットが自分で置いた場所を探すと答える。しかし、もっと幼い子どもや、自閉スペクトラム症の子どもの多くは、後から変えられた場所のほうを探すと答える。後者の答えになるのは、彼らにとっては自分の知識がすべてであり、他者の誤信念を理解できないからだ。

複数の研究の結果、バイリンガルの子ども

であれば、3歳というごく幼い年齢でも誤信念課題で正解を出せるということがわかった。その理由はおそらく、バイリンガルの子どもは話し相手がどの言語を使っているかということに注意を払う必要があり、そのためごく幼いうちから社会言語学的な感性が鍛えられてきたからだろう。

バイリンガルであることは社会的認知の向上につながる。それは、他者の考え方を理解する能力が鍛えられるからか、あるいは自分の中にある相反する考えを抑制する能力が鍛えられるからだろう（興味深いことに、バイリンガルの大人もまた、モノリンガルの大人に比べ、誤信念課題で自己中心的な回答をする傾向が低くなる。典型的な誤信念課題を与えられた若者を対象にアイトラッキングを実施したところ、モノリンガルの若者は、たとえ正解を答えても、自己中心的で間違った答えを一瞬だけ考慮することがわかった）。

赤ちゃんが言語を学習する方法

おそらくもっとも驚くべきは、2つの言語で育てられることが認知機能に与える利点が、その子が言葉を話す前からすでに現れているということだろう。生後わずか7カ月ほどの言葉を話す前の赤ちゃんを集め、期待と注意を向ける先に関する実験が行われた。赤ちゃんにスクリーンを見せ、スクリーンの中にごほうびの画像が現れる場所を学習させたところ、2つの言語で育てられた赤ちゃんだけが、ごほうびが現れる場所が変わるとすぐにそちらに注意を向けるようになり、以前に学習した場所に気を取られることがなかった。[*17]

赤ちゃんが言語を学習する方法についても、とても興味深い研究がある。生まれたばかりの赤ちゃんは、どんな言語でも耳で聞いて学習することができる。そこである1つの言語だけを聞いていると、舌や唇、声帯といった調音器官がその言語に適応し、その他の言語を認識したり発音したりする能力が失われる。その時期はだいたい1歳をすぎたあたりだ。この「知覚狭小化」と呼ばれる過程を通して、母語の発音に対応する神経の通り道が強化され、それ以外の言語の発音に対応する神経の通り道は取り除かれていく。

生まれた瞬間は誰もが「世界市民」であり、すべての言語の音を認識することができるが、母語を学ぶにつれてその能力を失い、母語の発音しか認識できない「一国の国民」になるということだ。しかしマルチリンガルは、この世界的な音を認識する能力をずっと持ち続けることができる。

これまで行われた数多くの研究によると、人間の脳は生涯を通じて、周りの環境からたえずインプットされる情報から統計的規則性を抽出し、違う音が同時に発生する蓋然性を学んでいるという。たとえば英語話者であれば、「r」の音で始まる単語の場合、次に来る音はたいてい母音で、子音である可能性は低いと学習する。

心理学者のジェニー・サフランの研究チーム[*18]が、幼児の認知機能と統計的学習に関する研究を行ったところ、赤ちゃんは周りの言語環境から蓋然性を学ぶことができるという特筆すべき結果が出た。そこからわかるのは、人間の脳はごく幼いうちから、どの音とどの音が同時に起こりやすいかということを学習しているということだ。

マルチリンガルにとっては、それぞれの言語に独自の蓋然性が存在する。同時に起こりやすい音の組み合わせが言語によって違うということだ。そういった複雑な環境にもかかわらず、マルチリンガルの環境で育つ幼児は、それぞれの言語に独自の統計的蓋然性を同時に学習することができる。

言語を浴びることによる無意識の学習に加え、意識的な学習によって新しい言語を獲得するケースも多い。たとえば、親が何かを指さして外国語の名前を教えたり、身近な単語を外国語にどう翻訳するかを教科書で学んだりする。

私たちは、スペイン語と英語のバイリンガル、マンダリンと英語のバイリンガル、英語のモノリンガルを対象に、新しい言語を習得する能力を比較する研究を行った[*19]。その結果わかったのは、バイリンガルのグループはどちらも、モノリンガルのグループと比べ、知らない単語の発音を学習する能力が高かったということだ。マルチリンガルはモノリンガルよりも新しい言語を習得する能力が高いことは、複数の研究によっても実証されている。

音楽家は言語の学習も得意

複数の言語を話すことは、音楽性と関係があることも指摘されている。大まかに分類すれば、マルチリンガルも音楽も豊かな聴覚インプットの一形態であり、脳の可塑性に影響を与える経験だ。耳で聞いた情報から、音程の違い、リズムの違い、音色の違いなどを聞き分けるという作業が行われる。

複数の研究によると、音楽家は言語の学習も得意であることが多く[*20]、そしてマルチリンガルの多くも、ある種の音楽に関連するタスクに長けている[*21]（もちろんこれは平均の話であって、すべての音楽家やマルチリンガルがそうだというわけではない）。

バイリンガルの赤ちゃんは、わずか生後9カ月であっても、同じ年ごろのモノリンガルの赤ちゃんと比べ、バイオリンが出す2つの音程の違いを聞き分ける能力が高い[*22]。そこからわかるのは、2つの言語の微妙な違いを聞き分けるという訓練を幼いうちから行うと、音楽のような言語とは関係ない音を聞き分ける能力も高まるのかもしれないということだ。

第二言語を習得することと、楽器の演奏を習得することは、どちらもその経験によって脳の物理的な構造が変化し、脳の実行機能の向上につながることがわかっている[*23]。とはいえ、バイリンガルであることと、楽器を演奏することの組み合わせが、脳の実行制御にどのような影響を与えるかはまだよくわかっていない。私たちの研究によってわかったのは、バイリンガルも音楽家も、モノリンガルで音楽家ではない人と比べ、実行機能を使うタスクで成績がいいということだ。

しかし、実行制御を向上させているのは、バイリンガルであることなのか、音楽家であることなのか、それともその2つの組み合わせなのだろうか？　その答えを知るために、私たちはある実験を行った。若者を対象に、「サイモン課題」と呼ばれる非言語的で非音楽的な視覚・空間タスクを実施してもらう。サイモン課題でわかるのは、必要ない空間情報に惑わされない能力だ。

その結果、バイリンガルも、音楽家も、バイリンガルの音楽家も、モノリンガルの非音楽家と比べ、必要ない空間情報を無視する能力が高かった。[*24] バイリンガル、音楽家、バイリンガルの音楽家の間での比較では、だいたい同じくらいの結果になった。

算数と国語の成績

日常的に母語以外の言語を使うことには、子どもの数学能力を高める効果もあるようだ。その理由の1つは、実行機能と数学能力の間に関連があることだろう。2つの大規模なデータを分析したところ、バイリンガルであることは、4歳児と5歳児を対象にした数学的推論と問題解決の能力を測定する標準テストで、成績を予測する大きな要因になるということがわかった。[*25]

私たちはある研究で、小学校3年生から5年生の児童を対象に算数と国語の標準テストを実施し、その成績を比較した。[*26] 子どもたちは、一般的な英語だけの授業を受けているグループと、英語とスペイン語を用いた双方向イマージョン（TWI。バイリンガル教育のこと）プログラムで授業を受けているグループ（英語がマジョリティの言語で、スペイン語がマイノリティの言語）、第二言語として英語を学習する（ESL）プログラムで授業を受けているグループの3つに分けられる。

その結果わかったのは、TWI教育を受けると、マイノリティ言語の児童も、マジョリティ言語の児童も、学業成績が向上するということだ。TWI教育を受けたマイノリティ言語の児童は、ESLの児童よりも成績がよく、TWI教育を受けたマジョリティ言語の児童は英語だけの授業の児童よりも成績がよかった。

ここからわかるのは、TWIプログラムによるバイリンガル教育を受けると、マイノリティ言語を話す児童も、マジョリティ言語を話す児童も、算数と国語の成績が向上する可能性があるということだ。TWIには他にも利点があり、[*27] たとえば言葉や文化が違う他者に対してポジティブな態度になることや、[*28] 実行機能の向上などがあげられる。[*29]

バイリンガルの子どもは、幼少期に語彙が少ない状態になると信じている人は多い。彼らの語彙が少ないとされる原因はいくつかあるが、たとえばたいていどちらか一方の言語でテストを受けることや、[*30] たとえ両方の言語でテストを受けても、両方の言語を合わせた語彙数ではなく、それぞれの言語の語彙数で判断されることなどがあげられる。

言い換えると、同じものを2つの言語で表現できても、語彙数は2つではなく1つとカウントされるということだ。英語のモノリンガルの子どもが「milk（牛乳）」、「house（家）」、「dog（犬）」という単語を知っていて、スペイン語と英語のバイリンガルの子どもが「milk（牛乳）」、「leche（スペイン語の牛乳）」、「house（家）」、「casa（スペイン語の家）」という単語を知っている場合、英語モノリンガルの子どものほうが語彙が多いと判断される。

バイリンガルの子どもは4つの単語を知っているのだが、名前を知っている概念は「牛乳」と「家」の2つなので、3つの概念を知っているモノリンガルの子どもよりも語彙が少ないということになってしまうのだ。この種の判断方法によって、バイリンガルの子どもはつねに不利益を被っている。

2つの言語を合わせてカウントすれば、[*31]バイリンガルの子どもの語彙は、モノリンガルの子どもと比べて決して少なくない。[*32]そして高校生になるころには、バイリンガルの子どもも、どちらか1つの言語だけでもモノリンガルの子どもと同等の語彙を身につけている。[*33]バイリンガルの子どもはその時点で、両方の言語ではないにしてもどちらかの言語でモノリンガルの子どもと同程度の語彙を身につけているだけでなく、もう1つの言語の語彙も装備しているのだ。

集中する力と無視する力

マルチリンガルは、脳内でつねに複数の言語をコントロールしている。この作業を行っているのは、実行機能と呼ばれるハイレベルな認知スキルだ。この点についてはすでに何度か述べてきたが、ここでもう少し深く掘り下げてみよう。

脳の実行機能とは、注意、抑制、ファシリテーション（刺激に円滑に反応すること）、作業記憶、認知的柔軟性といった認知プロセスのことをさしている。これらの機能は、生涯を通じて発達していく。認知症などの病気や、脳の損傷、ストレス、あるいは加齢などが原因で劣化することもある。

脳内に実行機能のネットワークがあるおかげで、反応を開始したり、反応を停止したり、周りの環境や自分の行動を監視したり、新しいタスクに直面したときに将来の行動を計画したりできる。

歴史的に、このような機能は前頭葉と呼ばれる部位が司ると考えられてきた。しかし最近になって研究が進み、他の部位も実行機能に関わっていることがわかってきた。もっとも可能性が高いのは、実行機能は脳全体の活動だということだ。

第1章に登場したストループ課題を覚えているだろうか？　さまざまな色で書かれた色の名前を見て、文字の色を答えたり、文字の意味を答えたりする課題だ。

たいていの人は、文字の意味と文字の色が違う場合（たとえば、黒いインクで「赤」と書かれている場合）、文字の色を答えるまでの時間が長くなる。そして文字の意味と文字の色が同じなら（黒いインクで「黒」と書かれている）、文字の色を答える時間は短くなる。その理由は、文字の意味と文字の色が違うと、脳は「意味」という無関係な情報を無視して、「色」という関係のある情報だけに集中しなければならないからだ。

このように関係のある情報と無関係な情報を見分け、関係のある情報だけを頼りに行動する能力は脳の実行機能の一部であり、「認知制御」と呼ばれている。認知制御には、抑制とファシリテーションの両方が関わっている。抑制とは、無関係な情報（たとえばストループ課題における文字の意味）を無視することであり、ファシリテーションとは関係のある情報（ストループ課題における文字の色）に注目する能力のことだ。

車を運転するときは、目の前の道路に集中し、気を散らすような情報を無視する能力が求められる。教室で授業を受けるときは、先生の話に集中し、その他の関係ない情報を無視する能力が求められる。手術中の外科医でも、ターゲットを狙う狙撃手でも、農作業をする農家でも、求められるのは、目の前のタスクに関係のある情報に集中し、その他の関係ない情報を無視する能力だ。

そう考えると、私たちの誰もが、日常的に注意の抑制を行っていることになる。現に、今この瞬間のあなたは、この本を読むことに集中し、「ご飯はどうしよう」などという関係ない思考を無視しているだろう。これまで行われてきた無数の実験によって、2つ以上の言語を話す人は、実行機能の多くの側面で能力が高いことがわかっている。

この「タスクを切り替える」という能力、何を無視して、何に注意を向けるかを制御する能力は、マルチリンガルだからこそ磨かれるといえるだろう。マルチリンガルは頭の中でつねに複数の言語を切り替え、言語ごとに異なるルールに柔軟に対応し、違う言語の干渉があってもそのときに使っている言語に集中するように鍛えられている。これはたとえるなら、たくさんの車線があるハイウェイのようなものだ。複数の処理が同時並行で行われることで、脳の働きが最適化されている。

脳は絶えずデータを集めて処理しながら、過去の経験を基準に入ってくる情報をフィルターにかけている。そしてその過去の経験の中には、言語的な経験も含まれる。違う言語を聞くというボトムアップのインプットが、脳の実行機能によるトップダウンの情報処理に変化をもたらしているのだ。

バイリンガルは日常的に言語を切り替え、そのときに使っていない言語からの干渉を無視するという訓練を行っているので、脳が鍛えられ、より効率的なコントロールシステムを発達させることができる。

バイリンガルの脳内では、そのときに使っていない言語もつねに同時に活性化し、意識に干渉してくる。その干渉をコントロールする努力によって、バイリンガルは特異な能力が磨かれることになった。違う言語による干渉という問題を解決するために、脳の他の部位の力も借りるというプロセスがスムーズに行われるようになるのだ。

私たちがfMRIを使って実験を行ったところ、バイリンガルの脳は、モノリンガルの脳に比べ、似たような単語の中から指定の単語を選ぶときに脳がより効率的に働くということがわかった[*34]（たとえば、「candle（ロウソク）」などの似た単語の中から「candy（キャンディ）」という単語を探すという課題）。

複数の言語をつねに管理するという仕事は、脳を大きく変化させる力がある。もちろん、通訳を使えば、ある言語による発言を別の言語に変換して伝えることは可能だ。しかし、翻訳された情報を受け取るだけでは、2つ以上の言語を直接的に経験することによる脳の物理的な変化を達成することはできない。

マサチューセッツ工科大学（MIT）は最近、fMRIを使って、ポリグロットとハイパーポリグロットの脳を観察するという研究を行った[*35]。ポリグロットとハイパーポリグロットの定義は研究者によって異なるが、このMITの研究では、3つ以上の言語を話す人をポリグロット、10から55の言語を話す人をハイパーポリグロットと定義した。

言語能力以外の条件をそろえた統制群と比較したところ、ポリグロットとハイパーポリグロットは、言語を処理するときに使う脳のリソースが少ないという結果になった。3つ以上の言語を話す人の脳内では、言語ネットワークの活動が少なくなっているということだ。

バイリンガルの脳を画像で観察する研究でも、彼らの脳は少ない活動で言語的な干渉を解決できることがわかっている。ここから考えられるのは、マルチリンガルの脳は、言語を処理するときに、脳のリソースをより効率的に使えるのではないかということだ。

筋力が強ければウェイトをより簡単に持ち上げられるのと同じように、バイリンガルの脳は、実行制御を司る脳の部位の灰白質が通常よりも多いために、そのときに関係のある情報と無関係な情報を少ない労力で区別することができる。なぜならバイリンガルは、脳内に複数の言語が存在するために、そのときに必要な言語の情報だけに集中するという訓練をつねに行っているからだ。

こう考えてみよう。運動の習慣があり、筋トレを継続している人も、特に運動はしていない人も、10キロのウェイトを持ち上げることはできる。しかし、どちらが簡単に持ち上げられるかというと、それは筋トレを継続している人のほうだ。

筋トレを継続している人は、特に運動をしていない人に比べ、ウェイトを持っていられる時間が長く、持ち上げられる回数も多い。それと同じように、マルチリンガルの脳は、モノリンガルの脳と比べ、言語の干渉をコントロールするときに、使う脳のリソースが少なくてすむということだ。

言語体験の影響

　ここまで見てきたような脳画像を使った研究では、複数の言語を話す人の脳とモノリンガルの脳の違いがたしかに観察された。とはいえ、この違いが複数の言語を話すことによるものなのか、それとも生まれつきなのかということを判断するのは不可能だ（遺伝子研究と縦断研究を組み合わせれば、その答えがわかるかもしれない）。脳の可塑性と、言語を学習することによる脳の変化に関する研究からわかるのは、どちらの要素も関係があるということだ。

　マルチリンガルの脳を調べた結果、言語体験の影響は、言語の知識が増えることによる蓄積効果というよりも、むしろモノリンガルとマルチリンガルの定性的な違いを反映しているのではないかということがわかってきた。同じ神経の仕組みを、言語的なタスクにも非言語的なタスクにも使うことができるので、言語の領域における経験から得られた恩恵が脳全体にも変化をもたらし、知覚や注意といったその他の脳の作業にも影響を与えることになる。

　バイリンガルの脳は、一次聴覚野などの知覚処理を司る部位や、前頭前皮質といった実行機能を司る部位が特に発達している。そしてこのような脳の物理的な変化は、実際の行動にも大きく影響を与える。たとえば、一次聴覚野にあるヘッシェル回と呼ばれる部位の灰白質が多い人は言語の音認識に優れていることが多く、前頭前皮質の灰白質が多い人は認知制御に優れていることが多い。

複数の言語を話すことは、皮質の機能だけでなく、皮質下の機能にも影響を与える。皮質下とは、大脳を膜のように覆う皮質のすぐ下にある部位のことであり、通常は認知機能にあまり関わらず、大昔の祖先から受け継いだ機能を司っている。そのため、言語が皮質下にも影響を与えるというのは大きな驚きだ。

米国科学アカデミーが発行する機関誌『米国科学アカデミー紀要』に発表した研究で、私たちは10代の子どもを対象にした実験を行った。同じ年代のバイリンガルの子どもとモノリンガルの子どもに発声された言語を聞かせたところ、バイリンガルの子どもの脳幹は、音による刺激をより確実に記号化していることがわかった。[*36]こういった能力の拡大は、実行機能の向上にもつながっている。バイリンガルの経験がある人は、聴覚システムが発達し、音による刺激をより効率的に処理できるようになる。

この研究からわかるのは、複数の言語を聞き分ける能力が脳の物理的な構造を変えているということ、そして知覚と認知機能の間には密接なつながりがあるということだ。バイリンガルであることの結果として脳幹の構造が変化するのであれば、それは変化がシステム全体に及んでいるということを意味する。言語を司る部位だけでなく、脳内のネットワークが広く影響を受けているということだ。

大切なことに注意を向け、関係ないことは無視するという能力は、言語処理だけでなく、思考全般にとっても重要な意味を持つ。思考全般に含まれるのは、記憶、意思決定、他者との関係などの能力だ。2つ以上の言語を話すことが脳の実行機能に与える影響は、必ずしも大きいわけではないが、この分野に関する研究の大半で統計的に有意という結果が出ている。

脳がエンジンだとするなら、バイリンガルであることは、そのエンジンの走行距離を伸ばす効果があるようだ。燃料の量は同じでも、より長い距離を走ることができる。

複数の言語を話すことが認知機能に影響を与える仕組みについては、まだ詳しいことはわかっていない。さらに研究を深めれば、バイリンガルであることのどの側面が、実行機能のどの側面を変化させ、どんな条件下でその現象が起こるのかといったことが解明されてくるだろう。それはまた、研究によってモノリンガルとバイリンガルの違いの大きさにばらつきが出る理由の解明にもつながるはずだ（マルチリンガルとモノリンガルを比較する研究で、マルチリンガルのほうが実行機能のタスクを行う能力が優れているわけではないという結果になったものもあるが、その場合の成績はどちらも同じくらいで、マルチリンガルのほうが劣っているということはない）。

自然界に存在する他の多くのことと同じように、集団による実行機能の違いは、いついかなる状況でもつねに変わらないわけではない。むしろすべての個人が、学習という冒険を生涯にわたって続けていくのだ。

6 もうひとつの言語、もうひとつの魂

中国のことわざに、「1つの言語を学ぶのは、世界を見る窓がもう1つ増えるということだ」というものがある。マルチリンガルは、使う言語を変えると違う自分が現れることが多い。たとえば私の場合、英語を話すときは「科学者」と「教授」というアイデンティティがより前面に出てくるように感じる。そしてルーマニア語を話すときは、「娘」や「親戚の一員」というアイデンティティが前面に出る。私にはそれ以外にも、言語に関係ない普遍的なアイデンティティもある。その中でも私の核になっているのは、「学習者」であるというアイデンティティだ。

またもう1つ気づいたのは、使う言語によって、何かを我慢できるレベルも違ってくるということだ。たとえば、英語を話しているときは、ルーマニア語を話しているときに比べ、根拠のない自信や傲慢な態度をより不快に感じる。

それはおそらく、ルーマニア語が私の母語であり、子ども時代に身につけた言語だからだろう。子どものころはまだ他人の能力を正しく判断することができず、誰かの自信満々な態度に根拠があるかどうかなどわからなかったからだ。相手が大人となると、特にその傾向が強くなる（ちょうどいいので、ここでモルドバ人作家のイオン・クレアンガの言葉を紹介しておこう。「私は自分が賢くないことを知っている。しかし周りを見ると、こんな私でも自信がわいてくる」）。

使う言語によって性格が変わる

1000人以上のバイリンガルを対象に、使う言語によって違う自分になるように感じるかと尋ねたところ、3分の2が「イエス」と答えた。[*1] これはまるで、1人の人間の中に複数の精神状態と人格が同時に存在しているかのようだ。

心理学の世界では、「ビッグファイブ」と呼ばれる性格の分類がすでに確立されている。ビッグファイブによると、人間の性格は、「開放性（Openness）」、「誠実性（Conscientiousness）」、「外向性（Extraversion）」、「協調性（Agreeableness）」、「神経症傾向（Neuroticism）」の5つに大きく分類できる（それぞれの頭文字を並べて「OCEAN（オーシャン）」、あるいは「CANOE（カヌー）」とすると覚えやすい）。

バイリンガルをビッグファイブで分類すると、話す言語によって違う性格になることが多い。

スペイン語と英語のバイリンガルを対象にした一連の研究によると、英語でテストを受けた若者は、スペイン語でテストを受けたときに比べ、「外向性」、「協調性」、「誠実性」のスコアが高くなる。[*2] また、ペルシャ語と英語のバイリンガルを対象にした別の研究では、ペルシャ語でテストを受けると、英語でテストを受けたときに比べ、「外向性」、「協調性」、「開放性」、「神経症傾向」のスコアが高くなるという結果になった。

それと同様に、香港に暮らす中国語と英語のバイリンガルを対象にした研究でも、英語でテストを受けたときは、中国語でテストを受けたときに比べ、「外向性」、「開放性」のスコアが高くなった。

H_2Oという化学式で表される物質が、温度によって液体の水にも、固体の氷にも、気体の水蒸気にもなるのと同じように、1人の人間も使う言語によって違うバージョンの自分になれるということだ。

中国語と英語のバイリンガルを対象にした研究[*3]では、参加者が中国語で回答すると、自分について語るときにより集団を重視し、自尊心のレベルも低下するという結果になった。外国語で話すと、社会の規範や迷信からより自由になるとともに、負の刺激から生まれるネガティブな影響が減少し、潜在的な危険性というリスクを感じることも少なくなるようだ。

使う言語によって性格が変わるという現象は、「文化的枠組みの切り替え」が主な原因になっていることが多い。これは、文化の規範に応じて自分の態度を変えるということだ。[*4] 言語と文化は分かちがたく密接に結びついているために、マルチリンガルにとって使う言語を切り替えるのは、言語に伴う文化的な枠組みを切り替えるのと同じことになる。使う言語によって考え方や世界観が変わるということだ。

マルチリンガルは、使う言語によって自己認識や態度、属性が変わる。この現象は、幼少期からすでに観察できる。[*5] バイリンガルの家庭では、子育てのやり方や、親と子の関わり方といったことまで、使う言語によって変化するのだ。

私たちが現在行っている大規模な研究プロジェクトでも、タイ語と英語のバイリンガルの家庭では、母親も子どもも使う言語によってお互いとの関わり方が異なるということがわかった。その現象が観察されるタスクは、おもちゃを使った遊びや本の読み聞かせから、最近の出来事についてのおしゃべりまで多岐にわたっている。

このような態度の変化を生んでいるのは、タイとアメリカの文化の違いだ。アメリカの子育ては子ども中心で、子どもと一緒に物語をつくりあげていくという方針だが、一方でタイの子育ては大人が中心で、大人が子どもに物語を語って聞かせるのが一般的だ。それに加えて、アメリカは個人主義で、タイは集団主義という違いもある。使う言語を切り替えることで、家族との関わり方も変わってくる。

私は大学でフランス語の授業を取っていたとき、ブルターニュ出身のフランス人教授から、フランス語で日記をつけるように言われていた。教授はとても華やかで魅力にあふれる女性で、おおらかな性格だった。

当時の日記を読んでみると、いろいろとおもしろい発見がある。そのころの私が想像していた「フランス文化」や「フランスのライフスタイル」が、文体や書く内容に反映されているからだ（カフェのテラス席に座り、コーヒーを飲みながらタバコを吸ったというような記述もある。カミュの影響だ！）。ルーマニア語や英語で書いた日記と読み比べると、受ける印象がまったく違う。ルーマニア語ではホームシックでつらいと嘆き、英語では学校と勉強のことばかり書いていた。

私が初めてバイリンガルを対象にした研究プロジェクトを正式に行ったのは、アラスカ大学で学士論文を書いていたときだった。当時の私は優秀な成績が認められ、オナーズという卒業論文に専念するコースに在籍していた。

私はその研究で、バイリンガルが使う言語によってジェスチャーを切り替えるようすを観察した。ロシア語と英語のバイリンガルを対象に、「赤ずきんちゃん」の物語を英語かロシア語で語ってもらう（「赤ずきんちゃん」を選んだのは、英語でもロシア語でも内容がほとんど同じだからだ）。そのようすをビデオで撮影し、語りの内容を文字で書き起こすと、非言語コミュニケーションの研究者が使う分類法に沿って話者のジェスチャーを分類する。そして観察の結果を、英語とロシア語で比較する。

この研究からわかったのは、象徴的なジェスチャーはどちらの言語にも共通するが、メタファーとしてのジェスチャーは言語によって異なるということだ。

象徴的なジェスチャーとは、単語の意味を物理的に表現するようなジェスチャーをさす。たとえば、親指と人差し指を近づけて何かがとても小さいことを表現したり、手を拳銃の形にして何かを撃つことを表現したりするようなジェスチャーだ（猟師が狼を撃つ場面などでこのジェスチャーが登場する）。

一方でメタファーとしてのジェスチャーは、より抽象的な概念やアイデアを表現するときに使われる。たとえば、「その次の日」という言葉と一緒に使われるジェスチャーや、幸せ、恐怖といった感情を表現するときに使われるジェスチャーだ。

この研究から30年後、今度はタイ語と英語を話す母親と子どもを対象に同じ調査を行った。そこからわかるのは、どうやらバイリンガルは言語を切り替えるときに、非言語コミュニケーションやボディランゲージも切り替えているらしいということだ。

言語は経済行動をも変えるのか？

言語が心理的なプロセスに影響を与える仕組みはいくつか考えられる。

おそらく、その中でも特に意外なのは、言語の構造の違いと結びついた仕組みだろう。収入の何割を貯金するか、老後資金をどれくらい貯めるかといった経済に関する行動や、節煙や安全なセックスといった健康に関する行動も、言語の統辞構造の影響を受けるのだ。[*6]

複数の国家から集めた全国規模のデータを分析したところ、経済に関する行動と健康に関する行動は、その国の言語の文法的な構造と関係があるということがわかった。たとえば、現在形と未来形を明確に分ける言語を話す人は、明確な未来形が存在しない言語を話す人と比べ、未来志向の行動（健康的な食生活など）をとる確率が低くなる。現在形と未来形を厳密に分ける言語は「未来時指示が強い言語」と呼ばれ、フランス語、ギリシャ語、イタリア語、スペイン語、英語などがここに含まれる。一方で現在形と未来形を厳密に分けない言語は「未来時指示が弱い言語」と呼ばれ、マンダリン、エストニア語、フィンランド語などがある。現在形と未来形をはっきり分けない言語の話者は、未来の自分にとって利益になるような行動を選ぶ確率が高い。

このような統辞構造の違いは、コンドームを使うかどうかといった個人的な決断から、国家の貯蓄率といった社会的な決断まで、その言語を話す人たちの行動に影響を与えている。同じような影響は視覚でも確認されている。たとえば、年を取った自分のイメージを見せられると貯金する意欲が高くなるのだ。金融機関の中には、自分の顔を老人のように加工できるソフトウェアを自社のウェブサイトに搭載し、ユーザーの投資意欲や貯金意欲を高めようとしているところもある。未来がそんなに遠くないことを感じると、私たちは自分の行動を変えるようだ。

もちろん、言語の構造がそのような行動の違いを生んでいるのではなく、その言語の話者の行動が言語の構造を決定づけているという可能性もある。言い換えると、言語の構造も、未来志向の行動も、たとえば文化など、その言語を話すグループに特有の何かから生まれているのかもしれないということだ。

たしかに、ある1つの国だけで育ったバイリンガルでさえも、使う言語によって態度が変わるのは事実だが、だからといって違いの原因を言語だけに求めるのは不可能だ。1つの国や、1つの言語を話す集団の中にも、文化の違いは存在するからだ（カリフォルニアとフロリダを比較すればよくわかるだろう）。

3つめ目の可能性は、ノーベル賞受賞者で心理学者のダニエル・カーネマンが提唱する「言語を媒介とする心理プロセス」だ。カーネマンはこのプロセスを「フレーミング効果」と呼んでいる。フレーミング効果とは認知バイアスの1つであり、たとえ同じ意味を持つ情報であっても、どの枠組み（フレーム）から焦点を当てるかによって、受け取る意味が人によって違うということを意味する。そして言語も、その枠組みを決める要素になっているということだ。

言語の構成要素には、注意を向ける対象を左右する影響力がある。そして注意を向ける対象が変わると、私たちが経験することも変わる。何に注意を向けるか、対象のどの特徴に注目するかといったことに加えて、言語の切り替えには「プライム」としての働きもある。プライムとは、今後の意思決定や行動に影響を与える過去の経験のことだ。

言語がプライムとして働くと、その言語と関連する情報が、他の言語と関連する情報よりも優先されることになる。バイリンガルに言語を使ったプライムを与えると、その言語や文化と結びついた知識、筋書き、枠組みと呼応する思考や行動を選ぶ確率が高くなる。社会的な判断や、消費者としての選択も、この言語的なプライムの影響を受ける。

あるバイリンガルの作家が、自伝の中で、結婚やキャリアといった人生の大きな決断に直面したときの心の動きを描写している。

彼と結婚するべきか？　英語での質問。
答えは「イエス」。
彼と結婚するべきか？　ポーランド語での質問。
答えは「ノー」。
（中略）
ピアニストになるべきか？　英語での質問。
答えは「いいえダメ。あなたはピアニストにはなれない」。
ピアニストになるべきか？　ポーランド語での質問。
答えは「何がなんでも絶対になるべきだ」。[*7]

これは極端な例だと思うかもしれないが、実は複数の言語を話す人にとってはそれほど珍しいことではない。[*8]

第二言語を使うと感情の反応が小さくなる

ある対象にどういう感情を持つかということは、母語を使っているか、それとも第二言語を使っているかということから影響を受ける。一般的に、母語はより強い感情を引き出すとされている。理由として考えられるのは、より豊かな感情が存在する環境で母語を習得するからということだ。

ほとんどのバイリンガルは、母語ではない言語を使うときはあまり感情的にならないと報告している。心理療法で過去のトラウマやつらい経験を語るとき、バイリンガルは母語ではない言語に切り替えることが多い。複数の研究によると、言葉を使って恐怖を与えるときに、相手にとっての外国語を使うと相手が感じる恐怖は減少するという。

また文学作品を読むときも、母語と第二言語で受ける印象が異なる。バイリンガルの脳機能イメージング（生きている脳の働きを画像化すること）に関する研究によると、『ハリー・ポッター』シリーズの感情をゆさぶる場面を母語で読むと、第二言語で読んだときと比べ、脳のいくつかの部位（感情を司る扁桃体も含む）がより強い反応を示した。そこでこんな疑問が浮かんでくる。魔法使いたちは、第二言語の呪文でも魔法をかけることができるのだろうか？　その答えを知りたい私は、ふくろう便が届くのをずっと待っている。

母語ではない言語を使うときは感情の反応が小さくなるという現象は、心理学の実験でも証明されている。言語による感情の反応の違いを調べるときは、「皮膚伝導反応」という手法がよく使われてきた。神経系が刺激を受けると、汗腺の活動が活発になり、皮膚の伝導性が高くなる。そのとき、指や手のひらに取りつけられた2つの電極が皮膚の伝導性を計測し、その数値によってその人の精神状態を判断するという手法だ。

強い感情を引き起こすような言葉を母語で聞いたり読んだりすると、第二言語と比べて皮膚電気活動が強くなる。スペイン語と英語のバイリンガルを対象にした実験では、被験者の母語であるスペイン語で自分の母親が侮辱されるのを聞くと、英語で聞いたときと比べ、被験者のガルバニック皮膚反応（皮膚伝導反応を用いた手法の1つ）が強く出るという結果になった。

今度外国へ行って誰かを侮辱することになったら、自分にとっての母語だが相手にとっての外国語を使うと、相手よりも自分のほうが感情的になることを覚悟しておいたほうがいいだろう。

叱責を受けたり、つらい体験について話したり、感情をゆさぶられるような文章を読んだりするときは、たとえメッセージの内容を完全に理解していても、やはり第二言語よりも母語を使うときのほうが強い感情が喚起される。

もちろん1つの言語であっても、違う言葉を使うか、あるいは同じ言葉であっても言い方を変えると、それによって引き起こされる感情も違ってくる。私は教え子の1人から、フルネームで呼ばずに、名前を短くしたニックネームで呼んでほしいと言われたことがある。理由を尋ねると、両親に怒られるときにいつもフルネームで呼ばれていたからだという答えが返ってきた。

英語話者の多くは、彼女の言葉に共感できるだろう。両親からミドルネームを含んだ名前で呼ばれるのは、たいてい何かよくないことを言われるときだからだ。

愛やセックスを表現する言葉

アメリカに暮らす中国語と英語のバイリンガルの若者を対象にしたある研究によると、性的なコミュニケーションでは英語のほうが気持ちが楽になり、ネガティブな感情を表現するときは中国語のほうがより強い感情を表現できるという。

またある種の言語では、違う種類の愛を表現するためにそれぞれの言葉が存在する。たとえば、ロマンチックラブを表す言葉、家族や親としての愛情を表す言葉、ペット、食べ物、洋服などへの愛を表す言葉などだ。セックスの定義も言語によって異なり、ときには同じ言語であっても、個人や集団によって定義が異なることもある。1990年代を生きた人なら、当時のビル・クリントン大統領の「あの女性との間に性的な関係を持ったことはない」という発言と、その発言を受けて「性的（セックス）」の定義について全国的な議論が巻き起こったことを覚えているだろう。

日本語には「秋風が立つ」という表現がある。これは文字通りに訳すと「秋の風が吹き始める」という意味なのだが、実際は「恋愛関係にすきま風が吹き始める」という意味だ。また「賢者タイム」は、「男性が射精後に性欲から解放され、理性を取り戻したとき」という意味になる。

色や時間の表現が使う言語によって変わるように、愛やセックスについて語る言葉の違いも、自分にとってもっとも親密な行動や関係についての考え方から影響を受けると同時に、その考え方を規定しているのだ。

感情表現のレパートリー

当然のことながら、感情を表現する言葉はたいてい翻訳するのが難しい。私のお気に入りの1つは、アイスランド語の「sólviskubit」だ。この言葉は、せっかくいい天気なのに家の中にこもっているときの罪悪感を表している。シカゴには珍しくいい天気の日にコンピューターに向かっているときなどは、私もよくこの言葉を思い出す。

このような多層的な感情を表すもう1つの言葉は、中国語の「報復性熬夜」だ。これは、日中は忙しくて自分の時間を持てない人が、自由を取り戻すために夜更かしすることを表している（おそらくインターネットで違う言語を話す人との交流が増えたことが原因だと考えられるが、最近は英語でも、同じ概念を表す「revenge bedtime procrastination（報復として就寝時間を遅らせる）」という表現が誕生した。私も身に覚えがあることだ！）。

その他にも、たとえばアイスランド語の「flugviskubit」は、環境破壊につながる飛行機での旅を恥じる気持ちを表現している。日本語の「もののあわれ」は、悲しみを感じると同時に、物事の本質をしみじみと理解するさまを表現した言葉だ。デンマーク語の「hygge」とオランダ語の「gezellig」は、居心地のよさ、満足感、親しい仲間たちとの和気あいあいとした雰囲気、幸福感などを表している。

タガログ語の「gigil」は、信じられないくらいかわいい人や何かを、思わず抱きしめたり、つねったりしたくなる気持ちを表す。ドイツ語の「sehnsucht」は、特に対象のない強い憧れの気持ち、理由のないやるせなさを表す言葉だ。さらには、日本語の「甘え」[*9]（世間知らずであることや、幼さなどから、誰かや何かに依存している状態）[*10]、ヤップ語の「fago」[*11]（愛、思いやり、悲しみが入り混じった気持ち）[*12]、ベンガル語の「lajja」[*13]（ある種の恥じらいや謙遜）といった言葉もある。

つまり複数の言語を話すマルチリンガルは、感情表現のレパートリーがモノリンガルよりも多いということだ。そう考えると、マルチリンガルは経験できる感情の種類も多くなるという主張が成り立つだろう。

自分の感情を正確に表現する言葉を持っているかどうかということが、実際の感情に影響を与えるのかという点については、まだはっきりした答えは出ていない（ここでもまた、サピア＝

ウォーフ仮説の登場だ）。子どもの発達、対人関係、心理療法といった幅広い分野で、今でも盛んに議論が行われている。

感情ラベリング（もやもやした自分の感情に名前をつけてはっきりさせること）に関する研究によると、自分の感情に名前をつけると、感情的な刺激を受けたときの扁桃体の活動が抑制されるという。

実験の参加者に、人前でスピーチをする前の感情を語ってもらったところ、何も語らなかった統制群に比べ、スピーチ中の心理的な動揺がかなり小さくなった。この結果からわかるのは、感情ラベリングにはたしかに自分の感情に影響を与える力があるということだ。

それと同時に、感情は言語の壁を越えることもできる。今から数年前、私は香港で結婚式に出席した。新郎はほぼ英語しか話さないアメリカ人で、新婦はほぼマンダリンしか話さない中国人だ。２人は主にグーグル翻訳を使って意思疎通していた。この場合、２人の共通言語は「愛」ということになるのだろう。

▼言語が記憶に影響を与える方法３つ

言語には、周りの世界に対する感情や知覚、思考を形づくる働きの他にも、私たちの記憶を形づくる働きもある。私が学問の世界に入り、最終的に心理言語学の研究者になったのも、元はといえば記憶に興味を持ったからだ。具体的には、学術誌の『実験心理学ジャーナル』に掲載された「幼児期健忘」に関する記事[*14]がきっかけだ。幼児期健忘とは、大人になってから幼児期の出来事を思い出せなくなる症状をさす（幼児期の定義はまだはっきり決まっていないが、だいたい生後すぐに始まり、2歳から4歳くらいまでと考えられている）。

赤ちゃんはまだ言語能力が発達していないので、これも幼児期健忘の原因の1つと考えられている。言語の知識や枠組みは、記憶を定着させる足場のような役割を果たすのだが、人生の最初の数年間はこの足場がないために、それが記憶をなくす一因になっているのかもしれない。人間は、言語と記憶を同時に獲得していく。この2つは互いにからまり合い、支え合っている。

心理学者のウーリック・ナイサーは、認知心理学、記憶、自己、知能、視覚に関するさまざまな文章を残している。私の思考や執筆、研究は、それらの文章から影響を受けた。ナイサーは、著書の『観察された記憶』（誠信書房）を通して、記憶に関する研究を、研究室からもっと広い世界に持ち出した。彼はこの本の中で、研究室で生み出された一般論は、現実の世界にもきちんとあてはまることが証明されなければならないと説いている。オリヴァー・サックスの『妻を帽子とまちがえた男』（早川書房）と同じように、『観察された記憶』は、読んだ人を精神の研究のとりこにさせる力を持っている。

とはいえ、『妻を帽子とまちがえた男』も『観察された記憶』も、その他のベストセラーになったポピュラーサイエンスの本と同じように、精神と記憶をモノリンガルの視点だけで考えている。2つ以上の言語を話す人は、世界の人口の半数以上を占めている。そんな彼らの精神が経験することも、モノリンガルとまったく同じだと、これらの本では想定されているのだ。それではまるで、母語以外の言語を知っていても、それが記憶に与える影響はまったくないということになってしまう。これは、人間の記憶に関する研究が抱える1つの落とし穴だ。言語は少なくとも3つの方法で、その言語を話す人の記憶に影響を与える。

1、符号化される時点で言語が同時に活性化する
2、記憶は言語と結びついている
3、言語を使ったラベリングが記憶に利用される

▼符号化される時点で言語が同時に活性化する

1つ目の「同時活性化」から考えていこう。マルチリンガルの脳内では、2つ以上の言語が同時に活性化する。たとえば「fly（ハエ）」という単語を探すとき、英語の話者であれば、「flashlight（懐中電灯）」を見たという記憶も呼び起こされることが多い。「fly」と「flashlight」は単語の始めの音が同じだからだ。しかしスペイン語の話者であれば、「懐中電灯」を思い出す確率は低い。スペイン語の「ハエ」と「懐中電灯」にかぶる部分はないからだ。

私たちの研究によると、英語話者は、ある単語を聞いたとき、英語で発音の似ている単語を思い出すだけでなく、その後の記憶にも残るようだ。形が似ているもの、あるいは意味が似ているものは、関係ないものよりも記憶に残りやすい。

単語の発音や意味がかぶるという現象は1つの言語内にとどまるわけではないので、複数の言語を話す人は、目で見たものの記憶がモノリンガルとは異なっている。それと同じように、バイリンガルの記憶は、自分が見ているものの名前が、他の言語で似た発音の単語があるかどうかということにも影響を受ける。そして、同じ言語の中だけでなく、違う言語でも似たような発音の言葉があると、最初に見たものが記憶に残る確率が高くなる。

たとえば、スペイン語と英語のバイリンガルであれば、同じ「fly」を探すときに、英語のモノリンガルよりも「矢」を見たことを思い出す確率が高い。なぜなら、「矢」はスペイン語で「flecha」であり、「fly」と似ているからだ。言い換えると、バイリンガルは脳内で複数の言語が同時に活性化するために、実際に見る単語だけでなく、記憶する単語も、モノリンガルとは異なるということだ。

記憶は言語と結びついている

言語が記憶に影響を与える方法の2つ目は、「記憶は言語と結びついている」だった。マルチリンガルの記憶がモノリンガルとは異なるのは、言語依存記憶の原則で説明できる。言語依存記憶とは、記憶を取り出すときに、その記憶を符号化したときに存在した言語が再び存在すれば、その記憶を思い出しやすくなるという考え方だ。

心理学の世界には、気分依存記憶論と言語依存記憶論という考え方がある。何かを思い出すときに、それを記憶したときと同じ気分であるか、あるいは同じ言語を使っていれば、記憶を引き出しやすくなるということだ。

幸せな気分のときは、幸せな記憶がよみがえりやすい。そして悲しい気分のときは、悲しい記憶ばかりがよみがえる（うつ病の悪循環もこれで説明できるだろう）。言葉の効果も気分と同じで、ある言語を使っているときは、その言語を使っていたときの出来事を思い出す確率が高くなる。

ロシア語と英語のバイリンガルは、英語で「doctor（医師）」、「birthday（誕生日）」、「cat（猫）」、「dog（犬）」という単語を見たり聞いたりすると、自分が英語を話していたときや、他の英語話者と一緒にいたときの記憶を思い出すことが多い。しかしロシア語で同じ意味の単語を見たり聞いたりしたときは、自分がロシア語を話していたときや、他のロシア語話者と一緒にいたときの記憶がよみがえる確率が高くなる。

バイリンガルはまた、過去の出来事について語るときに、その出来事が起こったときに使われていた言語で語ったときのほうが、話にこめられる感情がより強くなる傾向がある。複数の言語を話す人は、母語を話すときと、母語以外の言語を話すときで、思い出す事柄が変化する。

話す言語によって、よみがえる記憶が異なるからだ。

何をまっ先に思い出すかは、そのときに話している言語によって変わる。バイリンガルは、ある言語を使っているとき、それと同じ言語を使っていたときの出来事を思い出すことが多い。そして、そうやってアクセスされた記憶が、今度は私たちの自己観や、他者との交流のしかたに影響を与えるのだ。

生物学、化学、歴史、神話といった知識に関する記憶さえも言語の影響を受ける。[*15] それらを学習したときの言語と、テストを受けたときの言語が同じであれば、思い出す確率も高くなる。

スペイン語と英語のバイリンガルの大学生が、スペイン語で知識を学んだ場合、英語でテストを受けたときよりも、スペイン語でテストを受けたときのほうが成績がいい。それと同じように、英語で知識を学んだのであれば、英語でのテストのほうがスペイン語でのテストよりも成績がよくなる。言い換えると、知識を学んだときの言語でテストを受けたほうがいい成績が取れるということだ。

もちろん、学習の最終的な目標は、どんな状況であっても知識にアクセスできるようになることだ（学習したときと同じ言語、同じ場所、あるいは同じ気分でなければ、学習した内容を思い出せないというのなら、学習する意味はほとんどない）。そしてたいていの場合、私たちは学んだときの言語や場所や気分に関係なく、学習したことを覚えている。

しかし、それと同時に、記憶するときと思い出すときの状況が似ていると、思い出す内容や方法にわずかな変化が生じるのも事実だ。懐かしい場所に久しぶりに帰ってくると、もう忘れたと思っていた記憶が一気によみがえるというような現象も、これで説明できるだろう。言語もそれと同じで、しばらく使っていなかった言語を久しぶりに使うと、その言語を使っていたときの記憶が次々とよみがえる。

日常生活に欠かせないというわけではないが、それでもときどきは、こうやって正しいきっかけを与えて記憶をよみがえらせるのもいいかもしれない。そして言語は、まさに正しいきっかけになってくれる。

私たちは、移民を対象に記憶の研究を行った。その結果わかったのは、彼らはポジティブな感情の言葉よりもネガティブな感情の言葉をより頻繁に使うということだ。特に年齢がいってから移民した人にその傾向が強い。

また、彼らバイリンガルは、母語よりも第二言語で話すときのほうが、感情的な言葉をより多く使う。それはおそらく、第二言語で話したほうが、強い感情が喚起されるような出来事から心理的な距離を置けるからであり、そのため第二言語を使うときも母語と同程度の感情を表現するには、感情的な言葉をより多く使う必要があるからだろう。

言語を使ったラベリングが記憶に利用される

言語が記憶に影響を与える方法の3つ目は、言語を使ったラベリングだ。たとえばスペイン語では、「corner(角《かど》)」を表す単語が2つある。内側のcornerを表す「rincón」と、外側のcornerを表す「esquina」だ。スペイン語を話す人は、英語を話す人に比べ、cornerの近くに置かれたものの場所をよく覚えている。それは、「corner」という場所の概念を表す言葉が、英語の1つに対してスペイン語は2つあるからだ。

それと同じように、韓国語では器や袋に何かを入れるとき、「ぴったり」入っているか「ゆったり」入っているかで使う単語が異なる。封筒に便せんを入れるようにぴったり入っている状態は「kkita」、ボウルにリンゴを入れるようにゆったり入っている状態は「nehta」だ。このようにさまざまな言語的ラベルがあることで、私たちが周りの環境の何を記憶するかも変わってくるのだ。

マルチリンガルがよく言っているのは、自分が話す言語に存在するラベルによって、何を思い出すかが影響を受けるということだ。英語で「いとこ」を表す単語は「cousin」しか存在しないが、中国語では8つもある。母方か父方か、男か女か、自分より年上か年下かで分類しているからだ。

この場合、ただ1つの単語を使うだけで、そのいとこの属性がすべてわかるようになっている。この利便性によって、「いとこ」の属性を分類する言葉を持たない言語を話す人よりも、いとこにまつわる記憶を引き出すスピードがはるかに速くなるのだ。

ベンガル語など一部の言語では、「食べること」と「飲むこと」、さらには「タバコを吸うこと」まで同じ1つの単語で表現される。これは10代の子どもにとってとても都合のいいことかもしれない。パーティで飲酒や喫煙をしたのかと親に問い詰められたとき、食事も飲酒も喫煙もすべて同じ単語であればうまくごまかせるからだ。

マルチリンガルにとっては、複数の言語を使うことと記憶との関係が、実際の生活に目に見える形でかかわってくることもある。裁判で責任を問われるときなどがそうだ。模擬裁判を行うと、陪審員が自分の母語を話しているか、それとも第二言語を話しているかで、下す評決が違ってくる。

たとえば、同じ可能性を表す法助動詞でも、「may」と「might」という2つの単語がある。英語話者は、どちらが使われるかによって自分の決断を変えることはない。しかし英語が母語ではない人は、「may」と「might」で異なる解釈をする。「The man might have dropped the bag by the bushes」も、「The man may have dropped the bag by the bushes」も、「男は茂みのそばにカバンを落としたかもしれない」という意味だ。しかし英語を母語としない人にとっては、「may」を使ったほうが、そうである可能性がより高いように感じられる。「may」と「might」では、「may」を使ったほうが証言の信頼性がかなり高まるということだ。[*16]

1つの言語しか話さない人も、記憶が言語によるラベリングから影響を受ける。たとえ単一言語内であっても、交通事故の映像を見た後で、車はどれくらいスピードを出していたと思うかと尋ねられると、質問の中で「smashed（激突した）」という単語が使われたときのほうが、「bumped（ぶつかった）」という単語が使われたときに比べ、より速いスピードを答える。

ラベリングはつねに私たちの記憶に影響を与えている。広告をつくる人たちはラベリングの効果をよく心得ているので、商品を宣伝するのにもっとも適した言葉を選ぶようにしている。今度テレビで医薬品のコマーシャルが流れたら、商品名に注目して見てみよう。研究によると、発音しやすい名前の医薬品のほうが安全だというイメージがあり、高容量での使用が推奨される傾向があるという。

認知心理学者のエリザベス・ロフタスは、法律が関わる状況で言語がどのような影響力を持つかに関する研究[*17]のパイオニアだ。彼女は、研究室での実験にとどまらず、私たちの実生活にも即した記憶の理論の確立に精力的に取り組んでいる（このように現実に即した研究は、「生態学的妥当性がある」と表現される）。

ロフタスの研究は、スティーブン・セシなどと並んで、記憶に関する私の考え方に大きな影響を与えてきた。具体的には、記憶は再構築できること、不正確であること、そして言語的なラベリングが記憶の再構築に影響を与えるということだ。言葉の選択を工夫すれば、誤情報や誘導尋問で偽の記憶を引き出すことさえできる。

今では古典となっているロフタスの研究を紹介しよう。ロフタスの研究チームは、まず参加者を集めると、実際は起こらなかった出来事（ショッピングモールで迷子になる、など）と、実際に起こった出来事について話した。その後で、参加者には聞いた出来事について覚えていることを話してもらう。その結果わかったのは、多くの人が架空の出来事を本当の出来事として記憶していただけでなく、架空の出来事に自分で考えた（本当に起こったと信じている）細部も加えていたということだ。[*18]

私は、「犬が車に轢かれる」という架空の出来事を使ってこの実験を再現した。[*19] まず、大学院生の親に質問表を送り、子どもたちの子ども時代に起こった出来事の中で、特によく覚えているものについて答えてもらう。その際、「犬やその他の動物が車に轢かれたか？　あなたの子どもはその出来事を知っているか？」という質問も入れた。次に、大学院生を対象に、親から聞いた子ども時代の出来事について話を聞きながら、こちらが創作した架空の出来事をところどころに挿入する。

偽の記憶に関する他の研究と同じように、大学院生の中には、架空の出来事を本当にあったように思い込むだけでなく、こちらが話していない細部（犬の大きさ、色、事故の起こった時間など）を自分で加え、本当に覚えていると主張する人もいた。

マルチリンガルの記憶は、母語と母語以外の言語の両方から影響を受ける。人間の記憶は、元々偽の介入や偽の記憶から影響を受けやすいものではあるが、マルチリンガルの場合、母語と母語以外の言語のどちらが影響を受けやすいかについてはよくわかっていない。

母語のほうが偽の記憶の影響を受けやすいという研究もあれば、第二言語のほうが影響を受けやすいという研究もある。また別の研究では、その言語をどの程度まで流暢に話せるか、どの言語を主に使っているか、実験が行われた年齢、言語を獲得した年齢といった要素によって決まるという結果になった。

しかし、1つだけはっきりしているのは、言語が記憶に与える影響は私たちの実生活にも大いに関わってくるということだ。たとえば、バイリンガルの証人を法廷で尋問する、バイリンガルの患者に心理療法を施す、重要な記憶を思い出してもらうために最適な状況を整えるといったケースが考えられる。

現在、ロフタス博士と私は、ある裁判に専門家証人として参加して、バイリンガルの証人への尋問を手助けしている。言語と記憶の関係が誰かの人生に決定的な影響を与えるケースはたくさんあり、これもまたそんなケースの1つにすぎない。

倫理的なジレンマと意思決定

実生活における意思決定には、たいてい倫理の問題もからんでいる。そこで、こんな疑問が浮かんでくる――母語以外の言語で考えたときのほうが、倫理的な配慮の影響力が大きくなるのだろうか？

『ゲド戦記』などのファンタジー小説で有名なアーシュラ・K・ル＝グウィンは、多くのSF作品も残している。『オメラスから歩み去る人々』[20]は、彼女が書いたSF短編の1つだ。

物語の舞台であるオメラスは、誰もが豊かで幸せに暮らせる理想郷として描かれる。オメラスに苦しみは存在せず、毎日が祝祭だ。しかし、オメラスの住人は、人生のある時点で、この理想郷の裏に隠された秘密を知らされることになる。1人の子どもが、孤独と苦痛に満ちた境遇に置かれているのだ。その子を助けようとすると、たとえそれがどんなに小さな行為でも、オメラスの幸せな生活はすべて崩壊してしまう。秘密を知った住人の中には、オメラスを去ることを選ぶ人もいた。外の世界に何があるかは誰にもわからない。

これは短い物語だが、読む人に深く考えさせる力を持っている。あなたならどうするだろう？あなたは、1人の子どもの犠牲の上に成り立つ幸福を、黙って受け入れるだろうか？　街全体の幸せのためならしかたがないと考えるだろうか？　あるいは、たとえそれが理想郷の崩壊を意味するとわかっていても、それでもその子を助けて苦痛を終わらせてあげるだろうか？　それとも、オメラスを去ることを選ぶだろうか？

そして、あなたが選ぶ行動は、この物語が書かれた言語や、質問で使われた言語によって変わるだろうか？（誰かがこの設定で実際に実験を行うのが待たれるところだが、私たちはすでに、ここまで

劇的ではないとしても、1人の消費者として日常的にこの選択に直面している）

倫理学における「義務論」とは、行動の是非は、その行動の結果ではなく、行動そのものが本質的に善か悪かによって判断されるべきだという考え方だ。それに対して「功利主義」は、「最大多数の最大幸福」を原則としている。これは、行動の本質は関係なく、もっとも多くの人にもっとも大きな幸福をもたらすのが善であるとする考え方だ。

そしてどうやら、私たちが義務論的に考えるか、それとも功利主義的に考えるかは、使う言語の影響を受けるようだ。

「外国語効果」とは、母語以外の言語を使うときのほうが理論的で冷静な判断ができるという現象だ。たとえば、5人の命を救うために1人の命を犠牲にするかといった倫理的なジレンマに直面したとき、外国語のほうが功利主義的に考える傾向がある。おそらくその理由は、外国語を使うと感情が抑制され、対象との間に心理的な距離を置くことができるからだろう。

義務論の価値観に従うのであれば、犠牲になる命により重きを置かなければならず、そこに感情的な葛藤が生まれる。しかし外国語の場合、感情の影響を受けず、救う命が多いほうがいいという功利主義的な判断をくだしやすくなるのだ。たいていの人は、母語以外の言語を使うときに、たとえ心の痛みを感じても、より多くの人にとって利益になるような行動を選ぶことが多い。

倫理的な判断や、お金に関する判断、健康や医療に関する判断をするときは、第二言語を使うときのほうが、母語を使うときに比べ、より理論的で合理的な判断をくだすことができる。さらに第二言語には、迷信をはねのける力もあるようだ。[*21] 複数の言語を話す人を対象にした研究[*22]により、リスクを取るかどうか、貯金、購買行動、環境保護、社会的アイデンティティ、性格、文化的自己観（文化の違いに基づいた自己観のこと）[*23]といった領域で、母語を使うときと外国語を使うときで判断が異なるということがわかった。

中国語と英語のバイリンガルを対象に、ギャンブルにおける意思決定に関する研究を行った。ポジティブなフィードバックと金銭的な利益（すばらしい！ プラス10ドルだ！）を経験した後と、ネガティブなフィードバックと金銭的な損失（最低だ！ マイナス3ドルだ！）を経験した後で、それぞれの被験者がどのような意思決定をするかを観察する。

その結果、母語以外の言語でフィードバックを受けたほうが「賭けに出る」という意思決定が減り、いわゆる「ホットハンド」（ランダムな事象で成功が続くと、単なる偶然であるのに、「自分はついている」と勘違いする現象のこと）の影響を小さくすることができるとわかった。[*24]

外国語を使うことは、問題の切り取り方によるバイアスを減少させる効果もある。それを証明したのが、1979年に行われた「病気問題」の実験だ。[*25] 病気問題とは倫理的な判断を問う課題であり、一般的に「あなたが何もしなければ600人が病気で死ぬ」というような前提が出発点になる。そこから先は2つの道に分かれる。1つは「プラス基準」の選択肢で、もう1つは「マイナス基準」の選択肢だ。

プラス基準の場合、たとえば「1の行動を選べば、200人の命を救うことができる。2の行動を選べば3分の1の確率で全員が助かり、3分の2の確率で誰も助からない」というような表現が使われる。反対にマイナス基準では、「1の行動を選べば、400人が死ぬことになる。2の行動を選べば、3分の1の確率で誰も死なず、3分の2の確率で全員が死ぬ」となる。どちらの選択肢も結果はまったく同じだが、プラス面を強調した表現（200人の命を救うことができる）を用いると、それを聞いた人はよりリスク回避的になり、1の行動を選ぶ確率が高くなる。

しかし、この感情によってもたらされたバイアスは、外国語を使うと影響が小さくなり、表現がプラス基準かマイナス基準かによってリスクへの態度が大きく変わることはない。[*26] 言い換えると、どの行動を選択するかという決断は、外国語を使うときのほうが、母語を使うときに比べ、問題の表現方法の影響を受けにくくなるということだ。

一般的に、革新的ではあるが、嫌悪感を引き起こす可能性のある行動（たとえば、再利用水を飲むことや昆虫食など）も、外国語で言われたほうが嫌悪感が小さくなる。またバイリンガルは、原子力、農薬、化学肥料、ナノテクノロジーなど、賛否が大きく分かれる問題のリスクと利点について尋ねられると、第二言語で考えたときのほうが、これらの問題のリスクを小さく評価し、利点を大きく評価する傾向がある。[*27] それと同じように、安全が保証された再利用水を飲むように言われる場合も、第二言語で言われたほうが、母語で言われたときに比べ、飲む確率が高くなる。[28]

ワクチン接種のような予防的措置[29]や、手術のような治療[30]など、医療に関する意思決定さえも、そのときに医師や自分が使う言語によって判断が変わってくる。[31] 移民の家族から外国生まれの医師まで、全世界で数百万人にもおよぶ医療スタッフや患者たちが、母語と母語以外の言語を組み合わせて医療に関する意思決定を行っている。

アメリカの場合、すべての医師の30パーセント近くが移民であり、彼らと一緒に働く看護師、技師、助手の多くも外国生まれだ。さらに全世界に目を向けると、何百万人ものマルチリンガルが、母語以外の言語で日常生活を送っている。つまり私たちの周りでは、自分の心身の健康に関わる重大な問題について、日常的に母語以外の言語で意思決定が行われているということだ。

バイリンガルを対象に、彼らの母語か第二言語のどちらかで医療に関するシナリオを提示すると、第二言語で提示されたほうが、病気の症状や治療の副作用を軽くとらえ、個人のリスクの蓋然性に関する情報により敏感になった。

第二言語で病状を語ると、簡単に治る、痛みは少ない、気に病むほどのことではないというように、楽観的な描写になった。また第二言語を使うと、予防的措置のコストと利点により敏感になり、実験的な治療をより積極的に受け入れるようになるという効果も確認された。

使う言語が母語か外国語かによって、予防措置を受け入れるか、それとも拒否するかが変わる可能性があるという事実は、世界に数多く存在する母語以外の言語で仕事をしている医療スタッフや、母語以外の言語で治療を受ける患者にとって、非常に大きな意味を持つ。言語体験や、どの言語にさらされているかということは、健康に関する情報をどう解釈するかということに影響を与える。これは避けられない現実であり、個人にとっても社会全体にとっても、健康に関わる重大な問題だ。

ニュージーランドの先住民族であるマオリには、「私の言葉は私の目覚めだ」ということわざがある。何を信じるか、誰に投票するか、何が好きか、自分は誰かといったアイデンティティに関わる問題は、すべて言語から影響を受けているのだ。そのため、使う言語が変わると、自分の違う面が現れる。

なぜそうなるかというと、それぞれの言語ごとに、紐づけされている経験、記憶、感情、意味が異なり、そしてアクセスしやすい経験、記憶、感情、意味も異なるからだ。その結果、使う言語によって、その人のどの部分が前面に出るかということも変化するのだ。

第II部

社会と言語

去年の言葉は去年の言語に属し
そして来年の言葉は別の声を待っているのだから

――T・S・エリオット『四つの四重奏』より

7 究極のインフルエンサー

私の子どもたちが2歳くらいのころ、家族や友人、他の親たち、またはたまたま通りがかった人たちは、私と子どもの会話を耳にしてよくびっくりしていた。それはこんな会話だ。

「4引く2の答えは？」と、私が尋ねる。

「2だよ」と、子どもは答える。

「81割る9は？」と私。

「9」と子ども。

「745割る0は？」と私。

「0」と子ども。

「いちばん最後にアメリカの州になったのはアラスカとハワイのどっち？」

「ハワイ」

「第2代アメリカ大統領はジェファーソン？　それともアダムズ？」

「アダムズ」

こんな会話が延々と続く。トピックは、数学から政治、物理学からスポーツまで実にさまざまだ。私の子どもたちは、それらすべての質問に答えられた。いつもそうだ。

うちの子どもたちは、みんな小さな天才だったのだろうか？　実際のところ、知能は同年代の子どもたちと変わらない。唯一の違いは、彼らの母親が言語の発達を研究する学者だったということだ。私は言語の専門家なので、言語に関する専門知識を駆使すれば、子どもから欲しい答えを引き出すことができるのだ。もう気づいた人もいるかもしれないが、私が出す質問にはある一定のパターンがある。

質問のリストを見ればわかるように、正解は質問文の最後に登場している。私が最後に言った言葉をくり返せばいいだけなのだから簡単なものだ。

言語の発達がある段階まで到達すると、子どもは何かの選択を迫られたときに、相手が言った最後の言葉をくり返すようになる。子どもにとって、このくり返しは言葉を学習するプロセスの一部だ。これは子育ての経験がある人なら、特に言語の発達に関する専門教育を受けなくても知っていることだろう。

世の中の忙しい親たちは、子どもは最後に提示された選択肢を選ぶということを知っているので（たとえ子どもの人生でごく短い期間でしかないとしても）、このテクニックを使って子どもに着せたい服を選ばせたり、食べさせたいものを選ばせたり、やらせたい活動を選ばせたりして、慌ただしい朝の時間や疲れ切った夜の時間を乗り切っている。あなたも小さな子どもがいるなら、一度試してみるといいだろう。もしかしたらTikTokに投稿する動画も撮れるかもしれない。

言語が選択に影響を与えるのは、特に驚くようなことではない。しかし、ここでの問題は、その選択が自分の人生に関わることだけでないという点だ。

この本の第Ⅰ部では、言語が個人に与える影響について見てきた。そして第Ⅱ部では視野を広げ、言語が社会全体に与える影響について考える。自分が使う言語に影響を受けるのは、自分自身の脳や身体、精神、感情だけではない。言語の選択や、言語の多様性、複数の言語が使われるということは、社会の構造と機能の根幹に影響を与える。政治から、誰が歴史を書くかということ、科学の進歩と発見まで、言語の力はありとあらゆる領域に及んでいる。

表現を変えて聞き手を操縦する

私が言語の発達に関する専門知識を活用して子どもに野菜を食べさせたり、子どもと私の会話をたまたま聞いた人たちを驚かせたりしてきたように、政治家も、政治コメンテーターも、その他の公の立場にある人たちも、言語を利用して聞き手を説得（あるいは操縦？）しようとしているのだ。

共和党のブッシュ政権が、「相続税」を「死亡税」と呼ぶようになったときのことを覚えているだろうか？　ブッシュ政権は他にも、排出基準を緩めることを「クリア・スカイ・イニシアチブ」と呼んだり、石油の掘削を「エネルギーの責任ある探査」と呼んだり、木材の伐採を「健全な森林イニシアチブ」と呼んだりしている。

一方で民主党のバイデン政権も、合法的に入国していない移民の呼び方を変えている。具体的には、「illegal（不法）」が「undocumented（許可書がない）」に、「alien（外国人）」が「noncitizen（アメリカ市民でない）」や「migrant（移住者）」に変化した。

人工妊娠中絶に関する論争では、中絶反対派は「生きる権利」という言葉を使い、中絶賛成派は「選ぶ権利」という言葉を使う。この2つの言葉から受けるイメージはまったく異なる。

それと同じように、「相続税」を「死亡税」に変えるだけで反対票を投じたくなる確率が高くなる。「相続税」はお金持ちの人が払う税金というイメージだが、「死亡税」は身内の死で悲しんでいるときにむしり取られる税金というイメージだ。

これはアメリカだけに限った現象ではない。国際メディアで、「航空機を撃墜する」という表現の代わりに「空域を封鎖する」という表現が使われれば、ニュースを見聞きする人はまったく違うイメージを抱くだろう。

民主国家か専制国家かにかかわらず、世界中の国々で、日々新しい表現が選ばれ、新しいラベリングが行われている。それは、より適した表現やラベルが見つかったからではなく、表現を変えることで人々に与えるイメージも変えるためだ。

ソ連時代の二大新聞は、「ニュース」を意味する『イズベスチヤ』と、「真実」を意味する『プラウダ』だ。そしてソ連のマスコミによるプロパガンダに関しては、「『プラウダ』に真実はなく、『イズベスチヤ』にニュースはない」という古いジョークがある。最近では、ウクライナでの戦争を「特別軍事作戦」と呼ぶという例が有名だろう。

ジョージ・オーウェルによるディストピア小説の『１９８４年』では、全体主義の政権が、「ニュースピーク」と呼ばれる新しい言語システムを制定した。その目的は、超大国オセアニアの国民を支配し、自己表現や自由意思といった、政権への脅威となるような概念を抑圧することだ。オセアニアの支配者たちは、それらの概念を表現する言葉がなければ、概念そのものも存在しなくなると考えた。

ニュースピークの目的はイングソックの信奉者に特有の世界観や心的習慣を表現するための媒体を提供するばかりではなく、イングソック以外の思考様式を不可能にすることでもあった。ひとたびニュースピークが採用され、オールドスピークが忘れ去られてしまえば、そのときこそ、異端の思考――イングソックの諸原理から外れる思考のことである――を、少なくとも思考がことばに依存している限り、文字通り思考不能にできるはずだ、という思惑が

働いていたのである。（中略）ニュースピークを唯一の言語として育った人間は「等しい」にはかつて「政治的に平等な」という第二の意味があったこと、或いは、「自由な」は昔「知的に自由な」を意味したことなどまったく知らないことになるだろう。それは、チェスについて一度も見聞きしたことのないものがクイーンやルークに二番目の意味があることを知らないのと同断である。このような状況下にあるものにとっては、多くの罪や過誤がどうにも犯しえないものになるだろう。それらには名前がなく、したがって想像もできないものになるからに他ならない。*1

芸術はただ現実を模倣するだけではない。むしろ現実が、オーウェルの小説のような芸術作品を模倣しているかのようだ。

国家規模の「言語実験」

2018年の冬季オリンピックで、北朝鮮と韓国は合同チームとして参加した。そのとき両国のアスリートたちは、表面上は同じ言語を使っているにもかかわらず、意思の疎通がとても難しかったという。その理由は、朝鮮半島が南北に分かれて以来、韓国ではずっと使われてきた言葉（たとえば、英語や他の外国語を由来とする言葉）が、北朝鮮ではすっかり使われなくなってしまったからだ。

北朝鮮の政権は、その代わりに、同じ概念を表す新しい言葉を制定した。その結果、北朝鮮の選手と韓国の選手は、同じ言語を話しているのに、辞書がなければ会話ができないこともあったそうだ。

国家規模の「言語実験」の例をもう1つあげると、ソビエト政権がモルドバ共和国で使われる文字をラテン文字からキリル文字に強制的に変えたというものがある。モルドバの西隣にあるルーマニアはラテン文字で、東隣のロシアはキリル文字だ。モルドバは小さな国で、人口の大半をルーマニア人が占めているが、彼らは数十年にもわたり、母語にはそぐわないキリル文字を使うことを強制されてきたのだ。

ルーマニア語はロマンス語に属し、現存する言語の中ではもっとも古代ラテン語に近い。ラテン文字が使われていたのもそのためだ。ソビエト政権はキリル文字を強制することで、モルドバの国家アイデンティティを操作し、モルドバの人々からルーマニアや西側諸国に根ざしたアイデンティティを奪って、「ソ連の一員である」という意識を植えつけようとした。

個人の自己意識が言語の影響を受けるのと同じように、国家アイデンティティも国民が使う言語の影響を受ける。言語とは、文化、民話、信念体系、価値観、歴史、集団のアイデンティティを伝える存在だ。だからこそ、歴史のさまざまな時点で、人々の集団や国家全体が、自分たちの言語を使うことを禁じられたり、外国語を押しつけられたりしてきたのだ。これは、北アメリカ、南アメリカ、ヨーロッパ、アジア、オセアニアで起こってきたことであり、現在も地政学的な緊張のある地域では同じことが起こっている。

経済的支配、政治的支配、そして力による物理的支配ばかりが注目を集めるが、言語による支配は、国家とそこに暮らす人々を根本から変える力を持つ。その理由は、言語と心が分かちがたく結びついているからに他ならない。特定の単語だけでなく、言語そのものの使用を禁止するのは、その言語と結びついた考え方や存在のあり方を否定するのと同じことだ。

政治と広告で使われるテクニック

北朝鮮やソ連で行われたような国家規模の言語実験は、何百万もの人々に影響を与えるが、その例は決して多くない。むしろ多く見られるのは、もっとわかりにくい形で言葉を巧みに操作し、政治的な目的を達成しようとすることだろう。

ここでの戦略は「ラベリング」だけではない。子どもが相手の最後の言葉をくり返すのと同じように、大人もまた、提示される順番の影響を受ける。たとえば人間の記憶には、最初に提示されたものをよく覚えているという「初頭効果」や、意思決定において最新の情報や出来事の影響を受けやすいという「新近効果」という傾向が確認されている。最初や最後に提示された情報のほうが、真ん中に提示された情報よりも印象に残りやすいということだ。

他には「頭韻法」と呼ばれるテクニックもある。頭韻法とは、隣接する単語や文を同じ音で始めるという手法であり、こうすると人々の印象に残りやすいという効果がある。たとえば、バイデン政権の「Build Back Better Budget（アメリカをよりよく再建するための予算案）」や、クリントン政権の「Save Social Security First!（社会保障を守ることが第一だ！）」というスローガンなどが頭韻法だ。

他にも、ある物事を表現するのに、それと強い関連がある物事の名前で置き換える「換喩」というテクニックもある。たとえば、アメリカ政府の最高執行機関を「ホワイトハウス」と呼んだり、金融セクターを「ウォール街」と呼んだりするのが換喩だ。換喩もまた、民衆の意見を操作する目的で利用される。

代名詞の使い分け（「われわれ」対「彼ら」）、比喩、類比なども言葉を使ったテクニックであり、支持を集める、選択肢があるような幻想を創造する、分断の種をまく、人々を団結させるといった目的で利用される。

ここで再びジョージ・オーウェルの言葉を紹介しよう。今度はエッセイからの引用だ。「政治的言語とは（中略）、嘘を本当らしく、殺人を立派な行為のように、そしてまったくの空虚を実質的なものであるかのように見せるために設計されたものだ」*2

政治家はよく、民衆を操作するために代名詞を利用する。「われわれ」と「彼ら」を使い分けることで両者の違いを強調し、あえて分断をあおるのだ。この「分断して支配する」という戦略は今に始まったものではない。ユリウス・カエサルもナポレオン・ボナパルトもこの戦略を使った。実際これは、ローマ帝国以前から存在する軍事戦略だ。

しかし、カエサルとナポレオンにとっては、他国の領土を征服することが「勝利」だったが、同じ国の中での政治に関しては、「勝利」の意味を再定義する必要があるだろう。

違う言語を話す人は、同じ代名詞でも違う解釈をする。自分と話し相手がどちらも「われわれ」に含まれる言語もあれば、話し相手を「われわれ」に含めない言語があるからだ。

この区別はとても興味深い。たとえば政治家が同じ「われわれ」という言葉を使っても、それを聞いた民衆のイメージが言語によってまったく異なるのだ。政治家と自分は仲間だと感じる言語もあれば、政治家と自分は仲間ではないと感じる言語もある。

このように同じ「われわれ」という言葉でも、言語によって「あなたと私（さらには他の人たち）」をすべて含む包括的な意味と、「あなたと私は違う」という排他的な意味がある。言語学では、包括的であることと排他的であることを区別する概念を「除括性（clusivity）」という。マルチリンガルであることには、この「除括性」という概念がどうしてもつきまとう。

英語には除括性による区別は存在しない（たとえば、「we（私たち）」という人称代名詞は「you（あなた）」を含むこともあれば、含まないこともある。それは日本語も同様だ）。しかし、マンダリン、ベトナム語、マレー語、グジャラート語、パンジャブ語、タガログ語、マラヤーラム語、タミル語、ハワイ語をはじめ、多くの言語には「私たち」に相等する言葉は2つあり、除括性が存在する。政治家は、これらの言語を話す有権者を相手に発言するときは、除括性が与える影響を考慮しなければならない。聞き手を自分のグループに含みたいのか、それとも除外したいのかによって、適切な言葉を選ぶ必要がある。

政治家は、聴衆に合わせて話し方を変えている。たとえばバラク・オバマ元大統領は、黒人に向かって語りかけるときと、白人に向かって語りかけるときで話し方を変えていた。*3 カマラ・ハリス副大統領も、民主党予備選挙の討論会で言葉を微妙に使い分けていた。たとえば、アフリカ系というアイデンティティを強調したいときは、アフリカ系アメリカ人に特有の発音や文法を取り入れていたのだ。

政治家の多くは複数の言語や方言に堪能で、場面によってそれらを使い分けている。

冷戦時代のもっとも有名なスピーチの1つで、ジョン・F・ケネディはドイツ語で「Ich bin ein Berliner」と言った。これは「私はベルリン市民だ」という意味であり、ベルリンの人たちとの連帯、アメリカと西ヨーロッパとの結びつき、そしてベルリンの壁建設に反対する姿勢を伝える役割を果たしている。

当時、この言葉があんなにも強い印象を残したのは、英語のスピーチの中で突然登場したドイツ語だったからだ。ほとんどのドイツ人は、若い人から年配の人まで、ケネディ元大統領のこの言葉を知っている。そしてヨーロッパ各国の学校でも、今でもこの歴史的な瞬間について生徒たちに教えている。

ケネディが直感的に理解していたのは、あの日の西ベルリンで聴衆に向かって彼らの母語で語りかければ、英語で語りかけるよりも聴衆の心に深く響くということだ。多くのスピーチの名手と同じように、ケネディもまた、言語は頭だけでなく心でも理解するものだということを知っていた。そして近年、心理言語学の研究が進んだことにより、彼らの直感が科学的にも正しいことが証明されてきている。

ベルリンでのスピーチから数十年後、今度はウクライナの戦場で、ヴォロディミル・ゼレンスキー大統領がウクライナ語とロシア語を巧みに切り替えながらスピーチを行った。ウクライナ語を使うときはウクライナ人に語りかけ、そしてロシア語を使うときはロシア人に語りかける。英語圏のメディアや政治家を相手にするときは英語を織り交ぜてスピーチやインタビューを行い、そして外国人に語りかけるときは、その国の言葉を自分の発言に取り入れる。

マデレーン・オルブライトは、アメリカ史上初の女性国務長官であり、英語、チェコ語、フランス語、ロシア語、ポーランド語を話す。同じく女性国務長官であったコンドリーザ・ライスは英語とロシア語を話す。元フロリダ州知事のジェブ・ブッシュは英語とスペイン語に堪能だ。外国語に堪能でない政治家でも、外国語を母語とする有権者が多くいるコミュニティでスピーチを行うときは、彼らの言葉を積極的に取り入れようとする。

しかし、相手の言語で政治的なメッセージを伝えるという戦略は、わざとらしい、媚びを売っているという印象を与え、裏目に出る危険もある。アメリカでは、ヒスパニックの有権者を相手にスペイン語を使うという行為に対して、「hispandering（ヒスパニックに媚びる）」という表現もあるほどだ。[*4]

アメリカ政治では、ヒスパニックの有権者を意識してスペイン語を使うと、ヒスパニックの支持は得られるが、白人の英語話者からの支持が減るという弊害もある。[*5] 共和党支持者を対象に、スペイン語と英語を話す白人の候補者に対するイメージを調査したところ、ラティーノの有権者は候補者がスペイン語を使うことに好意的だが、白人の有権者（テキサス以外）には否定的に受け取られるということがわかった。[*6] 政治記事のスペイン語版がある場合も、ラティーノの有権者の間で好感度が高まり、ラティーノ以外の有権者の間で好感度が下がるという結果になった。[*7]

政治における言語の役割は特にわかりやすい例だが、意思決定の操作に言語を利用しているのは政治家だけではない。たとえば広告業界は、消費者に買わせるための正しい言葉づかいを日夜研究している。彼らの目的は、消費者に可能なかぎり高いお金を払わせることであり、ときには払えない額まで払わせようとする。[*8]

マルチリンガルは広告コピーを見聞きすると、第二言語よりも母語のほうがより感情に訴えると感じる。[*9] ある研究では、自分の持ち物に値段をつけるとき、外国語を使うとその持ち物に対する所有意識が弱くなるという結果になった。[*10]

ヒスパニックのアメリカ人が、スペイン語の商品広告と英語の商品広告をどう見るかということは、他のアメリカ人がスペイン語話者にどういうイメージを持っているかによって決まる。[*11]ヒスパニックの文化に対してネガティブなステレオタイプがあると感じたら、スペイン語の広告のほうがヒスパニックの印象が悪くなる。

広告に使われる言語の効果は、宣伝されている商品そのものによっても変わるようだ。アメリカでは、スペイン語は家や家族と結びつけられ、英語は仕事や政府と結びつけられることが多いので、家庭に関する広告はスペイン語が使われるとより好意的に評価され、[*12]仕事に関する広告は英語が使われるとより好意的に評価される。

インドでも同じようなことがあり、チョコレートのような贅沢品の広告[*13]ではヒンディー語よりも英語を使うほうが効果的で、洗剤のような日用品の広告では英語よりもヒンディー語のほうが効果的になる。

広告主が誰かということも重要な意味を持つ。広告主が多国籍企業であれば、国内や地元だけの企業やブランドの場合と比べ、広告に使われる言語の影響力がより大きくなる。[*14]

広告の言語は、たとえ商品は同じでも、ターゲットとなる顧客層によって変わることも多い。たとえば同じポテトチップスでも、社会経済的に上層の消費者をターゲットにした商品と、下層の消費者をターゲットにした商品とでは、使われる言語が異なる。[*15]

ターゲットが上層階級の場合、重視されるのは商品の質の高さだ。「自然」、「加工食品でない」、「人工的な添加物不使用」といった点が強調される。対してターゲットが労働者階級であれば、重視される価値は「家族」と「地元」だ。アメリカらしい景色が登場し、伝統的な家庭のレシピでつくられている点が強調される。

高価なスナック菓子のコマーシャルは、安価なスナック菓子に比べ、使われる言葉の表現がより複雑になる。前者は10年生から11年生（日本の高校1年生から2年生）レベルの言葉で、後者はだいたい8年生（日本の中学2年生）レベルだ。

食品の広告に使われる言語を対象にしたより一般的な研究によると、高価格帯の食品の広告では「入っていないもの」（低脂肪、無添加、動物実験していない、など）が強調され、[*16]低価格帯の食品の広告では「入っているもの」（30パーセント増量、など）が強調される。「○○が入っていない」「○○を含まない」という表現には、それを買う人に「自分は特別だ」という感覚を抱かせる効果がある。

マルチリンガルは、そうでない人に比べ、言語による操作の影響を受けにくい傾向がある。ノルウェーで行われたある研究によると、2つの言語を話す人は、モノリンガルに比べ、人心を操るような言語のトリックに気づきやすいという。[*17]

たとえば、「More people have been to London than I have」や、「More men have finished school than he has」といった誤解を招きやすい表現を見せられたときに、バイリンガルのほうが文の間違いに気づいて指摘する確率が高い。※その理由は、バイリンガルはトップダウンの認知制御に長けているために、直感的な答えを抑制し、合理的な思考で文の間

※どちらの文も心理言語学で「comparative illusions」（比較級の幻想）と呼ばれる典型的な表現。たとえば前者の場合、一見すると「多くの人が私よりたくさんロンドンに行ったことがある」という意味の正しい文のようだが、ここで比較されているのは「人数」（more people）であって、ロンドンに行った回数ではない。そのため、「私よりもたくさんの人がロンドンへ行ったことがある」という、意味の通らない文になっている。

違いに気づくことができるからだろうと、ノルウェーの研究者たちは考えている。

政治と広告における言語の力はとても大きく、使う言語を変えるだけで、同じ人にまったく正反対の意見を持たせることさえできる。マルチリンガルは、政治姿勢を問う調査で、使う言語によってより保守的になったり、よりリベラルになったりする。政治的な意見や、誰に投票するか、何を買うかといったことから、より広い社会的な行動一般までが、使う言語によって変化するのだ。

英語を母語とするスペイン語とのバイリンガルと、スペイン語を母語とする英語とのバイリンガルを対象にしたある研究によると、「あの大統領の支持者はレイシスト（人種差別を肯定する人）である」といった政治的な発言を聞く場合、第二言語で聞いたときのほうが、母語で聞いたときに比べて感情の動きが小さく、そのおかげで相手の言葉に腹を立てずに中立的に受け入れることができる。[*18]

一般的に、道徳的な逸脱行為を批判するときは、外国語を使うと極端な感情になりにくいとされている。バイリンガルを対象にしたまた別の研究でも、ある記事を読み、その後でその記事に対するネットのコメントを読む場合、母語で読むときは、罵詈雑言のような失礼なコメントよりも、冷静で礼儀正しいコメントのほうを正しいと感じることが多くなるが、第二言語で読むと、コメントの礼儀正しさや言葉づかいなどがそれほど影響力を持たなくなる。

それと同じように、第二言語による党派的なシグナルは、母語による党派的なシグナルよりも影響力が小さい。バイリンガルは、母語を使うときはより妥協的になり、中庸や慎重さを重視し、決断を避ける傾向がある。

広告コピー、スピーチ、テレビや映画の脚本、小説、さらにはノンフィクションの本でさえ、多かれ少なかれ人々から感情的な反応を引き出すために書かれている。SNSによって私たちの思考が一口サイズの投稿に切り分けられるはるか以前から、たった6つの単語で書かれた「超短編小説」はすでに存在していた。あの有名な「For sale. Baby shoes. Never worn（売ります。赤ちゃん用の靴。未使用）」だ。

マーケティングの世界では、昔から「最小の言葉で最大の内容を伝える」のが最高の戦略だと考えられてきた。「還元主義」という概念を生み出したのはツイッター（現X）ではない。インターネット以前の時代にも、「もしもっと時間があったら、もっと短い手紙が書けたでしょう」というジョークは存在していた。

変わる言葉

私が言語に情熱を持つようになったのは、さまざまな要素が組み合わさった結果だ。公用語がロシア語の地で家族のほとんどがルーマニア人という環境に生まれた偶然、英語で授業が行われる学校で学んだという教育的な副産物、ウクライナとの国境近くに住み、たまたま夏を黒海ですごしていたこと、そして読書が好きだったことだ（子どものころにいちばん好きだった作家はたいていフランス人だった）。それに、時代によって変化する言葉を扱ったラジオ番組も熱心に聴いていた。

英語には、「一瞬」や「ほんの少しの時間」を表す「jiffy」という言葉がある。しかし、この言葉が元々は「100分の1秒」を表す時間の単位であることを知る人は多くない。さまざまな言語で、言葉の語源を知るのはとても楽しいことだ。

語源学（etymology）とは、言葉の語源や、時代とともに言葉が変化する過程を研究する学問だ。「entomology（昆虫学）」という似た言葉もあるが、混同しないように注意してもらいたい（言語学者の間には、「etymologyとentomologyを区別できない人は、言葉にできない形で言語学者をイライラさせる」という内輪のジョークがある）。

言語は生き物だ。毎年、新しい言葉が辞書に加わり、そして使われなくなった言葉が辞書から消えていく。

ここで、英語が時代とともにどう変わってきたか、旧約聖書の詩篇23篇を例に説明しよう。聖書が書かれてから2000年以上がたつが、わずか1000年の間でもこれだけの変化が起こっている。

―現代訳拡張版聖書（2011）

The Lord is my shepherd; I have everything I need.
He lets me rest in green pastures.
He leads me to calm water.

日本語訳（聖書協会・共同訳より）
主は私の羊飼い。私は乏しいことがない。
主は私を緑の野に伏させ
憩いの汀に伴われる。

欽定訳聖書（1611）
The Lord is my shepherd. I shall not want.
He maketh me to lie down in green pastures.
He leadeth me beside the still waters.

中英語（1100～1500）
Our Lord gouerneth me and nothyng shal defailen to me.
In the sted of pastur he sett me ther.

He norissed me upon water of fyllyng.

古英語（800〜1066）
Drihten me raet ne byth me nanes godes wan.
And he me geset on swythe good feohland.
And fedde me be waetera stathum.

どの世代の人たちも、こんな言葉の変化を起こしたのは自分たちが初めてだ、今の時代だからこそこんな斬新な言語表現が生まれたのだと信じているものだが、実際のところ、どんなに新しく見える言葉や表現でも、以前のバージョンがただ表面的に変化したにすぎない。あるいは、フランスの言葉にもあるように、「plus ça change, plus c'est la même chose」（変われば変わるほど、いよいよ同じものだ）ということだ。

たとえば、最近の若い人の間でよく使われる「dead」という表現について考えてみよう。これは形容詞であり、文字通りの意味は「死んでいる」だが、最近では、ときには絵文字やミームの形で、「すごく」「とても」など何かを強調する意味や（たとえば、「she's dead beautiful」は「彼女はとても美しい」という意味になる）、あるいは「笑い死に」から派生して「ものすごくおかしい」という意味で使われることもある。

ちなみに、スマホ世代の若者がこの表現を使い始めるおよそ400年前、1660年代に生きた祖先たちは同じような形で「smite」という言葉を使い始めた。「smite」は本来、「何かを強打する」、あるいは「誰かを殺す、大怪我をさせる」という意味だが、「smite」の過去分詞である「smitten」が「誰かに夢中になる」、「恋愛でのぼせ上がる」という意味で使われるようになったのだ。

たとえ同じ言語であっても、職場と自宅では違う言葉や表現を使う。あるいは、祖父母と話すときと同僚と話すときでも、語彙や話す声のトーンが変わったりするだろう。言語学の世界では、このような同一言語内での違いを「レジスター（話す相手の種類による方言や言語スタイルのバリエーション）」と呼んでいる。

そしてたいていの人は、さまざまなレジスターを必要に応じて使い分けているはずだ。赤ちゃんに話すときは、いわゆる「赤ちゃん言葉」と呼ばれるレジスターを使う。動詞を引き伸ばして発音したり、声を高くしたり、赤ちゃんが言葉を学びやすいようにしっかり区切ったりするような話し方だ。

こういった言語のバリエーションは、それ自体が意義深い情報を含んでいる。話者の社会階層、アイデンティティ、所属する団体や組織などが、聞き手に伝わるようになっている。ある言語や方言を共有する言語共同体においては、必ずその共同体に適した言語のバリエーションを使うことが求められる。たとえば「社会方言」は、話者が属する社会集団や社会階層の中で必ず使われる言語のバリエーションだ。

ジョージ・バーナード・ショーの戯曲『ピグマリオン』[*19]の筋書きを知っている人もいるだろう。この戯曲は、ミュージカル映画『マイ・フェア・レディ』の原案でもある。

映画版では、オードリー・ヘプバーン演じる若い女性が、2人の言語学者による賭けの対象になる。音声学教授のヘンリー・ヒギンズは、話し方のパターンを変えるだけで、周りが思うその人の社会階層や生活環境を変えることができると主張する。

ヘプバーン演じる若い女性は、コックニーと言われるロンドンのきつい下町訛りを話していた。そんな彼女がヒギンズ教授の指導を受け、ついには上流階級の英語をきれいに話すようになり、その過程にさまざまなミュージカル楽曲やロマンスが織り込まれるというストーリーだ。

話し方のパターンを変えれば、周りからどう見られるかも変わるという現象は、映画の中だけの出来事ではない。言語聴覚士にとって、方言や訛りの矯正はもっとも稼ぎのいい仕事の1つだ。しかしこれについては、狭量な社会のステレオタイプに合わせるためにその人本来の話し方を変えるのは、倫理的に正しいことなのかという問題は避けられない。

発声や聴覚に問題がある子どもや、発作などで言語に障害が残った大人を対象にした医療的な措置とは違い、アクセントの矯正は、ビジネスパーソン、メディア関係者、芸能人、あるいは訛りを直したい、ある特定の話し方を身につけたいという個人が自費で受ける処置だ。そういった人たちを「見栄っ張り」の一言で断罪するのではなく、ここではやはり、話し方が就職や社交生活、ひいては人生全体に影響を与えるという事実を考慮するべきだろう。

私たちは、話し方の特徴で、つねに周りからどんな人間か判断されている。意識的判断もあれば、無意識な判断もあるだろう。アクセントによるプロファイリング（事件の捜査などで、犯人の人物像を割り出す手法）は実際に行われている。ある方言を話したり、ある社会階層に特有の話し方をしたりすると、ステレオタイプによる偏見の対象になり、それが差別につながる可能性も高い。

1960年代以前、話し方のバリエーションは言語学の研究でほぼ無視されていた。恣意的であり、重要な意味を持たないと考えられていたからだ。地域方言など、いくつかのバリエーションは研究の対象になっていたが、当時の言語学者はほとんどが白人の男性だったために、多くのバリエーションは、彼らにとって別世界の存在として切り捨てられていた。

1960年代に入ると、言語学者のウィリアム・ラボフが始めた新しい手法によって、話し方のバリエーションは恣意的ではなく、社会的な所属を表す重要な意味を持つという考え方が広まるようになった。そして現在、社会言語学という1つの分野がすでに確立し、言語のバリエーションや、それが持つ社会的な意味についての研究が行われている。

言語のバリエーションを対象にした社会言語学の実験[*20]には、とても優れたものがたくさんある。よく知られている例としては、ニューヨーク市の店員を対象にした研究があげられるだろう。

研究者は実際に店舗へ行き、店の4階で売られているものの場所を尋ね、店員の「4階（fourth floor）」の発音を比較した。店員の発音は、店舗の「格」によって明らかな違いがあったという。労働者階級を対象にしたもっとも格の低い店舗、つまりもっとも安いものを扱う店舗（大衆デパートのS・クライン）では、店員が「fourth」と「floor」の「r」を省略した発音をする傾向があった。

一方で、上流階級を対象にしたもっとも格の高い店舗（高級デパートのサックス・フィフス・アベニュー）では、店員がどちらの「r」もきちんと発音していた。そして中産階級を対象にした店舗（中流デパートのメイシーズ）では、発音の仕方は店員によって異なるが、多くの店員はどちらか1つの「r」だけを発音した（興味深いことに、正式な場面になると、下位中産階級はむしろ「r」の発音を強調しすぎるという傾向があり、同じ状況の上位中産階級より「r」の発音は多かった）。

この実験からわかるのは、社会階層による言語の違いはたしかに存在するということだ。社会言語学の世界ではその後も研究が行われ、地域、性別、性的指向、政治イデオロギー、年齢、その他のカテゴリーによって、集団ごとの言語のバリエーションが存在することがくり返し証明されている。

発音は、その人の社会階層だけでなく態度も反映している。「マーサズ・ヴィニヤード研究」[*21]として知られるようになった研究によると、マサチューセッツ州のケープコッド沖に浮かぶマーサズ・ヴィニヤード島に暮らす人々は、島への帰属意識や感情を話し方で表現するという。

島に対してポジティブな感情を持ち、この先も住みたいと思っている島民は、母音の発音が高くなることが多いという特徴がある（ここでいう母音の「高さ」とは、母音を発音するときの舌の位置をさしている。「light（ライト）」という単語における「/ai/（アイ）」の発音や、「house（ハウス）」という単語における「/au/（アウ）」の発音に違いが見られたということだ）。

一方で、島に対してネガティブな感情を持ち、いつか出ていきたいと思っている島民は、母音を発音するときに舌の位置がもっとも低くなる。そして島に対して中立な態度で、特に強い感情は持っていない島民は、母音を発音するときの高さも中くらいだ。ネガティブでもポジティブでも、島に対する感情が強くなるほど、母音を発音するときの舌の位置も極端になる。

集団のアイデンティティを反映して母音が変化する母音推移の例は他にもたくさんある。いわゆる「米国北部都市母音推移」もその1つだ。これは、アメリカ内陸部の北部にある都市で、母音の発音が連鎖的に推移するという現象をさしている。ミネソタ州の方言を例に考えるとわかりやすいだろう。

米国北部都市母音推移は1930年代に始まったとされている。最初のきっかけは、「/ay/」の発音の高さが微妙に変化したことだ。その後、同じ社会に暮らす人たちの行動を模倣するという「社会的学習」を通してこの母音の変化がさらに広がり、地域によって発音による意味のパターンが生まれることになった。

数多くの映画やテレビ番組がこの母音推移を活用し、キャラクターの発音でその人の出身地や文化的背景を伝えようとしている（たとえば映画の『ファーゴ』や、同じ題名でテレビドラマ化したシリーズは、母音推移を巧みに活用したいい例だ）。

言語変化のパターンからわかるのは、言語のバリエーションは、いくら規則性がないように見えても、やはりそこには規則性があるということだ。集団の中でも発音が異なるのは、集団への帰属意識の違いが背景にある。それと同時に、言語の違いは、同じ集団内でもその集団の帰属意識が強い人と、集団の一員というステレオタイプで見られたくない人の間に軋轢《あつれき》を生んできた。

言語によるコミュニティはたしかに存在するが、多くの人は、どのカテゴリーにも明確に所属しない「中間」に位置していて、必要に応じてコミュニティを使い分けている。言語には、偏見や差別を生むという側面もあるので、コミュニティごとの言語の違いに見られるパターンを研究すれば、社会問題や社会構造をより深く理解することができる。

▼言語に埋め込まれた各国の文化

言語とステレオタイプは密接に結びついている。ある研究で、バイリンガルのアラブ系イスラエル人を対象に、アラビア語かヘブライ語のどちらかで「潜在的な関連づけテスト」を行った。これは、無意識のうちに何と何を関連づけているかということから、その人の中にある無意識の偏見を測定するためのテストだ。アラビア語でテストを行うと、ヘブライ語でテストを行ったときに比べ、ユダヤ人への暗黙の偏見が大きくなった。

また別の研究でも、アラビア語とフランス語のバイリンガルは、アラビア語でテストを受けると、フランス語でテストを受けたときに比べ、より親モロッコ的な態度になった。同様に、スペイン語と英語のバイリンガルも、スペイン語でテストを受けたときは、英語でテストを受けたときよりも親スペイン的な態度になった。

ステレオタイプ活性に関するこれらの研究からわかるのは、態度はそれを表現する言語の影響を受けるということだ。言語に埋め込まれた文化的な価値観を反映する形で、態度も変化する。

たとえ同じ言葉であっても、文化的な意味合いが異なることもある。たとえば、「何も持ってくる必要はありません」という表現は、文化によって違う意味になる。招待者が東ヨーロッパやアジアの人であれば、たとえ招待状にそう書かれていても手土産を持っていくのが礼儀とされている。ささいなものでもかまわないが、手ぶらで行くのは御法度だ。結婚式、何かの記念日、大きな節目となる誕生日などであれば、ゲストもまた、ホストの出費に見合うだけの価値を提供することが求められる。それは贈り物かもしれないし、お金、特別な体験、旅行、娯楽などかもしれない。

一方、招待者が北米の人であれば、ゲストに何か持ってきてほしいなら、ギフト・レジストリー（欲しいもののリスト）をつくってゲストに送付するか、ゲストに直接欲しいものを伝える。あるいは持ち寄りパーティにすることもあるだろう（この慣習が存在しない文化に暮らす人のために説明すると、持ち寄りパーティとは、ゲストが食べたいものを自分で持っていく集まりのことだ）。

欲しいものがあればはっきり伝えることをよしとし、はっきり言わないのは混乱を招くのでよくないとする文化もあれば、その一方で欲しいものをはっきり伝えるのは下品であり、相手に対して失礼だとする文化もある。直接的なリクエストをよしとするのか、それとも間接的なリクエストをよしとするかは、社会のつながりや調和をどれほど重視するかということや、礼儀正しさをどう定義するかということによって決まる。

物事をはっきり言わない文化の代表例は、日本の文化だろう。日本語には「空気を読む」という表現がある。英語にも「read the room（部屋を読む）」という似たような表現があるが、「空気を読む」はもっと強い意味を持つ。

日本の文化では、空気を読めるかどうかが死活問題になることもある。なぜなら多くの場合、相手の言葉だけで相手の本心を知るのは不可能だからだ。交渉術を教えるコースの中には、日本人の「かもしれない」は、英語の「絶対にない」と同じ意味だと教えているところもある。

いくつかの国（たとえばモルドバ）では、結婚式に招待され、はるばるアメリカから大西洋をわたって出席する場合、結婚式だけで終わらないことが多い。たいていは、式の前の晩と当日の晩の宿、滞在中の食事、そして実際の結婚式とそれに続くディナーとパーティまで、すべてホストが提供してくれる。

それとは対照的なのが、たとえばオランダだ。オランダで結婚式に招待されると、招待に含まれるのは本当に結婚式そのものだけだ。式の後のディナーやパーティは含まれず、それぞれに別の招待状が用意されている。

私はこれまでに、たくさんの国、たくさんの言語、そしてたくさんの文化で結婚式に出席してきた。その経験から学んだのは、結婚式の招待状というものは、たとえ似たような文面で、さらにはお互いの共通語で書かれていたとしても、それが意味するところはさまざまだということだ。

中国の場合、結婚式の招待状は、式典、ディナー、パーティなど、結婚式に関連するすべての行事への招待を意味する。アメリカでは、式典とパーティを分け、それぞれの時間を明記するのが普通だが、式に招待した人をパーティには招待しないということはあまりない。このように、たとえ招待状が英語で書かれていても、その意味するところは時と場合によって異なることが多い。

文化的な規範によって言葉の意味が変わる例はたくさんあり、以上にあげたのはそのほんの一部にすぎない。一見すると抽象的な話だと思うかもしれないが、この種の違いは対人関係に直接的な影響を与える。私の研究室でも、スタッフの文化的な背景や、いつの時代の話かということによって、直接的な表現と間接的な表現が研究室の雰囲気に与える影響が変化してきた。

研究室の多数派は、20年前はヨーロッパ人（ウクライナ、ドイツ、ロシア）、10年前はアメリカ人（東海岸と中西部）、そして現在はアジア人（日本、タイ、モーリシャス、中国）だ。私のほうも、そのときどきの状況に適した対人スキルを駆使しながら、学生の指導やプロジェクトの管理を行ってきた。

言語の多様性をきちんと認識して説明すること、違う言語と文化の橋渡しをすることは、プライベートや職場での人間関係や社会システムにおいても必要な能力だ。今の時代は、テクノロジーの発展によって、違う言語を話す人たちとつながるのがかつてないほど簡単になっている。母語が違えばものの見方も違うという事実を知っているだけで、言語や文化を超えたコミュニケーションへの認識が深まり、相手を理解しようという努力にもつながるだろう。

英語は空の公用語とされている。航空業界の国際語は英語であり、すべてのパイロットは、出身地や母語にかかわらず、飛行中は英語で自分が何者であるかを名乗り、国際民間航空機関が定めるレベルの英語能力が求められる。

セオドア・ルーズベルト元大統領はこんな2つの言葉を残している。1つは、「ここで許される言語は1つだけであり、それは英語だ」。そしてもう1つは、「私たちに許される言語も1つだけだ。その言語は、アメリカ独立宣言であり、ジョージ・ワシントンの辞任挨拶であり、そしてリンカーンのゲティスバーグ演説と第2期就任演説だ」だ。

とはいえ、彼ら建国の父たちも、アメリカの公用語をたった1つにすることを望んでいたわけではない。トーマス・ジェファーソンはむしろ強く反対している。アメリカは移民の国であり、それに加えて先住民にも多くの言語がある。アメリカの入植地では、英語だけでなく、オランダ語、フランス語、ドイツ語も話されていた。

それに実際のところ、歴代アメリカ大統領の過半数もバイリンガルかマルチリンガルだった。ジョン・クィンシー・アダムズ、トーマス・ジェファーソン、ジェームズ・ガーフィールド、チェスター・アーサーは、複数の現代語と古典語の知識があった。マーティン・ヴァン・ビューレンと、前ファーストレディ（トランプ前大統領の夫人）のメラニア・トランプにとっては、英語は母語でさえない。マーティン・ヴァン・ビューレンの母語はオランダ語であり、メラニア・トランプの母語はスロベニア語だ。第30代大統領夫人のグレース・クーリッジはアメリカ手話を使うことができ、聾《ろう》学校の教師の経験もある。

また、アメリカには方言もたくさんある。言語のバリエーションは段階的な変化であり、たいていは違う言語を話す人と出会った結果として変化が生まれる。方言と言語を区別する明確な定義はなく、違いは恣意的だ。言語学者のマックス・ヴァインライヒは、「言語とは陸軍と海軍を持つ方言である」という皮肉を込めた言葉を残している。

彼の定義もあながち間違いではない。言語と方言の区別は多分に政治的であり、1つの独立した言語なのか、それともある言語に属する方言なのかということは、その言語が話される地域の社会政治情勢と、それが国家アイデンティティ、政策、教育に与えるであろう影響によって決められる。その結果、ときには方言同士の違いのほうが、言語同士の違いよりも大きくなることもあるほどだ。

たとえば、マンダリンと広東語は中国語の方言とされることもあるが、この定義は正しくない。マンダリンと広東語の違いは、たとえばお互いに意思の疎通が可能なデンマーク語、ノルウェー語、スウェーデン語の違いよりもずっと大きく、あるいはそれぞれ独立した言語とされている現代ロマンス諸語（フランス語、スペイン語、ポルトガル語、イタリア語、ルーマニア語）の違いよりもずっと大きい。

ソビエト連邦の時代、ロシアの支配者は、モルドバ語は独立した言語であり、ルーマニア語とは区別すると宣言した。しかし言語学的には、モルドバ語はルーマニア語の一方言であり、正式にはダコ・ルーマニア語と呼ばれている。ルーマニアにはトランシルバニアやワラキアなどの方言がいくつかあり、モルドバ語もその1つにすぎないということだ。これらを独立した言語とするのは、トランシルバニアにバンパイアが実在したというのと同じくらいおかしなことだ。

ロシア政府はその一方で、ウクライナ語はロシア語とそれほど違うわけではないと主張する。しかし実際は、ウクライナ語とロシア語の違いは、モルドバ語とルーマニア語との違いよりも大きい。言い換えると、モルドバ語とウクライナ語の地位や、それぞれの国家アイデンティティは、同じ基準によって決められていないということであり、言語、民族、歴史に根ざしたものでもないということだ。

ウクライナもモルドバも、ロシアの政治イデオロギーによってその地位が決められている。言語と方言は、いつの時代も世界各地で高度に政治化され、国家の運動や国家アイデンティティを煽ったり、あるいは鎮圧したりするのに利用されてきた。

アフリカ系アメリカ人英語（ＡＡＥ）

アメリカには、それを話す人も、話さない人も、もっとも強い感情がかき立てられ、激しい議論の的になってきた方言が1つある。それは、アフリカ系アメリカ人が話すいわゆる「黒人英語」だ。

これは、「African American English（ＡＡＥ／アフリカ系アメリカ人英語）」、「African American Vernacul」（「vernacular」は「現地語」の意」）、「African American Vernacular English」、「African American Language」、「Black English」、「Ebonics」（「ebony」は「黒檀」や「漆黒」という意味で黒人をさす）などの名前で呼ばれているが、多くの人は「Ebonics」という呼び方を差別的と感じ、また他の呼び方も、さまざまな理由で批判の対象になるだろう。

現在、アメリカでは、人口の13パーセントがアフリカ系を自認し、全員ではないとしてもその多くが「アフリカ系アメリカ人英語（ＡＡＥ）」を話す。また、複数の人種をルーツに持つマルチレイシャルを自認するアメリカ人の多くもＡＡＥを話す。地域、年齢、収入、職業、教育などによる多少の違いはあるが、ＡＡＥはアメリカ全土で驚くほど統一されている。ある一定の規則性があり、ニューヨークでも、シカゴでも、ロサンゼルスでも、言語のパターンはほぼ同じだ。

言語、アイデンティティ、知覚は密接に結びついていることを考えると、アメリカで暮らすアフリカ系アメリカ人の共通語に、依然としてネガティブな偏見がつきまとっているのは悲しいことだ。アフリカ系アメリカ人の英語が「ブロークン」でも「劣化版」でもないことは、言語の研究者ならみな知っている。ＡＡＥに特有の文法や発音の構造の多くは、西アフリカの言語に由来している。

ＡＡＥがなぜ今のようなパターンになったのかを理解するには、その歴史を学ぶ必要がある。アフリカ各地から奴隷として連れてこられた人たちは、出身の地域や国が違うために、同じ農園で働いていても共通の言語を持たないことがしばしばあった。人間のコミュニケーションに対する欲求はとても強く、その結果、農園で働くアフリカ人たちは、農園主が使っている言語だけでなく、自分たちの母語の単語、文法、発音から影響を受けた新しい共通語をつくり出すことになった。

そして年月の経過とともにこの新しい言語も進化し、ジャマイカのパトワ語、ハイチ・クレオール語、キュラソーのパピアメント語、モーリシャス・クレオール語、南アフリカのアフリカーンス語などが誕生することになる（異なる言語を話す人たちの間でコミュニケーションを取るために、それぞれの母語や方言を混合して生まれた言語を「ピジン語」や「クレオール語」と呼ぶ）。このような言語の進化を見れば、人間は生存のために言語を必要としているということがわかるだろう。言語を奪われた人間は、自分たちで新しい言語を創造する。近年、ニカラグアで行われた調査によって、耳の聞こえない子どもたちが、他にコミュニケーションの手段がないために、自分たちでニカラグア語の手話を編み出したことがわかった。

アフリカの異なる言語を話す人たちが交流し、その結果として新しい方言に進化するという現象は、奴隷貿易が行われていた世界の各地で見ることができる。たとえば、南アメリカの南東部に位置するスリナムで、アフリカ西海岸の言語とこの地を植民地にしていたオランダの言語が混合し、特有のクレオール語が誕生したことはよく知られている。

ジャマイカのパトワ語は、英語と西アフリカの言語をベースにしたクレオール語だ。アフリカを起源とする単語がたくさんあり、さらに独特の音韻体系によって英語の母音が減って子音の発音が変化している。

AAEはきちんと確立された言語システムであり、音韻、構文、語義の明確なルールがある。be動詞が欠けた「She tall」（「彼女は背が高い」の意。本来は「She is tall」となる）や、三単現や所有格の「s」を省略した表現は、標準的なアメリカ英語を基準にすればたしかに間違っているが、西アフリカや、世界のその他の地域で使われる多くの言語では普通の表現だ。このような省略は、意味を損なうことなく重複を避けるという意味で、むしろ効率的な表現だとされることもある。

ＡＡＥの話者にはさまざまなスキルがある。その中でも言語学者を特に驚かせているのは、ごく幼いころから複数の方言を自在に操れるということだ。複数の言語や方言を切り替える能力はコードスイッチングと呼ばれ、高度な認知的器用さが求められる。

複数の方言を話すことに、バイリンガルと同じような認知機能や神経ネットワークへの影響があるかどうかはまだわかっていない。この分野は研究の例が少なく、研究予算も潤沢でない。その原因の一部は、１９９０年代にＡＡＥをめぐって激しい議論がくり広げられたことだろう。

近年は文学、ポップミュージック、メディアでＡＡＥを使うことが増えてきている。その目的は、個人的な物語を伝えることだけでない。微妙なニュアンスをともなう、あるいは喫緊の社会的メッセージを伝えるのに、ＡＡＥがもっとも適している場合もあるからだ。たとえばヒップホップやラップは、ＡＡＥをもっとも効果的に活用している事例といえるだろう。ＡＡＥを使うことで、人種、格差、政治、歴史、社会正義に関するメッセージをより力強く伝えることに成功している。

ＡＡＥには強固な口承の伝統があり、そのおかげで大切な情報が世代を超えて受け継がれてきた。たとえば、トーマス・ジェファーソン元大統領が、亡くなった妻の異母姉妹であり、自身の奴隷でもあったサリー・ヘミングスとの間に子どもをつくったという事実は、遺伝子検査で確認できるようになるずっと以前から、それを証明する書類は存在しなくても、子孫たちによって語り継がれていた（サリー・ヘミングスと、ジェファーソンの最初の妻であるマーサは、同じ白人男性を父に持っていた。マーサの母親はその男性の妻であり、サリーの母親は彼の奴隷だった）。

私の同僚のレイチェル・ウェブスターは、アメリカ初のアフリカ系科学者とされるベンジャミン・バネカーの子孫だ。現在、彼女は、そのバネカーについての本[*22]を執筆している。ベンジャミン・バネカーの物語は、アフリカ系アメリカ人の間で世代を超えて語り継がれてきた。一般の大衆にもっともよく知られているのは、暦の作成者、測量士、数学者、博物学者としての顔だ。メリーランド州ケイトンズヴィルにあるベンジャミン・バネカー・ヒストリカル・パーク・アンド・ミュージアム、メリーランド州アナポリスにあるバネカー＝ダグラス・ミュージアムは、どちらも彼にちなんで名前がつけられた。

ワシントンDCのスミソニアン国立アフリカ系アメリカ人歴史文化博物館にはバネカーの銅像が建ち、またトーマス・ジェファーソンやその他の有名人との間に交わされた書簡はアメリカ議会図書館に保存されている。

このような公的な記録に欠けているのは、ジェファーソンとヘミングスの子孫たちや、同じく複数の人種を祖先に持つ数百万ものアメリカ人たちにも共通する物語だ。一族に伝わる物語によると、ベンジャミン・バネカーの母親は、年季奉公の女中として売られた白人女性のモリー・ウェルスと、バナカという名前の黒人奴隷の間に生まれた子どもだった。

モリーはまだ幼いころに女中として売られ、長じて自分の土地を所有するようになり、自分の土地で働いてもらうために奴隷の黒人男性を2人購入した。モリーはその後、2人の奴隷を解放すると、バナカと結婚して何人かの子どもに恵まれた。そのうちの1人が、ベンジャミン・バネカーの母親であるメアリーだ。メアリーもまた、奴隷のアフリカ人男性と結婚し、彼を自由の身にしている。

アフリカ系アメリカ人に特有の言語と、彼らの間で受け継がれてきた強固な口承文化のおかげで、これらの物語は数世紀の時を超えて生き残ることができたのだ。

AAEは「悪い」英語であり、AAEを話していると人生のチャンスが制限され、より上位の社会階層に移動する妨げになると主張する人もいる。しかし、ある言語や方言それ自体に「いい」も「悪い」もあるはずがない。

人々の足かせとなる偏見は、言語とは関係ない現象に由来している。AAEの場合、その現象は人種差別だ。人種差別という要素を取り除けば、AAEも、単なるアメリカ英語の一方言とみなされるようになるだろう。

現在、アメリカでは350種を超える言語や方言が話されている。英語と、北アメリカ先住民の言語以外で、もっとも話す人口が多いのはスペイン語と中国語（マンダリン、広東語、福建語）だ。フランス語、ハイチ・クレオール語、タガログ語、ベトナム語、韓国語、ドイツ語、アラビア語、ロシア語も広く話されている。*23

言語がどのようにそれを話す人のアイデンティティを形づくり、能力に影響を与え、そして社会的な視野を広げるのかを知りたければ、それらすべての言語が研究のチャンスになってくれるだろう。

8 言葉は時代の変化を映す

英語では、「彼」や「彼女」などの生きているものをさす代名詞は人間に限られている。ときには動物を性別に応じて「彼・彼女」で表現することもあるが、いつもではない。そして、それ以外のものはすべて「it（それ）」だ。

しかし、他の多くの言語では、人間と自然界の境界線はそれほどはっきりしていない。ほとんどのアメリカ先住民の言語では、動物と植物も、人間と同じか、または似たような代名詞が使われる。彼らの言語にも境界線は存在するが、人間とそれ以外のすべてを分けるのではなく、自然界とそれ以外のすべてを分けている。

アメリカ先住民のポタワトミ語話者で、環境生物学教授のロビン・ウォール・キマラーは、「自然は語る（Speaking of Nature）」と題されたエッセイの中で次のように言っていた。

アオカケスの声を聴いて思い浮かぶ動詞は、航空機の音を聞いたときとは異なる。生命の質を所有しているものと、ただの物体を区別しているからだ。鳥、虫、ベリーを語るときは、人間を語るときと同じ文法を用いて、対象への敬意を表す。まるで私たちすべてが、同じひとつの家族であるかのように。なぜなら、私たちは本当に家族だからだ。自然を表す言葉に「it」は存在しない。（中略）私の祖先が親戚と呼んだものたちは、今では「天然資源」と呼ばれている。[*1]

自分が所有するボートや自動車、銃に名前をつけるという行為によって、私たちはそれらを、水や植物、生命を育む大地などよりも丁寧に扱う結果になっているのだろうか？　私たちが考えることが、私たちが使う言語に影響を与え、そして私たちが使う言語が、私たちが考えることに影響を与え、ひいては私たちの行動に影響を与える。

▼文法的性

英語では、生き物ではないものを表すときに、たいてい「it」という代名詞を使う。しかし他の多くの言語では、無生物でも「彼・彼女」という代名詞で表現される。このような文法的性（grammatical gender）は、私たちの世界観に2つの方法で影響を与える。

1つは、「有生性」と「非有生性」（動物か動物でないか）の概念的区別と、言語においてその区別をどう表すかである。さきほど見たように、言語における動物—非動物の区別は、環境に対する態度や、自分を自然の中でどう位置づけるかという観点から考えると特に興味深い。そしてもう1つは、文法的な男性性と女性性という概念だ。

たいていの言語で、文法的性は男性と女性の2つしかないが、それ以上の性別を持つ言語もある。たとえばロシア語とドイツ語には、男性、女性、中性の3種類の性別がある。アフリカ大陸に広く分布するバントゥー語群には10から20もの文法的性がある。

言語は物事をとても興味深い方法で分類する。[*2] 私自身、話すのはヨーロッパの言語だけであり、文法的性はどんなに多くても3つまでだ。そのため、20の性別それぞれがどの無生物をさしているのかはわからない。それと同じように、自分の話す言語に文法的性がまったくないという人は、そもそも言葉を男性と女性に区別するという概念が理解できないだろう。

英語を話す学生にロシア語を教えた経験から言えば、彼らはいつも、どの言葉がどの性別になるか覚えるのに苦労していた。彼らにとって、性別の割り当てはまったくのランダムに感じられるからだ。「なぜペンが女性で、鉛筆が男性なのですか?」と、彼らは質問をする。「雷が男性で、稲妻が女性の理由は?」

複数の研究によると、文法的性は、性別を割り当てられた対象について考えたり話したりすることに影響を与える。ある研究では、ドイツ語話者とスペイン語話者に、ドイツ語とスペイン語で逆の性別が割り当てられたものについてそれぞれ語ってもらった。*3
ドイツ語と英語のバイリンガルは、ドイツ語では男性名詞である「鍵」を、「硬い」、「重い」、「ギザギザしている」、「金属」、「役に立つ」などと描写した。一方で、スペイン語と英語のバイリンガルは、「金色の」、「複雑な」、「小さい」、「美しい」、「キラキラしている」などと描写した（スペイン語で鍵は女性名詞だ）。ここでもまた、言語が対象のイメージに影響を与えているのがわかる。

文法的性に関するまた別の研究*4では、ドイツ語話者は、リンゴにパトリックという名前をつけたときのほうが、パトリシアという名前をつけたときよりもよく覚えていた。ドイツ語の「apfel（リンゴ）」は男性名詞だからだ。一方でスペイン語話者は、パトリシアと名づけたほうが、パトリックと名づけたときよりもよく覚えていた。理由はやはり、スペイン語の「manzana（リンゴ）」が女性名詞だからだ。

文法的性のように、一見したところは小さな言語の特徴でも、記憶のような高次の認知プロセスに影響を与える力を持つ。

英語を母語とする人に、男性と女性の区別がある架空の言語を教えると、性別の効果はすぐに現れる。*5参加者はまず、「男性」か「女性」のどちらかに割り当てられた無生物の写真を見る。参加者は2つのグループに分けられ、どちらも同じ無生物の絵を見せられるが、割り当てられた性別は逆だ。

その後、参加者は形容詞を使って見せられた無生物を描写し、その描写を第三者に見せて、男性的か、それとも女性的か判断してもらう。架空の言語の性別についてはまだ学んだばかりだが、それでも参加者が選ぶ形容詞に影響を与えていた。ドイツ語話者やスペイン語話者の実験と似たような結果になったからだ。

文法的性による影響は予想外の形で現れることもある。ロシア語では曜日にも文法的性がある。月曜日、火曜日、木曜日は男性名詞で、水曜日、金曜日、土曜日は女性名詞だ。ロシアのおとぎ話には、曜日を擬人化した物語や絵が登場する。その中で、月曜日、火曜日、木曜日は男性として描かれ、水曜日、金曜日、土曜日は女性として描かれる。

なぜ日曜日だけは男性でも女性でもなく、中性名詞とされているのか、その理由はよくわかっていない。おそらく、ロシア正教会では日曜日は聖なる日なので、性別を超えた存在として扱われるからだと考えられる。あるいは、ただ単に男性と女性の数をそろえるためかもしれないし、言語というボトルに入った「ジェンダーはノンバイナリーだ」というメッセージかもしれないし、言語が時間をかけて進化する過程でたまたまそうなっただけかもしれない。

言語につきまとうジェンダー・ステレオタイプ

文法的性によるステレオタイプは、インターネットの機械翻訳にまで浸透している。これをツイッター（現X）上で指摘したのは、人類学者のアレックス・シャムズだ。
シャムズはグーグル翻訳を使ってトルコ語を英語に翻訳しようとした。トルコ語は文法的性を持たない言語だ。しかし、トルコ語の「O bir doctor」は「He is a doctor（彼は医師だ）」と翻訳され、「O bir hemsire」は「She is a nurse（彼女は看護師だ）」と翻訳された。「O evli」は「She is married（彼女は結婚している）」となり、「O bekar」は「He is single（彼は独身だ）」となった。「O çalişkan」は「He is hardworking（彼は働き者だ）」になり、「O tembel」は「She is lazy（彼女は怠け者だ）」になったのだ。※

この指摘がSNSの世界に衝撃を与えると、それから間もなくして翻訳アルゴリズムが変更され、トルコ語の「o」を英語に訳すときは、どちらの性別も候補にあがるようになった。これはまさに、言語とSNSの影響力の大きさを物語る一件だ。

ジェンダーのステレオタイプは、無生物に対するイメージだけでなく、自分自身を含む人間に対するイメージにも影響を与え、私たちの人生を形づくる力を持っている。リプロダクティブ・ライツ（性と生殖に関する権利）という概念も、「女性のヘルスケア」という言葉を使わず、つねに「リプロダクティブ・ヘルスケア」という言葉を使い、そして「女性の権利」の代わりに「人権」という言葉を使っていたら、人々が抱くイメージも違ったものになるのではないだろうか？

言語につきまとうジェンダー・ステレオタイプに抗う試みとして、アルゼンチンをはじめ

※三人称「she（彼女）」、「he（彼）」、「it（それ）」すべて、トルコ語では「o」に対応する。それなのに、グーグルがトルコ語から英語に翻訳するときに「o」の後に続く単語が医師なら「he（彼）」、看護師なら「she（彼女）」というように、勝手にステレオタイプの性をあててしまった。

とする南米のいくつかの国では、特定の性別への偏見を含むような言語表現を使うのをやめ、ジェンダー的に中立の表現と置き換えるようになった。

とはいえ、社会全体にとっては、無生物の男性名詞と女性名詞を言語から一掃するよりも、新しい単語や表現と置き換えるほうが簡単だ。実際、文法的性を完全になくす試みはあまりうまくいっていないが、その一方で、性別のわかる代名詞に加えて（あるいはその代わりに）ジェンダー的に中立な代名詞を使うという試みは、世界各国で成功を収めてきている。

たとえばスウェーデンでは、昔から使われている男性代名詞の「han」と、女性代名詞の「hon」に加え、ジェンダー的に中立な「hen」という代名詞も新しく使われるようになった。またフランスでは、男性代名詞の「il」と女性代名詞の「elle」を結合し、ジェンダー的に中立な「iel」という新しい代名詞が誕生した。

他の言語でも同じような変化が起きている。たとえば英語では、本来は複数形である「they」という代名詞が、ジェンダー的に中立な三人称単数の代名詞として、男性の「he」や女性の「she」の代わりに使われる場面が増えてきた。二人称の「you」は単数でも複数でも同じ「you」だが、それと同じような使い方だ。またスペイン語話者は、小さな男の子をさす「niño」と、小さな女の子をさす「niña」の変わりに、ジェンダー的に中立な「niñe」という言葉を使っている。

このようにジェンダー的に中立な代名詞を使うのは、ジェンダーに根ざした偏見と差別を最小化する効果があると考えられているからだ。性の区別のある代名詞を使うのをやめることで、それらが人々のイメージや評価に与える影響を最小化しようという試みについては、さまざまな集団が反対意見や支持を表明している。これが単なる一過性の流行なのか、それとも私たちのジェンダーに対するイメージを永久に変える動きになるのかを判断するには、今後の推移を見ていく必要があるだろう。

柔らかな名前は、おとなしい性格に見える？

個人の名前もまた、言語に表れるジェンダー・ステレオタイプの一例だ。複数の実験によると、柔らかな発音の名前（アンやオーウェンなど）の人は、周りからおとなしい性格と思われることが多く、硬い発音の名前（カークやケイトなど）の人は外向的な性格と思われることが多い。仕事のオファーがあるかどうかや、給料の額も、その人の名前と、その名前から想像される人種や民族、性別、年齢といった情報から影響を受ける。幼稚園に入れるかどうかということから、就職の面接を受けられるか、他人からどう見られるか、どう評価されるかということまで、名前から受けるイメージによって決まることがあるのだ。

履歴書に書かれた名前や、教室の講師としてあげられた名前、商品の売り手の名前が男性の名前であれば、それらが女性の名前であった場合と比べ、たとえ名前以外のすべての条件が同じでも、求職者や講師の知性や能力も、商品の質も高く評価される。ある特定の人種や国籍をイメージさせる名前でも同じ結果だ。さらには、研究者がつくった完全に架空の条件であってもこの結果は変わらない。

移民がしばしば名前を変えるのも、移民先の社会に適応するためだ。私自身、この本の著者略歴を書くにあたって、どの名前を使うかでかなり悩んだ。ルーマニア語の名前である「ビオリカ」を使うと、英語話者の耳には「なじみのない民族の人」という印象を与えることはわかっている。私はアメリカに暮らして30年以上になるが、その間に何度も、ビオリカを名乗るとなかなか興味深い（と表現することにしよう）推測をされてきた。

たとえば子どもを公園に連れていくと、私は異国風の名前で、英語に訛りがあり、そして黒髪だが、子どもは肌が白くて瞳が青いために、周りの人は私のことを子守に雇われた人だと推測する。そのおかげで、他の子守たちから、ご近所のうわさ話をいろいろと聞くことができた。私も同じ子守だと思い、安心して話すことができたのだろう。

この本の著者名については、ファーストネームはイニシャルだけにして、ラストネームをファーストネームとして使うことも考えた。作家のアーシュラ・K・ル＝グウィンは、短編小説の『九つのいのち』を出版するときに、ファーストネームはイニシャルだけにして、著者名をU・K・ル＝グウィンと表記してほしいと頼んだそうだ。そうすれば、読者はこの物語を書いたのが女性ということがわからないからだ。

また、私はジョルジュ・サンドの作品を子どものころから読んでいたが、ジョルジュ・サンドはペンネームであり、本名はアマンディーヌ＝オーロール＝リュシール・デュパンだということを知ったのは、もっと大人になってからだった。

しかし最近は社会の情勢も変わり、マジョリティではないだけでなく、あきらかにマイノリティの文化の名前で本を出版する人も増えてきている。私は結局、生まれたときに親からもらった名前を著者名にすることにした。

（とはいえ、この本名もルーマニアのジェンダー・ステレオタイプを反映している。私の両親は、娘の名前は花にちなんでつけ、息子の名前は樹木にちなんでつけた。両親もまた、他の多くの人と同じように、名前はその人のイメージや性格、ひいては人生そのものにも影響を与えると信じていた。これは社会の偏見を反映した思い込みであり、同時に偏見を強化する役割も果たしている。）

違いは障害ではない

職業、医療、教育の場で、異なる母語を持つ人たちへの「差別」は珍しくない。私がノースウェスタン大学で「コミュニケーション科学と障害学科（Communication Sciences and Disorders）」を拠点にしているのは、コミュニケーションのパターンの違いが非常にしばしば「障害」とみなされており、それをなんとかしたいからだ。20年以上もの間、私の主な仕事の1つは、学生、医師、そして一般の人たちに、「違いは障害ではない」と教えることだった。さまざまな言語的バックグラウンドを持つ子どもたちは、それが違う言語でも、あるいは違う方言でも、しばしば障害がないのにあると誤診されたり、あるいはその逆になったり、あるいは障害の程度を誤って判断されたりしてきた。

診断基準、およびほとんどのアセスメントや介入手法は、ある1つの言語や方言を想定して策定されている。*6 それ以外の言語や方言を話す、多様な文化的背景を持つ人たちは、普通とされるコミュニケーション方法が多数派の文化とは違うかもしれない。

子どもや大人をコミュニケーション障害と診断するには、コミュニケーションのパターンにどこかおかしいところがあるだけでは十分でない。それだけの理由でコミュニケーション法に介入し、多数派の文化の価値観を押しつけ、精神的な負担を与えるのは間違っている。ある人のコミュニケーション法が正常かどうかを判断するには、その人と同じ文化的背景を持つ集団の意見も必要だ。

幼い子どもの話し方がおかしいというのなら、コミュニケーション障害という診断をくだす前に、その子の母語や方言に特有のコミュニケーション方法について知る必要がある。アメリカ言語聴覚学会では、英語を母語としない子どもをコミュニケーション障害と診断するには、以下の規定がある。まず、コミュニケーションの問題点が、英語と、その子がもっともよく使う言語の両方で一貫して見られなければならない。また、英語の方言を話すことはコミュニケーション障害とみなすべきではない。

多様性に対応することが生き残りのカギ

アメリカでも、その他の国々でも、人口動態は大きく変化している。患者の話す言語がどんどん多様化していることを考えれば、多くの医療機関にとって、この多様性に対応することが生き残りのカギになるだろう。

言語、コミュニケーション法、文化的価値、期待のミスマッチが起こると、医療を十分に活用できない、患者が医師の指導を守らない、完治する前に医療が打ち切られるなどの問題につながることもある。治療には、早期の介入と、患者の家族の協力が欠かせない。そのため医療機関は、提供する医療サービスを、患者に合わせて多様化する必要があるだろう。

医療機関が、多様な言語、多様な文化に対応できるようになるということは、道徳的に正しいだけでなく、経済的にも理にかなっている。口コミや評判はすぐに広がり、それがネットとなると拡散されるのはあっという間だ。不適切な治療の結果、裁判にまでなったら、医療機関側が多大なコストを負担することになるかもしれない。

言語や文化に関する偏見は社会に深く根づいている。それを正す最初の一歩であり、もっとも大切な一歩は、偏見の存在に気づくことだ。今、自分とコミュニケーションを取っている相手は、自分とは違う言語や文化の背景を持つのかもしれないとただ気づくだけで、社会のあり方が変わる可能性がある。

そして第2に、医療スタッフや教育者が多様な価値観を尊重する態度を見せれば、コミュニケーションの窓が大きく開き、相手も治療や指導を受け入れるようになる。患者の家族の意見を聞き、たとえその意見が、自分が教えられてきた価値観には合わなかったとしても尊重する態度を見せれば、家族は子どもの治療を続けようとするだろう。

患者の家族が信奉する治療法に効果がないのが明らかであれば、家族の意見を尊重するのは特に難しくなるだろう。しかし、その治療法に害がないのであれば、通常の治療に加える形で家族の意見も採用したほうが、家族の意見を否定して、治療そのものを拒否されるよりもずっといい。

そんなものは迷信だと切り捨てるのではなく、まず害がないかどうかよく考える（それに、プラセボ効果もバカにできない！）。ここでのカギは、患者の利益を第一に考えながら、相手の文化への理解を示すことだ。多くの文化では、個人の意見よりも、家族の意見のほうがより大きな力を持つ。

多様なコミュニティで働く人に何かアドバイスをするとしたら、まず伝えたいのは、コミュニティの中で使われる言語や文化を学びなさいということだ。言語的に多様な環境で働く人には、難しい語彙を使うのを避けること、丁寧すぎるくらいに丁寧な表現を心がけることが求められる（アメリカはカジュアルな態度が一般的だ）。

他にも、単に「イエス」か「ノー」で答える質問は避けたほうがいいだろう。こちらが話すばかりで、相手はずっと「イエス」と答えていたが、それは自分の話を相手がまったく理解していなかったからだと判明することがよくあるからだ。そして、話の内容はより具体的なほうがいい。「赤ちゃんを暖かくする」や、「バランスのいい食生活」という表現は、文化によって解釈が異なるからだ。

相手の言語能力がよくわからない場合は、声を大きくするのではなく、話すスピードを落とすこと。パンフレットや検査キットで文化の多様性を反映したイラストを用いれば、それを見た子どもの患者も、自分と同じような子たちが治療を受けているとわかって安心できる。ある種の治療行為、特に患者の身体に触れるような場合（発語障害が疑われる患者の診察で、患者の発語中に患者の口を触るなどの行為）、それが相手の文化から見て適切な行為なのかどうか配慮しなければならない。

文化の違いはさまざまな形で現れる。それは非言語コミュニケーションかもしれないし、アイコンタクト、身振りや無言に対する解釈かもしれない。ユーモアや皮肉のセンスが文化によって異なるのは言うまでもない。するべきこと、してはいけないことの短いリストを用意しても、あまり役には立たないだろう。通訳サービスを使ったほうが、そのようなリストよりもずっと助けになる。

もちろん、通訳を使うことにも特有の問題はある。プロの通訳を使うのか、それとも家族の誰かに通訳をしてもらうのかにかかわらず、治療の場に第三者がいること自体が状況を複雑にするからだ。

私は以前、ある医師から、10代の少年とその母親との通訳をしてほしいと依頼されたことがある。少年の症状は性器が関連していたので、お医者さんに話すだけでも十分に恥ずかしいのに、それに加えて母親と、さらには私という女性の通訳まで同席するのだ。少年にとってはまさにトラウマになるような状況であり、できれば症状の詳しい説明は絶対にしたくなかったはずだ。しかし、このような状況は決して珍しくない。

きちんと訓練を受けたプロの通訳を使うことの利点は、両方の言語に対して深い知識を持っていることだ。彼らは文脈を理解し、患者や医師との間に利害関係もなければ、家族がおよぼすこともある悪い影響とも無縁だ。一方でマイナス点をあげるとすれば、それはコストがかかることだろう。ほとんどの移民の家族は、それを理由にプロの通訳を使うことができない。

最近では、他の言語を話すスタッフをそろえている医療機関も出てきたが、たいていはそのコミュニティでもっとも話されている言語だけであり、少数派の言語を話す人は、医療の現場で通訳の助けを借りることができずにいる。大手の医療機関では、ビデオ通話、電話、インターネットを使った通訳サービスを使うところも出てきており、これはたしかに助けになるのだが、その数はまだ多くなく、多くの医療機関や患者はそのコストを負担することができない。

移民の家族では、移民先の言葉を話せる子どもが、親や祖父母、親戚の通訳になることが多い。しかしこれらの子どもは、通訳として正式な訓練は受けていない。通訳する内容についての専門知識があるわけでもなく、それにどちらの言語も十分に流暢に話せないかもしれない。親が余命宣告されるような病気で、子どもがその診断を通訳するという場面を想像してみよう。子どもは親を心配させたくないために、医師の言葉をすべて伝えないかもしれない。あるいは、医師の言うことが十分に理解できないかもしれないし、親の言葉を医師に正確に伝えないかもしれない。それ以外にも、多くの不測の事態が考えられる。

診察の予約、就職の面接、クラス分けのための学力試験、運転免許試験、ビザや市民権の申請、その他さまざまな手続きで、子どもがつねに家族の通訳を務めていたら、その子はそのたびに学校を休まなければならず、勉強が遅れてしまうかもしれない。さらに、寝不足、ストレス、不安などの弊害もあるだろう。

こうやって親子の役割が逆転することで、お互いに相手への不満を募らせてしまうかもしれない。家族関係が複雑になると、関係するすべての人に悪い影響が出る。通訳という役割の複雑さを理解し、それに伴う問題について率直に話し合うことができれば、すべての人が感じるプレッシャーを軽減することができるだろう。

バイリンガル教育の重要性

私は16歳のときに、英語能力を測るTOEFLテストを初めて受験した。チャンスはこの1回きりだということはよくわかっていた。1回の受験料が、当時のソ連で公務員の医師として働いていた両親の月給を合わせた額よりも高かったからだ。

テストを受けるには、29時間も列車に乗ってモスクワまで行かなければならない。それに加えて、モスクワの図書館で試験勉強をする必要もあった。TOEFLの過去問をそろえている図書館の中で、うちからいちばん近いのがその図書館だったからだ。そのため、モスクワへの旅も1回では終わらない。図書館に行くときは、開館時間から閉館時間までひたすら勉強した。

私は幸運にも、アメリカの大学に入るのに求められる点数を超えることができた。ほんの2点上回っただけだ。図書館で過去問の勉強をせず、テストの形式に慣れていなかったら、きっと必要な点数を取ることはできなかっただろう。たった2点足りないだけで、私の人生はまったく違うものになっていたはずだ。テストの前の晩に、列車のコンパートメントに他の旅行客と一緒に押し込められ、窓の外を流れる村の明かりや森の木々を眺めながらすごしていなければ、もしかしたらもっといい点が取れたかもしれない。

私はその後、10日間かけてアメリカに渡った。シベリアを経由してアラスカまでの旅だ。たしかに大変な旅だったが、戦争、飢餓、虐待、愛する家族の死、あるいはそのすべてを乗りこえ、新天地を目指した数え切れないほどの先人たちのほうが、はるかに大変だっただろう。ルーマニアのチャウシェスク政権、あるいはキューバのカストロ政権の圧政を逃れるために、命がけで危険な海を泳いで渡った人たちもいるが、私は違った。

故郷を離れた移民たちが、その旅の過程で溺死したり凍死したりしたという記事を読むたびに、私はいつも心の中で「私がこうならなかったのはひとえに神のご加護があったからだ」ととなえたものだ。私がアメリカで勉強することができたのも、冷戦が終わり、ゴルバチョフ政権とレーガン政権の間で外交が行われていたおかげだ。

生まれ故郷を離れ、言葉のわからない外国で暮らす子どもたちは、厳しい環境の中で自分の人生を自力で道を切り開いていかなければならない。たとえ家族が一緒でも、これはかなり難しい挑戦だ。

幼い子どもが初めて幼稚園に行く場面を想像してみよう。言葉の通じる自国の幼稚園であっても、かなりのストレスと不安の大きな経験になるはずだ。それが移民の子どもとなると、まったく新しい環境であることに加え、先生やクラスメートの言葉が理解できないという恐怖やストレスもある。これは子どもにとって、トラウマになるような経験だ。

バイリンガル教育はお金がかかりすぎると主張する人たちもいる。しかし、バイリンガル教育を行わなければ、後からさらに多くのお金を払うことになるかもしれない。

先生の言っていることがわからなければ、その子は何も学ぶことができない。読み書きを覚えられず、勉強が嫌いになり、やがて学校をやめてしまうだろう。すると、長い目でみればバイリンガル教育よりもずっとお金がかかることになる。

学校を中退することは、数多くのネガティブな結果と関連があり、不完全雇用、失業、ドラッグやアルコールの乱用、健康状態の悪化、低収入、家族構造の変化、高い犯罪率と関係することが認められている。教師や学校に今よりもお金を払い、バイリンガル教育をサポートしたほうが、それを行わないことによって、結果的に刑務所や看守にもっと多くのお金を払うことになるよりもいいのではないだろうか？

学校に投資をすれば、生徒の学歴が向上し、その生徒たちは将来的にもっと稼ぐようになる。その結果、貧困に陥ったり、犯罪に走ったりする確率も低くなるだろう。

アメリカでは、学齢期の子どものおよそ26パーセントが、家庭では英語以外の言語を話している。[*7]テキサス、ニューメキシコ、アリゾナ、フロリダなど多くの州では、その数字はさらに高くなる。移民が定住する場所や、先住民が暮らす場所、あるいは複数の公用語が認められている地域は、複数の言語を話す人口の割合が高い。たとえばカリフォルニア州では、学齢期の子どもの半数近くがバイリンガルだ。

その中には、家では親の故郷の言葉を話し、学校に入ってから英語を学び始める子どももいるだろう。彼らのようなパターンは「後続性バイリンガル」と呼ばれる。または、祖父母と話すときはある言語を使い、きょうだいと話すときは別の言語を使うなどして、2つの言語を同時に身につけていく子どももいる。彼らのようなパターンは「同時性バイリンガル」だ。複数の言語を身につけるパターンが後続性でも、あるいは同時性でも、両方の言語を同じくらい流暢に操るようになることは可能だ。

それなのに、バイリンガル教育は、依然として政治的な避雷針の役割を離れることができない。[*8]これが単に党派間の争いや、人種間の争い、あるいは在留資格の異なる移民同士の争いだと考えているなら、それは間違いだ。

バイリンガル教育を強力に推進しているのは移民自身だと考えている人は多いだろうが、実際のところ、多くの移民が求めているのは、ただアメリカ人として認めてもらうことだけだ。むしろ移民の中には、バイリンガル教育に反対する人たちもいる。[*9]この問題に関しては、従来の分類で考えないほうがいいだろう。

アメリカ人の子どもに外国語（英語以外の言語）を教えないということは、教育システムに潜むより大きな問題の一部でもある。現在のところ、アメリカのセカンダリースクール（9年生から12年生まで。日本の中学3年生から高校3年生にあたる）の生徒は、他の先進工業国の生徒たちに比べ、読解、科学、数学の成績で後塵《こうじん》を拝している状態だ。ヨーロッパのほとんどの学校では、9歳までに最初の第二外国語を学び、その数年後までに第三外国語を学ぶことが義務化されている。

経済力と外国語学習

外国語を学ぶチャンスがあるかどうかは、住む場所だけでなく、社会経済的にどの階層に属しているかという条件からも影響を受ける。上流から中流の家庭の多くは、学校で外国語を学ぶことを子どもに推奨する。学校以外にも、自費で外国語の塾や、外国語の体験プログラムなどに通わせたり、留学させたり、学ばせたい言語が話されている国へ家族旅行に行ったりすることもある。外国語を身につけることは、子どもにとって有利になると考えているからだ。

その一方で、社会経済的に下層の家庭（移民やマイノリティの家庭が多い）では、母語を捨てて移民先の国の言葉だけを学ぶように言われることが多い。親の母語や方言で子どもに話しかけると、子どもの言語能力や認知力の発達を阻害し、学業にも支障が出るというのは、移民やマイノリティの親がよく言われることだが、この説を裏づける科学的な根拠は存在しない。

社会経済的に上層の家庭では外国語の学習が推奨され、下層の家庭では外国語を使うのをやめるように言われる。このような正反対の状況が生まれる背景にあるのは単なる偏見であり、マルチリンガルであることが与える実際の影響とはまったく関係がない。

一般的に「地位が低い」とされる言語を話す人であれば、母語以外の言語を話すことの利点を身に染みて理解している。特にそれが、世界で支配的な地位にある言語であれば、グローバル化された世界経済に参加するチャンスにつながるからだ。その一方で、経済力のある国に生

ヨーロッパにおける3つかそれ以上の言語を学ぶ生徒の割合

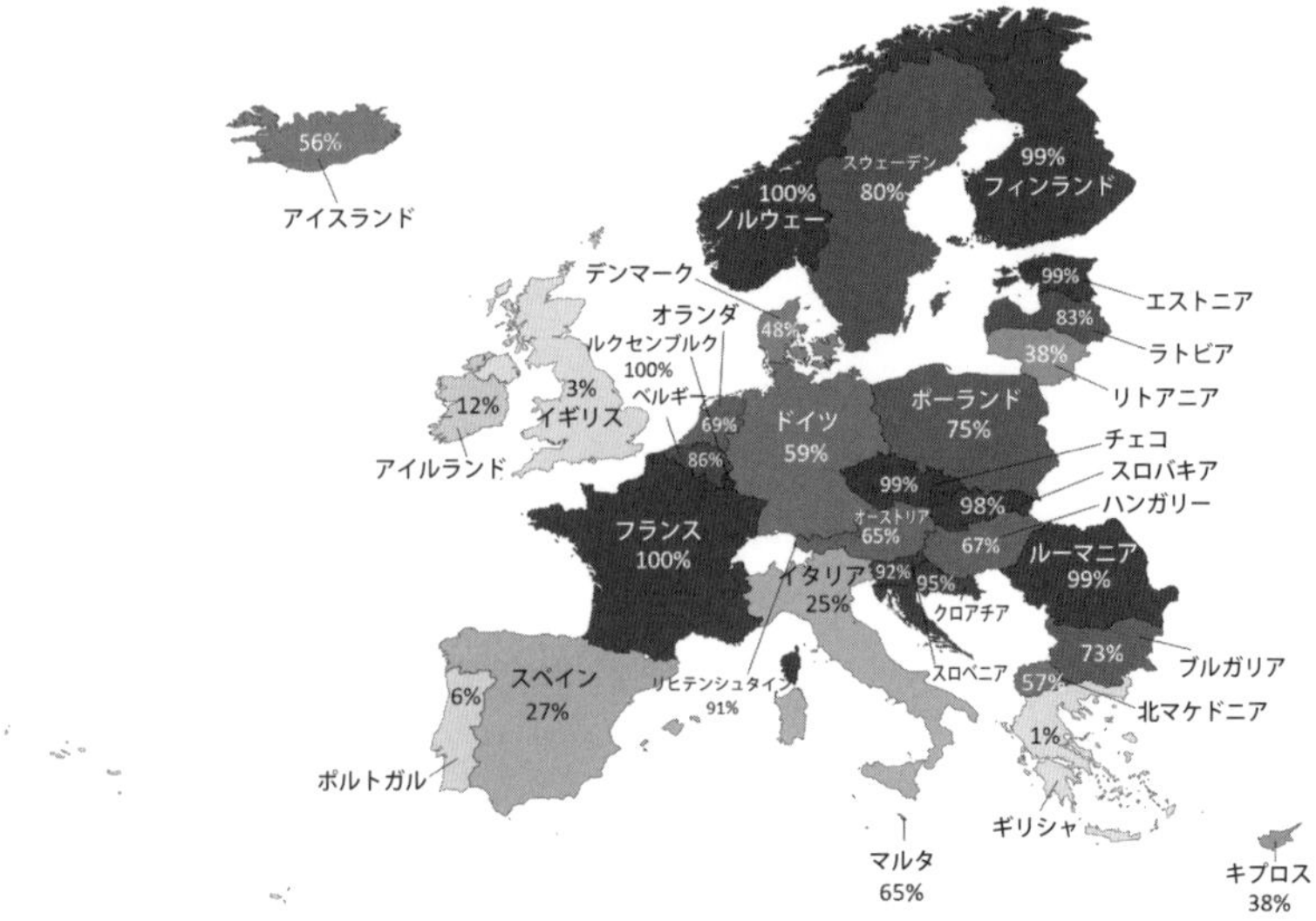

まれた人たちは、外国語を学ぶことにあまり価値を見いださないことが多い。

研究によると、二言語同時学習は、マイノリティの言語を話す子どもにとっても、マジョリティの言語を話す子どもにとっても利益になる。それでも、二言語同時学習に関しては、研究と現場の乖離《かいり》がまだまだ大きい。実態がゆがめられることが多く、アメリカでは「バイリンガル教育」という言葉がしばしば間違った使われ方をする。英語に加えて他の言語を学ぶのではなく、英語以外の言語で教育することだと誤解されているのだ。

バイリンガル教育に大きな効果があるのは、子どもが母語で授業を受け、新しい知識を身につけながら、同時に第二言語も身につけることができるからだ。母語で授業を受けられれば、子どもたちが学業で苦労することは少なくなるだろう。

バイリンガル教育を説明するなら、「氷山モデル」[*10]を使うのがいちばんわかりやすいかもしれない。単語、文法、発音、聞き取りは、いわゆる氷山の一角にすぎない。その下には、意味づけ、分析、統合、評価といった、より深く、より重く、より価値のある側面が隠れている。

氷山の一角の下には巨大な氷の塊が隠れているように、言語もまた、表に出ている部分だけで判断することはできない。バイリンガルの言語能力には、より高度な批判的・論理的思考力が隠れている。英語を母語としない人たちが、母語で授業を受け、より深い認知スキルを身につけながら、同時に英語を学ぶことができれば、それがさらに強固なアカデミックの基礎を築くことにつながるだろう。その基礎があることによって、母語と英語の両方で大きな力を発揮できるようになるはずだ。

バイリンガル教育のコインの裏面は、英語を母語とする子どもたちにも第二言語を教えることだ。そうすれば、彼らもまた、認知力が鍛えられるとともに、複数の言語を話すことによる経済的・文化的な恩恵を受けることができる。すべての子どもが2つ以上の言語を学ぶようになれば、世界経済というマルチリンガルの舞台で戦っているアメリカにとっても大きな利益になるだろう。

移民と先住民の子どもの学業成績の違い

子どもの言語的なバックグラウンドによって学業成績にも違いが出るという現象も、マジョリティではない言語を母語とする子どもが、正式に学校に通い始めたときに経験することで説明できるだろう。家で使っている言語とは違う言語で教育を受けることになるので、そこに言語的・文化的な断絶が生じるのは避けられない。

このような文化的断絶は、英語を非母語とする子どもの学力不振の原因になりうる。学校のカリキュラムに含まれてない文化の違いは、確実に、子どもの学業の成功、不成功に影響を及ぼすのである。

ナイジェリア系アメリカ人で、人類学者のジョン・オグブは、アメリカ先住民の子どもと、インドからの移民の子どもの学業成績を比較した。[*11] 子どもたちはみな同じ学校に通い、同じ授業を受けている。どちらのグループも、アメリカの主流派の学校に入った段階で文化の断絶を経験している（中流の白人家庭出身で、同じ学校に通う子どもたちは、この文化の断絶とは無縁だ）。

インドからの移民の子どもと、アメリカ先住民の子どもは、学業における条件はほぼ同じだが、学業成績には違いがある。移民のほうが、移民でない子どもよりも成績がよかったのだ。オグブはこの結果を受けて、マイノリティのグループ間で学業成績に違いがあるのは、学校や教育に対する態度が理由の一部になっていると考えた。

オグブによると、移民のマイノリティグループは、学校で習うことはあくまで考え方や態度の1つであり、家庭での慣習やしきたりはそのままでいいと考える。無理に主流派の文化に合わせるのではなく、学校は学校、うちはうち、ということだ。しかし、移民ではないマイノリティグループの人々は、自らの意志でアメリカ文化の中で暮らしているわけではない。そのため彼らは、学校教育をアメリカによる強制的な同化政策だととらえ、意識的、あるいは無意識のうちに抵抗する傾向がある。

移民のマイノリティグループは、自分の人生を評価するときに、主流派の文化の枠組み以外にも、独自の枠組みを持っている。移民する以前の暮らしや、あるいは故郷に残った人たちの暮らしと比較して、今はいい人生を送っていると評価できるということだ。

移民のマイノリティグループは、移民先の国にすでに存在する階層の中に自分を組み込まないこともある。自分たちは既存のシステムの枠外にいるととらえるのだ。それに加えて、彼らには故郷に帰るという選択肢もある。移民はたいてい、2つの文化に同時に参加できると信じていて、グループのアイデンティティを脅かされたと感じることなく、両方の文化の間を自由に行き来している。

もちろん、移民のマイノリティも、人種差別や、教育機会の差別、教育や経験に見合った職に就けないといった壁を経験するが、彼らには現状の社会階層システムを拒否するという選択肢があり、あるいはシステムの存在そのものに気づいていないこともあるために、差別をまだ内面化していない。

その一方で、元々アメリカで暮らす居住マイノリティは、現状ではカーストを構成する一員のようになっている。彼らは、奴隷制、占領、植民地化などを通じて、自分の意志とは関係なく社会に組み込まれてきた。移民のマイノリティと比較すると、居住マイノリティは、自分の人生を評価するときに、マジョリティのグループと同じ枠組みを使うことが多い。

彼らは何世代にもわたって、自分たちが受けてきた差別や搾取を内面化してきた結果、自分たちが社会で軽んじられたり、チャンスが与えられなかったり、全般的に人生の満足度が低かったりするのは支配的なグループによる搾取が原因であり、自分たちに何か本質的な問題があるわけではないと認識するようになった。

居住マイノリティにとって、故郷の国に帰るのは現実的な選択肢ではない（ただし、歴史をふり返ると、アメリカの南北戦争後にアフリカ大陸に帰還した奴隷はたしかに存在する。彼らは西アフリカにリベリアという国をつくり、アメリコ・ライベリアンと呼ばれるようになるが、アフリカでの生活はうまくいった例もあれば、そうでない例もある）。

その結果、居住マイノリティにとって、学校教育は支配的な文化と同じ意味を持つようになった。そして彼らは、「白人のやり方」で成功するか、それとも仲間との絆を大切にするかというジレンマに悩まされる。居住マイノリティは、就業で差別され、マジョリティと同じルールに従っていては「成功」できないと信じるようになる。

もちろん、居住マイノリティのグループも、教育の価値はよくわかっている。教育を受ければ、いい仕事に就け、よりよい生活が送れるようになると信じている。しかしそれと同時に、両親や祖父母がいくら教育の大切さを強調しても、彼らの言葉は彼らの現実をまるで反映していない。居住マイノリティの子どもたちは、そうやって社会の不公平や不正を目の当たりにした結果、頑張っても無駄だとあきらめてしまう。

私の授業でオグブの研究について教えると、マジョリティの文化の学生たちは、マジョリティの学生とマイノリティの学生の間に大きな格差があることをにわかには信じない。一方で、移民のマイノリティと、居住マイノリティは、どちらもオグブの研究に同意する。自分たちや家族の実体験と同じだからだ。最近になってSNSが登場すると、マイノリティの学生の経験がSNSを通してより広く知られ、議論されるようになった。

そう考えれば、学校教育の現場に偏見や差別が蔓延《まんえん》しているという事実は、特に驚くようなことではないはずだ。学校は真空の空間ではなく、私たちが暮らす実社会に存在しているのだから。社会の「当たり前」が時代とともに変化するにつれ、学校もまた、主流派の文化によって適切だと判断されることを反映しながら、変化し続けていくことになるだろう。

9 翻訳から見えてくるもの

初めてアメリカにやって来たとき、まだ10代だった私は、アメリカ人の友だちが使っている言葉の意味がわからないことがあった。そのときの状況や、一緒に使われている言葉などの文脈から意味を推測したこともあれば、直接意味を尋ねたこともある。

ある親しい友人（その人は現在、アメリカ海軍の従軍聖職者になっている）は、そんな私に、「あなたにはどんなふうに聞こえる？」と逆に尋ねてきた。そこで私は、単語の響きから意味を推測する。とんちんかんな答えで大笑いされることもあったが、前後の文脈を考えれば、たいてい正しい答えを出すことができた。

この種の意味の推測には、実は長い歴史がある。

音象徴の研究

1933年の研究で、英語話者を対象に日本語の対義語のペアを見せ、それを英語に翻訳した単語のペアからどちらがどちらの意味になるか推測してもらったところ、正答率は69パーセントにもなった。[*1]

たとえば、日本語の「heiwa(平和)」と「tatakai(戦い)」というペアを見て、それから「peace」と「war」というペアを見た英語話者は、偶然の結果と思われるよりも高い確率で、「平和」は英語で「peace」であり、「戦い」は英語で「war」だと推測することができたのだ。

ここでオリジナルの研究からいくつか単語のペアを紹介するので、自分も正しく推測できるかやってみよう。「tooi(遠い)」と「chikai(近い)」を英語に訳すと、「far」と「near」だ。どちらが「far」で、どちらが「near」だろう?(正解は、「tooi」が「far」で、「chikai」が「near」だ)

次は、「mikata(味方)」と「teki(敵)」だ。これを英語に訳すと「enemy」と「friend」になるのだが、どちらが「enemy」で、どちらが「friend」か?(正解は、「mikata」が「friend」で、「teki」が「enemy」)。「tori(鳥)」と「mushi(虫)」では、どちらが「bird」で、どちらが「worm/bug」だろう?(正解は、「tori」が「bird」で、「mushi」が「worm/bug」)

ほとんど不正解、あるはすべて不正解だったという人もいるかもしれない。率直に言うと、私自身も自分でリストにある25組の単語を試してみるまでは、そういう結果になるだろうと予想していた。正答率はだいたい50パーセント、つまり当てずっぽうと同じレベルだろう、と。

そこで私は、2022年に、自分の研究室でこの実験を再現することにした。英語のモノリンガルを対象に、9つの言語の対義語を45組見せ、それらを英語に訳したペアからどちらがどちらの意味になるか考えてもらう。[*2] 9つの言語は、フランス語、日本語、マンダリン、ポーランド語、ルーマニア語、ロシア語、スペイン語、タイ語、ウクライナ語だ。

その結果、驚いたことに、正答率は偶然の一致である50パーセントよりも高く、65パーセントになった。被験者になった英語のモノリンガルたちは対象の言語を知らず、ほとんど当てずっぽうに答えたにもかかわらず、だ。

正答率がもっとも低かったのはマンダリン（55パーセント）、日本語（55パーセント）、ロシア語（56パーセント）で、タイ語（57パーセント）、ポーランド語（58パーセント）、ウクライナ語（58パーセント）がそれに続く。正答率がもっとも高かったのはルーマニア語（74パーセント）、フランス語（79パーセント）、スペイン語（81パーセント）だ。

また別の研究では、イタリア語話者とポーランド語話者が、フィンランド語、日本語、スワヒリ語、タミル語の単語を音で聞き、その意味だと思われるものを3つの選択肢から選んだ。フィンランド語と日本語に関しては、単語の音だけで意味を推測する場合、正答率は偶然よりも高くなった。その差は名詞と動詞の場合は顕著に表れたが、形容詞ではそれほどでもなかった。この結果も、それ自体とても興味深い。

おそらく長い目で見れば、音象徴（音そのものがある特定のイメージを喚起すること）の研究が進めば、状況によってさまざまな結果が出ることになるだろう。どの言語を用いるかということや、参加者の言語体験（参加者がいくつの言語を知っているか、対象の言語が母語とどれくらい似ているか、ある言語における参加者の語彙力とリテラシーレベル）によって、異なるパターンが現れると考えられる。

オノマトペ

形と意味の間にある関係についての研究は、残された文書によるとどうやら紀元前から行われていたようだ。古代ギリシャの哲学者ソクラテスがそれについて語ったとされる言葉が、プラトンの対話篇[*3]の中に登場する。

対話の中でソクラテスは、クラテュロスとヘルモゲネスから、名前は「自然」なのか、それとも「慣習」なのかと尋ねられる。すると彼は、音の組み合わせがその言葉が指し示すものの本質を表現し、水の流れを表現するのにもっとも適した音もあれば、動きや他のものを表現するのにもっとも適した音もあると答えた。

ヘルモゲネスはそれに反論し、ものの名前は風習や慣習の結果であり、変更は可能だと主張した。するとクラテュロスは、名前には神聖な起源があり、神々によって授けられたものであるために、本質的に正しいのであると発言した。

今から2000年以上も前に提示されたこの3つの立場からわかるのは、人類ははるか昔から、言葉とそれが持つ意味に魅了されてきたということだ。哲学から宗教、神秘主義（マントラ）、魔法（呪文）まで、幅広い分野でこれらの問題に取り組んできた。

「真の本性」と同じ意味で「真の名前」という概念を用いる例は、世界の多くの宗教で見ることができる。古代ユダヤ教では、神の真の名前にはあまりにも強大な力があるので、その力を濫用するのを防ぐために、神の名前を使うのはタブーとされていた。

また聖書でも、「出エジプト記」の20章7節に、みだりに神の名前を唱えてはならないという記述がある。名前に力があるとする考え方は、道教、仏教、イスラム神秘主義など、西洋の思想の他にも見ることができる。またヨギ（ヨガ行者）たちは、「オーム」というマントラは宇宙の振動を表していると考えている。

形と意味の関係は、だいたいにおいて恣意的ではあるが、まったくのランダムというわけではない。言葉の形はその言葉の意味に影響を与え、そして言葉の意味はその言葉の形に影響を与える。

ほとんどの人は、音と意味の間の関係と言われると「オノマトペ」を想起するだろう。オノマトペとは、音それ自体が意味を表現しているような言葉のことだ。たとえば、時計の音を表す「カチカチ」や、車のクラクションの音を表す「ブー」などがオノマトペになる。

もっともよく使われるオノマトペは、動物が出す音を表す言葉だろう。興味深いことに、動物のオノマトペは言語によって違いがある。英語の場合、豚の鳴き声は「オインク・オインク」で、犬の鳴き声は「ウーフ・ウーフ」だ。それがロシア語では、豚は「フリュ・フリュ」、犬は「ガーフ・ガーフ」になる。ルーマニア語では、豚は「コビーツ・コビーツ」で、犬は「ハム・ハム」だ。

日本語では、動物が音を発するのを表すときに、多くの動物に共通して「鳴く」という動詞を用いる。犬、猫、羊、蛙、鳥、昆虫は、すべて「鳴く」だ。ここで私が、だから日本の動物は種の違いを超えて意思の疎通ができるなどとオタクっぽいジョークを言い出したり、いきなり話題を変えて2つの方言を話す山羊の話を始めたりする前に(そう、そんな山羊は実在するのだ)、本題である形と意味の関係に戻ろう。

形と意味の間に関係があることを示す直接的な証拠は、「発声しない言語」の中に見つけることができる。手話はしばしば、視覚情報と意味を結びつけることで、言葉の意味を表そうとする。基準になるのは、手の位置、手の動き、手の形、手のひらの向きなどだ。

たとえば、「本」を表す手話は、本のページを開くようなしぐさをする。「お茶」の手話は、カップの中でティーバッグを揺らしたり、ティースプーンを回したりするようなしぐさだ。ジェスチャーや手の動きは、言語の発達の過程において、もっとも早い段階で使われる手段でもある。

手話の他にも、表語文字の中に形と意味の関係を見ることができる。表語文字の代表は中国語であり、ある言葉の中に、それ自体が別の意味を持つ文字が含まれていることが多い。たとえば、中国語で「アメリカ」は「美国」だ。この言葉は、「beauty（美）」と「nation（国）」という2つの言葉で構成されている。「美国」を言葉の意味通りに訳すと「美しい国」となる。また、中国語の「嫉妒（嫉妬）」や「奴隶（奴隷）」は、どちらも「女」という意味を表す文字が含まれている。

こういった文字の中に含まれる個々の意味は、中国語話者が言葉に対して抱くイメージに影響を与えるのだろうか？　形やラベルは、それが聴覚情報でも、視覚情報でも、人々がその概念について抱くイメージや、考えることに、影響を与えるのだろうか？

アルファベットを用いる言語の場合、表語文字とは異なり、アルファベットそのものには意味がないために、結果はまちまちだ。

私の学問上の祖父（つまり、師匠の師匠にあたる）で、心理学者のヴォルフガング・ケーラーは、1929年、音象徴という現象を世界で初めて実証してみせた。ここでケーラーが提唱した説は、「マルマ・タケテ効果」というものだ。ケーラーは最初、スペイン語でこの実験を行った。場所はスペイン領カナリア諸島のテネリフェ島で、使われた名前は「マルマ」と「タケテ」だったが、その後もこの実験は世界各地で何度も再現され、以来「ブーバ・キキ効果」としても広く知られている。

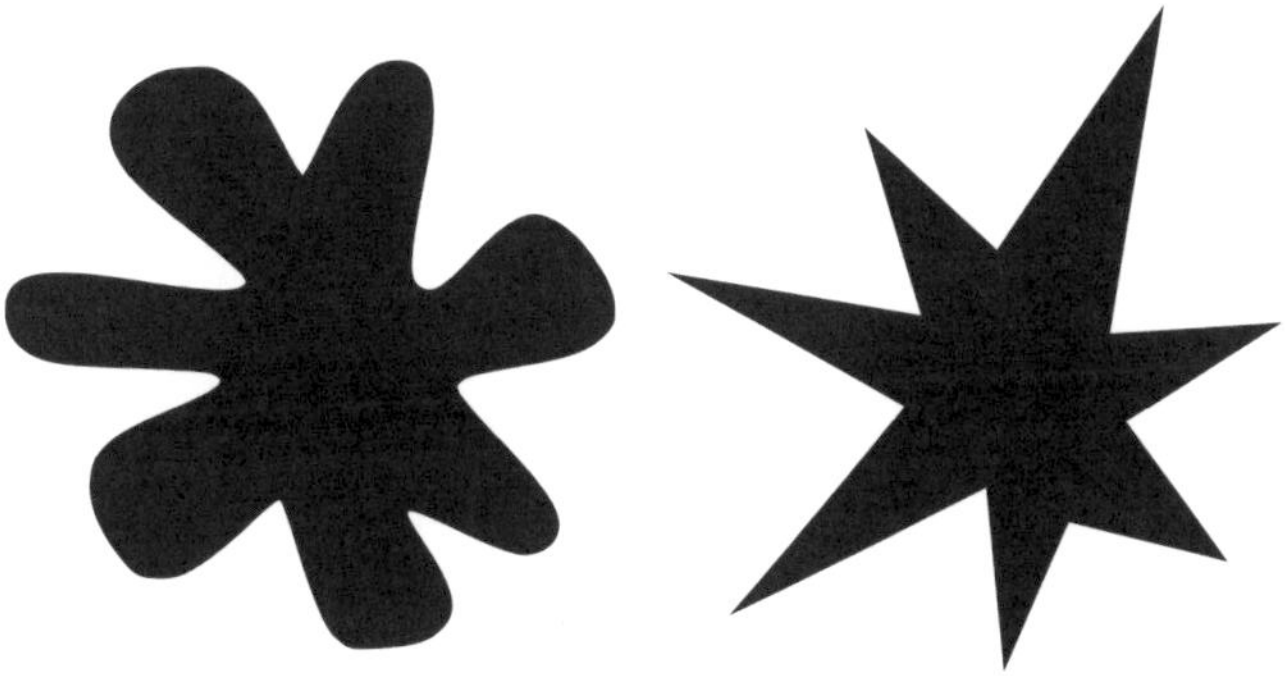

ブーバ・キキ効果とは、被験者に上にあるような2つの形を見せる実験から生まれた言葉だ。被験者は、それぞれに「ブーバ」か「キキ」という名前をつけるように言われる。あなたなら、どちらをどの名前にするだろう？

実験の結果はだいたい一貫している。より多くの人が、丸い形をしたほうを「ブーバ」、とがった形をしたほうを「キキ」と名づけるのだ。被験者が大学生でも、高齢者でも、幼い子どもでも、あるいは英語話者でも、その他の言語の話者でも結果は同じだ。

丸いほうを「ブーバ」、とがったほうを「キキ」と名づける傾向は、生後わずか4カ月の乳児でも確認されている。

タミル語話者と、アメリカの大学生を対象にした研究では、この組み合わせを好む人の割合は95パーセントから98パーセントにもなった。

すべての研究を平均すると、88パーセント前後と低くなるが、それでもまったくの偶然よりは有意に高い確率だ（ただし、自閉症を持つ人を対象にすると、その割合は56パーセントとかなり低くなる。理由ははっきりわかっていない）。

脳機能イメージングを使った神経科学の実験の結果、名前とものの間にミスマッチがあると感じたときは（とがった形に「ブーバ」という名前がついている）、名前とものが合っていると感じたときに比べ（丸い形に「ブーバ」という名前がついている）、脳の前頭前皮質がより活性化することがわかった。その理由はおそらく、ミスマッチと感じられたときに、より多くの認知リソースを使う必要があるからだろう。

興味深いことに、皮質が活性化した部位は、高次の認知を司る前頭前皮質だけではなく、聴覚と視覚を司る神経ネットワークも含まれていた。そこからわかるのは、知覚処理の早い段階にも音象徴が組み込まれているのかもしれないということだ。

このような効果を生み出す原因は、まだはっきりとはわかっていない。あるいは、たとえば数学のように、それらが他のコードを表しているのかということもわからない（「1」と「2」のどちらの形が大きな数字を表しているのか？　「無限」と「ゼロ」ではどうか？）。

いくつかの仮説は提唱されている。たとえば、その音を発音するときの口の形と関係があるとする説だ。「ブーバ」と発音するときは唇の形が丸くなり、「キキ」と発音するときは唇を横に引っぱったような形になる。また他にも、母音と子音の比率や、その言葉に含まれる音素の質と関係があるとする説もある。

どうやら私たちは、音から受けるイメージを、聴覚が受け取る合図から決めているようだが、その仕組みはまだよくわかっていない。*4

意味と、母音と子音の音素の質との間にある関係については、古今東西で興味の対象になってきた。ロシア人の科学者、哲学者、作家、博学者で、1755年にモスクワ大学を創設したミハイル・ロモノーソフは、18世紀に母音と子音の音象徴について書いている（モスクワ大学の正式名称は、彼の名にちなんでM・V・ロモノーソフ・モスクワ国立総合大学だ。ソ連時代には多くの施設に彼の名前がつけられていた）。

ロモノーソフが唱えた説の例をあげると、/e/、/i/、/yu/ などの前舌母音（舌のもっとも盛り上がった位置がもっとも前で発音される母音）は柔和なさまを表現するときに使われ、/o/、/u/、/y/ などの後舌母音（舌のもっとも盛り上がった位置がもっとも後ろで発音される母音）は恐怖を表現するときに使われるというものがある。

詩の韻文には緻密な計算が求められる

音象徴とのもっとも強いつながりは詩の中に見つけることができる。快音調（耳に心地いいとされる音）、頭韻（文や単語の頭を同じ音でそろえる）、脚韻（文や単語の終わりを同じ音でそろえる）、その他の言語ツールを使うことで、詩は、ある特定の音がある特定の感情や思考を喚起するという言語の特徴をうまく活用している。

詩人がこの世界をどう知覚するかということは、詩人が使う言葉にどの程度まで影響を与えるのだろうか？　そして詩人が使う言葉は、どの程度まで詩人の知覚に影響を与えるのか？おそらくフィードバックループのように、この2つはお互いに影響を与え合っているのだろう。詩人の抒情性は彼らの知覚の反映であり、その一方で彼らの抒情性が彼らの知覚に影響を与えて変化させる。エドガー・アラン・ポーの言葉を借りれば、「昼間に夢を見る者は、夜にしか夢を見ない者たちには見えない多くのものを認識する」[*5]ということだ。

詩の言語を独特にしているのは、それぞれの言語単位に埋め込まれた意味の密度だ。好きなように言葉をつらねることができる散文とは違い、詩の韻文には緻密な計算が求められる。詩人は、ただ正しい言葉を選ばなければならないだけでなく、正しい母音と正しい子音も選ばなければならない。これらの母音と子音の組み合わせから抽出される要素によって、その詩を肉体的に経験することができるのだ。

画家がパレットの上で絵の具を混ぜるように、詩人や作詞家もまた、読み手や聞き手の中に正しいイメージが喚起されるように音を組み合わせなければならない。

詩はもっとも古いコミュニケーション形態の1つだ。文字よりもさらに古く、先史時代にはすでに狩猟を表現した詩が存在したとされている。そう考えると、詩は、言語を耳で体験する

m

こととと、文字として目で体験することをつなぐ存在だといえるだろう。初期の詩は、戦争と勝利を記録し、時代を超えて情報を伝えてきた。同じ集団の全員が、国家の伝承の一部としてその詩を暗唱する。

上にある山が1つ多い「m」のような文字は、アラム・サローヤンによる詩だ。[*6]これは世界でもっとも短い詩とされていて、「文字が生まれる瞬間のクローズアップ」[*7]というタイトルがつけられている。あるいは、ジョージ・マクドナルドも、「もっとも短く、もっとも甘美な歌」と題された詩を書いた。[*8]その詩は、「Come Home」という、たった2つの単語だけで構成されている。反対にとても長い詩もある。古代ギリシャの長編叙事詩の『イーリアス』と『オデュッセイア』などだ。また、古代インドの長編叙事詩の『マハーバーラタ』で使われた単語は、実に180万語になる。

詩を翻訳することの難しさは、ただ意味を伝えるだけでなく、原文の音、構文、構造、調子、韻、拍子、響き、連結、情感、隠喩、多層的な意味なども、訳文に反映させなければならないことだ。こういった詩を構成する要素のすべては、言語によって異なっている。原文に忠実でありながら、同時にこれらの要素を再創造しなければならない。

つまり詩の翻訳とは、オリジナルの詩の近似値をつくること、あるいは模倣することだ。そうやって生まれた詩は、それ自体がオリジナルであるともいえるだろう。たとえば、英語で書かれたナンセンス詩の傑作と評されるルイス・キャロルの『ジャバウォックの詩』などは、どうやって他の言語に置き換えたらいいのだろう？「All mimsy were the borogoves, / And the mome raths outgrabe」[*9][※]というような文を翻訳するのはとても難しい。

詩の翻訳者は、最低でもオリジナルを書いた詩人と同じレベルで、2つの言語に堪能でなければならない。なぜなら、詩の翻訳とは本質的に、オリジナルを変質させることだからだ。オリジナルとは別の言語世界で、新しい詩を創造することが求められる。翻訳それ自体が1つの研究分野であるなら、詩の翻訳はその中に含まれるサブジャンルということになるだろう。

『Nineteen Ways of Looking at Wang Wei（王維を見る19の方法）』[*10]という本の中で、唐の時代に活躍した文人・王維による詩の英語訳が19通り紹介されている。詩のタイトルである「鹿柴」でさえ、「鹿の形」、「鹿よけフェンス」、「原始の山の奥深く」、「鹿公園の庵」など、解釈はさまざまだ。

※日本語訳は「ひたぶるにうすじめきは ボロゴーヴども／えはなれしラース あまたさうしゃめりき」（岩波少年文庫『鏡の国のアリス』脇明子・訳）など、さまざまなバージョンがある。

そして詩の最初の行である「空山不見人」も、「空っぽの山には誰もいないようだ」、「寂しい丘の上に人の影はひとつもない」と解釈が一定せず、他にも17通りの解釈がある。まったく同じ訳は2つとして存在しない。このような詩の解釈の揺らぎは、他の言語に翻訳するとますます大きくなる。

私は昔から、「特に詩が生まれやすい言語はあるのか」という質問を受けることがある。私が思うに、他の言語よりも詩に向いている言語というものは存在しない。ある言語の話者が、他の言語の話者よりも詩心があるということはないからだ。もし言語によって詩心に違いがあると信じているなら、それはおそらく、あなたがまだもう1つの言語を完全にマスターしていないからだろう。

私がそう考えるのは、第二言語（あるいは第三、第四言語）を使うと詩情を十分に表現できないというマルチリンガルたちの訴えを、これまでに数え切れないほど耳にしてきたからだ。ギリシャ語、マンダリン、スペイン語、アイルランド語など、多くの言語の話者たちは、自分の母語が他の言語に比べていかに詩情豊かであるか力説する。そして現に、彼らの母語はすべて詩的で、豊かな感情を表現することができる。しかしそれは、ヒンディー語、日本語、ウルドゥー語、スワヒリ語、あるいは世界中のあらゆる言語でも同じことだ。

たしかに研究室の中では、マルチリンガルの言語の習熟度を評価するときに、信頼性と妥当性が担保された客観的な基準を使って計測するが、一歩研究室の外に出れば、そのマルチリンガルガルがさまざまな複雑さの詩を楽しむ能力が、詩が書かれた言語にどの程度まで習熟しているかを知る格好の基準になる。

詩の言語が特別であるのは、ある特定の言語で書かれているからではなく、表現を縛る言語の慣習や決まりから自由であるからだ。詩人は自在に言語を操り、自分独自の声を与え、独自の世界の見方を反映させる。

それぞれの言語には決まったルールがあるので、詩人は自分が使う言語のルールの中から、どのルールを破るのかを決めなければならない。そして、詩の翻訳が難しい理由の1つは、原文の言語と翻訳された言語で破るべきルールが異なることだ。

ある意味で、詩はそれ自体が1つの言語だ。あるいは、詩が言語を創造するといってもいいかもしれない。そして独自の言語の創造は、独自の宇宙の創造にもつながる。他の言語を学ぶのと同じように、詩の言語もまた、それを読む人の精神、脳、感覚、感情、記憶を形づくる力を持つ。

ニーチェはツァラトゥストラにこんなことを言わせている。[*11]「しかしながら、すべての詩人はこう信じている。芝生の上、あるいは寂しい丘の上で横たわり、耳をそばだてる者は、それが誰であれ、天と地の間にあるそれらのものについて何かを見いだすであろう、と」。ニーチェは他にも、「詩人とは（中略）水をかき混ぜてわざと濁らせ、実際よりも深く見せようとする者である」という言葉を残しているが、こちらは気にしなくてかまわない。なぜなら私の経験から言えば、科学記事や学生のレポート、政治家の演説を書く人たちに比べれば、詩人の罪はまだ軽いからだ。

言語が持つニュアンスに特に敏感なのは詩人だけではない。作家、映画監督、ミュージシャン、アーティスト、そして言語と人々をつなげる、言語で人々に影響を与える、言語で人々を動かすなど、言語を扱う仕事をするほぼすべての人は、正しい言葉を求めて日夜煩悶している（恋人へのラブレターを書く人や、テキストメッセージのやり取りで、吹き出しのドットが踊って「入力中」の状態になっているときに画面の向こう側にいる人も、きっと同じことを感じているだろう）。

よい翻訳者とは、言語の魔術師

私は学生時代、生活費を稼ぐためにさまざまな仕事をした。その中には、ルーマニア、ウクライナ、ロシアなど、旧ソ連の国々の子どもを引き取る国際養子縁組に必要な書類を翻訳する仕事や、写真を見て結婚相手の女性を決める、いわゆるメールオーダーブライドのシステムで、それらの国の女性たちのためにラブレターやその他の手紙の翻訳をする仕事もあった。

他には、１９９６年のアトランタオリンピックや、アラスカとロシア極東部シベリアが共同して行う経済事業、たとえば、アメリカの上院議員と政治リーダー、ロシアの政治家と石油業界の幹部が集まった１９９３年の四地域会議などで通訳を務めたこともある。

通訳と翻訳の違いに明確な定義はないが、一般的に、通訳は話された言葉を訳し、翻訳は書かれた言葉を訳すということになっている。チャック・ロリー制作の人気ドラマ『コミンスキー・メソッド』や『ビッグバン・セオリー』では、各エピソードの最後に「ヴァニティ・カード」と呼ばれる短い文章がほんの数秒だけ登場する。この文章を、放送される各国の言語に訳すのが翻訳者だ。

翻訳者は書かれた文章を訳すので、ある程度の時間の自由がある。翻訳の過程で、著者のメッセージや、著者独特の思考法などがどの程度まで失われるのか、それを厳密に測定するのは難しい。

よい翻訳者とは、言語の魔術師だ。ある言語を他の言語に置き換えるとき、優秀な通訳者や翻訳者は、いわゆる逐語訳や直訳を用いない。その代わりに、文化的、言語的、経験的に適切と思われる代替表現を見つけることを目指す。これは、熟語表現や、特定の言い回しだけでなく、実例や物語、文化的な参照などにもあてはまる。

私自身も、この本を英語で書いているので、英語を話す読者に適した言い回しや逸話、参照を選ぶ必要があった。ルーマニア語やロシア語を話す読者に向けて書くのであれば、他の文化的な参照や、逸話、言い回しを選んでいただろう。ウラジーミル・ナボコフや村上春樹など、2つ以上の言語で書く作家は、使う言語によって自分の声を微妙に変えている。

同時通訳者の頭の中

通訳者・翻訳者として働いた経験から私が学んだのは、通訳という仕事がいかに難しいかということだ。特に、話された言葉をその場で訳さなければならないのは本当に大変だ。こういった通訳の仕事は、国連の会議などで見ることができる。

ただ会議のようすを見ているだけでは、その裏で通訳が行われていることに気づかない人がほとんどだろう。通訳の存在を知らせてくれるのは、参加者が耳につけた小さなイヤーピースだけだ。参加者たちはそのイヤーピースを通して、誰かが発言するのとほぼ同時に訳された言葉を聞くことができる。

通訳には「逐次通訳」と呼ばれる方式もあり、この場合は発言者がところどころで話を区切り、通訳者はそこで空いた間を利用して発言を訳すことができる。一方で「同時通訳」と呼ばれる方式の場合は、発言者が間を空けないので、通訳者は発言とほぼ同時に訳していかなければならない。

同時通訳者の仕事を見るたびに、私はいつも畏敬の念に打たれる。彼らは耳に入ってくる言語を、瞬時にして意味的にも文法的にも正しい他の言語に置き換えることができる。しかも、原語に特有の言い回しや、文化的な参照、比喩などを、ターゲット言語に合わせて適切な表現に変化させている。そのすべてを、絶えず新しい言葉が入ってくる状況で行っているのだ。彼らの作業記憶、注意力、言語理解と言語生成を司る認知力は、いったいどれほどの負荷を受けていることだろう！

通訳者・翻訳者として初めて仕事をしてから25年後、私はジェノヴァ大学の博士課程で学ぶ学生の博士論文審査会で審査を務めることになった。その学生の研究対象は、国連で働く同時通訳者と、同時通訳者を目指して訓練を受けている人たちだ。スイスには、同時通訳者の目の動き、神経機能、認知能力を研究する大規模な研究チームがあり、彼女もその一員だった。

この同時通訳に関する研究によると、高度な言語コントロールは、脳のより広い分野の連携が関係しているようだ。すでに見たように、ただマルチリンガルであるだけで、脳の実行機能が鍛えられることがわかっている。しかし同時通訳に求められる集中力と作業記憶は、それよりもさらに大きく脳の実行機能を鍛え、神経ネットワークをより効率化している。

同時通訳者は、同時に2つの課題を行うデュアルタスクでも、複数の課題を切り替えるタスクスイッチングでも、マルチリンガルの統制群よりいい成績を収めた。同時通訳者はまた、左側の前頭極で灰白質の量が増えていた。前頭極と、左側の下前頭回と中前頭回の間にある機能的なつながりも強化されている。同時通訳者の脳は、注意力、抑制制御、作業記憶処理と関連があるとされる前頭前皮質で、アルファ波の発生における機能の結合がより強くなっている。

同時通訳者の脳の研究からわかるのは、同時通訳に求められる極度に高レベルの言語コントロールが、言語を司る脳の部位だけでなく、学習、運動制御、および全般的な実行機能までも変化させているということだ。

通訳者の脳を、同時通訳の集中的な訓練プログラムを受ける前後で比較すると、訓練後は脳のいくつかの部位で活動が減っていることが観察される。そこからわかるのは、訓練を受けると、同時通訳に必要なプロセスを自動で行えるようになり、必要な認知リソースが減るということだ。

また、同時通訳の集中訓練を行うと、話された言葉を理解すること、および自分で発話することと関連する脳の部位と、注意制御を司る脳の部位の皮質が厚くなることがわかった。同時通訳者は脳の皮質が厚くなるという事実からは、高度な言語制御が一種の守りとなり、認知予備能（アルツハイマー病や脳血管障害などで脳に病変が起こっても、これらに対抗して脳の正常な機能を保つ能力）に貢献しているということも推測できる。

同時通訳の訓練を受けた前後、あるいは実際に同時通訳の経験をした前後の脳を比較する研究では、単に通訳者とそうでない人の脳を比較する研究とは違い、脳の可塑性をはっきり観察することができる。この研究は、第二言語を学んだ後に起こる脳の変化を脳画像で確認する研究と似ている点もあるが、同時通訳者のほうがより極端なマルチリンガル体験をしているといえるだろう。

しかし、同時通訳者や翻訳者の数は、日々の生活で必要にかられてか、あるいは自分の選択で通訳や翻訳を行っているバイリンガルやマルチリンガルの数に比べて圧倒的に少ない。すべてのマルチリンガルが、人生のある時点で、何らかの形で通訳や翻訳の作業に従事することになる。

医療現場での通訳は、正しく行えば、患者に正しい治療を提供し、回復を助けることができる。しかし間違った通訳を行うと、治療する部位を間違える、間違った治療を提供する、あるいはまったく治療を行わないといった結果になりかねない。それが患者の死につながることさえあるだろう。

医療や法律の現場で翻訳を間違えると、深刻な結果につながる恐れがある。経済的、政治的な問題に発展することもあるだろう。いずれのケースも、外国旅行で道に迷うよりもはるかに深刻だ。

間違った翻訳は笑いを誘うこともある。とある中国のレストランの写真がネットで話題になった。店名は「Translate Server Error」。これは「サーバーエラーのため翻訳できませんでした」という意味だ。おそらく店の名前を英語に翻訳しようとしてネットの機械翻訳を使ったところ、このメッセージが出てきたのだろう。そして店のオーナーは、このメッセージの意味がわからず、そのまま店名にしてしまった。

このような間違った翻訳の例は、少し検索するだけでも山のように見つけることができる。今度からなんとなくやる気が出ないときは、猫の動画を見る代わりに、笑える誤訳の検索をするのもいいかもしれない。

通訳で特に難しいのはユーモアだ。通訳でやるべきすべてのことに加え、さらにタイミングを外さないこと、そして聞き手の経験と照らし合わせて、より理解しやすい形に変える必要もある。

今でもよく覚えているが、私が初めて聞いた英語のジョークは、「The odds are good, but the goods are odd」だった。これは、独身女性がアラスカでパートナーを見つけられる確率についてのジョークで、言葉遊びにもなっている（「確率は高いが、変な男ばかりだ」という意味）。

私自身、自分の英語もなかなかのものだとついに自信が持てるようになったのは、英語でジョークを言えたときだった。ちなみにそれは、「以前は午前8時の英語の授業で教えていました。その学期は生徒の祖父母がたくさん亡くなりました。そこで私は、自分の授業を午後3時に移動しました。すると、今度は祖父母がまったく亡くならない。つまり、私はこうやって人の命を救っているのです」というジョークだ。

とはいえ、私は今でも、さまざまな言語のことわざや比喩表現がごっちゃになったり、ある言語のことわざを言い出したのに、別の言語のことわざで終わってしまったりしている。そこで、母語以外の言語でまだ十分にユーモアを表現できないという人に、私からのアドバイスを贈りたい――ただ笑い飛ばしてしまおう。

クワインの思考実験「ガヴァガイ問題」

人間の脳は、どうやら無限の種類の言語を保存できるようだ。研究によると、世界でも有数の多言語を話す人[*12]は、過去にも現在にも存在する。19世紀に活躍したイタリア人司祭・大学教授で、ボローニャの大工の息子のジュゼッペ・メゾファンティは、72の言語を話し、さらに2週間もあれば新しい言語を流暢に操れるようになったとされている。残されている史料から彼の言語レベルを正確に知ることは難しいが、驚くほどたくさんの言語を話せる人は、歴史を通して実際に存在している。

19世紀に香港総督を務めたサー・ジョン・ボウリングは200の言語を理解し、100の言語を話すことができたとされている。フランス人言語学者で、1986年に亡くなったジョルジュ・デュメジルも、習熟度は言語によって異なるが、それでも200以上の言語を話せた、あるいは読めたという。有名なビクトリア時代の探検家、地理学者、外交官、スパイ、地図製作者のサー・リチャード・フランシス・バートンは、29の言語と多くの方言を理解し、その知識を探検に役立てたといわれている。

哲学者W・V・クワインによる有名な思考実験からわかるのは、母語以外の言語を学ぶのはとても難しく、一筋縄ではいかないということだ（あるいは母語さえもそこに含まれる）。

クワインの思考実験は「ガヴァガイ問題」[*13]と呼ばれる。ある言語学者が、自分の知らない言語が話されている国を訪れた。そこにウサギが走り去っていくと、1人の現地人が「ガヴァガイ！」と叫んだ。そこでこの言語学者は、「ガヴァガイ」は「ウサギ」という意味なのだろうと推測するが、その推測が正しいとはかぎらない。「ガヴァガイ」は、もしかしたら「見て」という意味かもしれないし、「動物」、「長い耳」、「何かが通りすぎた」、「あたりが暗くなってきた」、「あれを捕まえて夕食にしよう」という意味かもしれない。また、「ガヴァガイ」は1つの単語かもしれないし、2つの単語かもしれないし、あるいは1つの文として完結しているかもしれない。

新しい言語を学ぶときは、このような不確定性がつねにある程度まで存在する。これはまた、探検家や入植者によって名づけられた土地の多くが、その土地とはまったく関係がないか、あるいは同語反復（「やま山」や「みずうみ湖」のような名前）になっているという状況の説明にもなる。彼らは現地人から何らかの言葉を聞き、意味もわからずそのまま土地の名前にしたのだ。

現に、アメリカのテネシー州を流れる「ハッチー川」は「かわ川」という意味になる。「ハッチー」は、その土地に暮らしていた先住民マスコギ語族の言葉で「川」という意味だからだ。ワシントン州を流れる「ワラワラ川」などは、「ワラ」が現地の先住民サハプティアン語族の言葉で「川」を意味するので、「かわかわ川」という意味だ。サハプティアン語族では、「ワラワラ」のように単語をくり返す習慣があった。またノルウェーの地名でも、「フィーレフェル」は古ノルド語で「やま山」、「ベールベーゲット」は「おか丘」という意味になる。

言語の習得で成功するには、学習者とターゲット言語との間でさまざまな要素がかみ合う必要がある。たとえば新しい単語を覚えるときは、単語の発音、つづり、単語に対するイメージ、単語の使われ方など、その単語の複層的な要素が関わってくる。具象を表す単語（「犬」など）のほうが、抽象を表す単語（「自由」など）よりも覚えやすい。単語が喚起するイメージも、私たち自身がその単語を視覚化する能力など、さまざまな次元によって変わってくる。

言語習得のパターン

私たちの研究によって、音韻隣接語と形態隣接語の数、および音素配列確率と文字配列確率が、単語の学習に影響を与えることがわかった。音韻隣接語の数とは、同一言語の中で、1音だけが違う単語がいくつあるかという意味だ。形態隣接語の数は、同一言語の中で、1文字だけが違う単語がいくつあるかという意味になる。

音素配列確率は、学習者の母語の中で、ある音の組み合わせがどれくらいの確率で起こるかということであり、文字配列確率とは、ある文字の組み合わせがどれくらいの確率で起こるかということだ。

違う言語同士でも、同一言語内でも、他よりもよく使われる音が存在する。どの文字の組み合わせ、どの音の組み合わせが起こりやすいかということを知っていると、「ワードル」などの単語ゲームで有利になる。よくある音や文字の組み合わせを知っていて、「この文字の後にはきっとこの文字が来る」などと予想するのは、こういったゲームをするときの楽しみの1つだ。

あなたはもしかしたら、なぜここで「音」と「文字」を分けるのだろうと不思議に思っているかもしれない。その答えは、文字と音の対応はつねに同じではないからだ。たとえば英語は、つづりと発音の規則性がきわめてあいまいだ。同じ発音なのにつづりが違ったり、同じ文字なのに発音が違ったりする。たとえば、英語でもっとも多い発音である /iː/ には、7通りのつづりがある。次の文を読んで、自分でかぞえてみよう。

「He believed Caesar could see people seizing the seas」

言語の学習に影響を与えるもう1つの要素は「頻度」だ。使用される頻度は単語によってさまざまであり、一般的によく使われる単語ほど覚えやすい。単語が簡単だからだんだんとよく使われるようになったのか、それともよく使われる単語がだんだんと簡単な形になっていったのか、はっきりしたことはわからない。あるいは、ある共通の原因によって、使用頻度が高まることと、学習が簡単になることという2つの結果が同時に起こったという可能性も考えられる。

ちなみに英語では、もっともよく使われる1000の単語が、すべての英語の文章の90パーセントを占めている。

単語の使用頻度と切っても切れない要素が単語の長さだ。世界の言語のほとんどで、単語の長さと使用頻度の間には関係がある。つまり、短い単語のほうが、長い単語よりもよく使われるということだ。

英語の場合、もっとも長い単語は「pneumonoultramicroscopicsilicovolcanoconiosis」で、もっとも短い単語は「I」になる。前者は「ニューモノウルトラマイクロスコーピックシリコヴォルケーノコニオシス」と読み、これは火山から噴出されるシリカの超微粒子を吸い込んだことで発症する肺の病気のことだ。

覚えやすい単語の特徴を理解すると、人間の脳が知識を整理する方法を理論的に推測し、教師や生徒に有益な情報を届け、学習に最適な環境をつくる手助けをすることができる。学習の動機など、感情的なプロセスや認知的な要素もまた、新しい言語の習得に影響を与える。

前向きな雰囲気をつくったり、さまざまな戦略（似た発音の母語と関連づけて新しい単語を覚える、など）を用いたりすることで、新しい言語の学習を後押しすることができるだろう。[*14] 学習者にあまりやる気がないときは、戦略を活用することが特に助けになる。言い換えると、言語の学習は感情と戦略を組み合わせるとうまくいくということだ。

バイリンガルはモノリンガルに比べ、新しい言語や記号体系をより簡単に習得することができる。[*15] この点についてはさまざまな研究が行われているが、いつもたいてい同じ結果だ。2つかそれ以上の言語をすでに習得している人は、1つの言語しか話さない人に比べ、新しい言語を早く、効果的に習得することができる。[*16]

考えられる理由の1つは、バイリンガルの脳が、学習のカギとなる抑制制御をよく行っていることだ。[*17] 新しい単語を学ぶときは、同じ対象を表す、すでに知っている単語を抑制する必要がある。すでに知っている単語が活性化し、新しい単語を学習する妨げになるのを防ぐためだ。

私たちが、コンピューターのマウスの動きを追跡するマウストラッキングを用いて実験を行ったところ、バイリンガルは他言語の干渉を抑制する経験を積んでいるために、すでに知っている言語にじゃまされず、より簡単に新しい言語を学習できるということがわかった。[*18]

もう1つの要因は、知っている言語が増えるほど、新しい言語を学ぶのが簡単になるということだ。その理由は、知っている言語が1つ増えるごとに、新しく取得するべき情報が減っていくからだ。

このことを、次頁のようなベン図で考えてみよう。最初の言語を学ぶときは、学ぶ情報はすべて新しい情報だ。つまり図で見ると、1つの円に含まれるすべての情報ということになる。しかし2つ目の言語を学ぶときは、2つの円に重なる部分が生まれる。新しく学ぶ情報はまだたくさんあるが、情報の一部（文法、発音、場合によってはアルファベットなど）が母語とかぶっているからだ。そして3つ目の言語を学ぶときも、たしかに新しい情報を学ばなければならないが、すでに学んだ2つの円と重なる部分もある。

こうやって知っている言語が増えるほど、すべての円がカバーする領域は増えていくが、完全に新しい情報は逆に減っていく。そのため、新しい言語を学ぶのが簡単になるのだ。

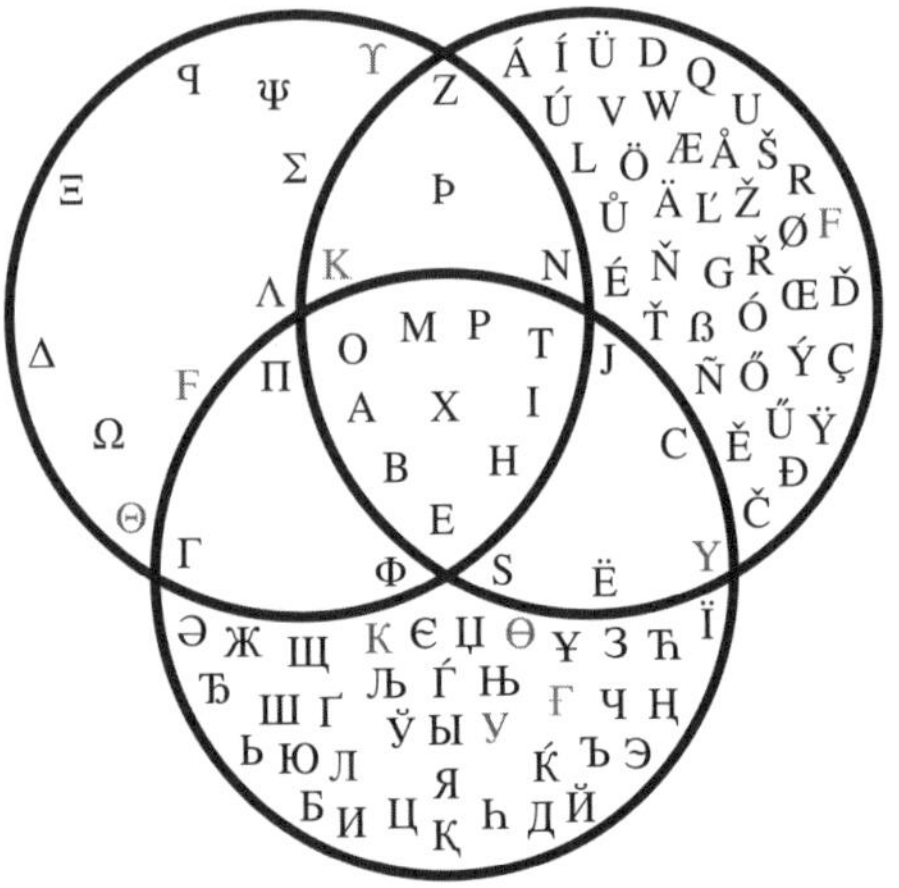

言語習得のベン図。3つの円が重なる真ん中の部分は、ギリシャ文字、ラテン文字、キリル文字のすべてで共通している[*19]。

母語以外の言語を習得していると、さらに新しい言語を習得するのが簡単になるのなら、知っている言語が増えるほど学習効果が高まり、そして学習効果が高まるほど習得できる言語も増えていくという無限の好循環が生まれる。

興味深いことに、円の重なる部分があるおかげで新しい言語の習得が簡単になる一方で、知っているすべての言語の干渉をコントロールするための負荷はどんどん大きくなっていく[*20]。脳を酷使しながら、脳を最適化しているということだ。

それに加えて、マルチリンガルの脳についての章でも見たように、言語を学習した結果として脳のある部位が変わると、その影響は他の部位にも波及していく。たとえば、認知制御が向上したことで聴覚処理が強化されるといった好循環が生まれる。つまり、新しい言語を習得するのがより簡単になり、その結果としてさらに脳が変化して認知機能が向上するということだ。

言語の学習において、知覚と実行機能がとても重要であることを考えれば、バイリンガルであることによる効果の1つは、新しい言語を習得する能力が拡大することだといえるだろう。そしてその結果として、複数の言語にさらされることによる脳の再構築が永久に続くことになる。言語を習得する脳の能力に、限界はないのかもしれない——少なくとも一部の人にとっては。

だからこそ言語は、人類の進歩を推進するとても強力なツールなのだ。人間の脳を直接つなぎ、言語を使わないコミュニケーションが可能になったとしても(最新の神経科学の発見によると、神経活動の記録と伝達はもはやSFの世界の話だけではないかもしれない)、私たち人間が情報を取得し、暗号化して解読し、そして共有するうえで、言語のような記号体系は、やはり欠かせない存在として残り続けるだろう。

10 心のコード

マルチリンガルの歴史でもっとも有名な人工物は、1799年にエジプトのロゼッタ（現在の地名はラシード）で発見されたロゼッタ・ストーンだろう。この発見より以前は、誰も古代エジプトのヒエログリフを解読することができなかった。ロゼッタ・ストーンには、古代ギリシャ語、古代エジプト民衆文字、古代エジプト聖刻文字（ヒエログリフ）の3つのコードを使って、まったく同じ内容の文章が刻まれていた。

古代ギリシャ語はギリシャ＝マケドニアの筆記システムであり、アレクサンドロス大王に征服されて以来、エジプトの支配者はこの言語を使っていた。征服の時期は、ちょうどロゼッタ・ストーンがつくられた時期と重なっている。古代エジプト民衆文字とは、エジプトの一般の民衆が日々の生活で使っていた筆記システムだ。そしてヒエログリフは聖職者が使っていた。ロゼッタ・ストーンがつくられた当時、この3つの言語のすべてがエジプトで使われていた。

それはつまり、今から2200年以上前になる歴史上のその時点で、少なくとも一部のエジプト人は複数の言語を知っていたということだ。

　エジプト考古学者たちは、ロゼッタ・ストーンに刻まれた3つの文字の助けを借りながら、何十年もかけてヒエログリフを解読していった。また、ミケーネ・ギリシャ語の線文字Bの解読にも、同じように数十年の月日が費やされている。

暗号の解読

　現代では、機械学習と人工知能（AI）のおかげで、暗号の解読はずっと早くできるようになった。たとえば、オーストラリアのマッコーリー大学の研究者とグーグルのデータサイエンティストが共同で、かつての努力よりもはるかに短い時間で、古代エジプトのヒエログリフを英語とアラビア語に翻訳することに成功している。暗号化と暗号の解読は貴重なスキルであり、国家や世界の安全保障にとっても重要な意味を持つ。

　第2次世界大戦中、敵の暗号を解読することは戦況を変える大きな力があり、勝利を確実にする手段でもあった。特に重要だったのが、ドイツ軍が用いた暗号「エニグマ」の解読だ。

　エニグマは暗号化の機械を使って作成する。文章を暗号機にかけると文字が自動で並び替えられ、たとえ連合国側に通信を傍受されても意味がわからないようになる。そして暗号を解読するときは、また機械にかければいい。

イギリス、フランス、ポーランド、その他の国々の暗号学者たちが、何年もの歳月を費やしてエニグマの解読を目指した。しかしドイツのほうも、つねに暗号の仕組みを変え、さらに強化させてきた。

今では誰でも知っているように、エニグマの解読についに成功したのは、イギリスの天才数学者、アラン・チューリングだ。日本では２０１５年に公開された映画『イミテーション・ゲーム／エニグマと天才数学者の秘密』に、エニグマ解読への道筋と、それが第２次世界大戦の結果に与えた影響が描かれている。

チューリングが世に知られるようになったのは、「チューリング完全」という理論を発表したことがきっかけだった。チューリング完全はコンピューター科学で使われる用語で、プログラミング言語を表している。

チューリングにはもう１つ、「チューリング・テスト」と呼ばれる有名な功績がある。これは、自分と会話をしているコンピューターが人間として通用するか、人間と同等の知能を備えているかを判定するテストだ。

当初、コンピューターの応答はどこか原始的だったので、人間ではないと判定するのは簡単だった。しかし、記号表記が進歩し、記号体系がさらに複雑なルールにも適応できるようになった結果、現代のコンピューターはどんどん人間のような会話[*1]ができるようになってきている。

その結果、いつの日かついにチューリング・テストに合格し、人間として通用するようになるかもしれない。

現代の暗号は、記号と規則を基盤にした複雑な言語で書かれている。暗号の役割は、国家機密を守ること、大規模なインフラシステムへのアクセスを制御すること、膨大な金融取引を安全に行うことなどだ。

21世紀に入ってからは、暗号解読による大規模なデータ流出事件がいくつか起こっている。アリババ、マイクロソフトのメールアカウント、出会い系サイトのアダルト・フレンド・ファインダーなどの民間サービスが被害に遭い、また2020年にはアメリカ連邦政府のデータもハッキングによって流出した。

2021年には、コロニアル・パイプライン社の石油パイプラインを制御するシステムがサイバー攻撃を受け、アメリカ東海岸へのガソリン供給が寸断されることになった。この事件は混乱とパニックを引き起こし、重要なインフラを守ることの大切さがあらためて認識される結果となった。他にも、フロリダ州の水道システムがハッキングを受け、水酸化ナトリウムの含有量が一時的に100ppmから1万1100ppmに上昇したという事例もある。犯人の目的は、水道水を汚染することだった。

言語の謎解きに興奮を覚える人にとって、暗号解読はとてもおもしろいゲームなのだろう。1999年、15歳の子どもがアメリカ国防総省のコンピューターをハッキングし、政府内でやり取りされたメッセージを大量に傍受した。そしてもちろん、一般の人々をだまして個人情報を盗むというタイプのハッキングもある。

つまり言語には、人々のコミュニケーションを促進する役割だけでなく、情報へのアクセスを阻害する役割もあるということだ。

新しい言語の創造

人類は数千年も前から言語を創造してきた。この種の言語は「自然言語」と呼ばれている。自然言語とは、年月とともに進化し、日々のコミュニケーションの手段として用いられる言語のことだ。

どこで線引きをするかにもよるが、現在のところ、世界には7000種類以上の自然言語があるとされている。それらは140以上の語族に分類され、そのうちの約80の言語が、世界の約190カ国で公用語となっている（国民国家と公用語の正確な数は、地政学的な情勢によって変化する）。

これらの言語も、人類がこれまで使ってきた言語の総数から見ればほんの一部でしかない。そして現在、毎年のように多くの言語が消滅している。

人類、あるいは人類の祖先が最初に発した言葉を知るのは不可能だ。その理由は、話し言葉は記録に残らないからであり、そして何を「言葉」とするか、何を「人類の祖先」とするかという線引きによって結果が変わるからだ。私たちにできるのは、初期のヒト科の発語システムを研究し、世界のさまざまな言語の使用頻度と重なる部分を統計的に分析した結果から、ある程度の推測をすることとくらいだろう。

話すほうではなく書くほうであっても、人類初の書かれた文字を知るのは難しい。「書かれた文字」をどう定義するか、洞窟壁画、象形文字、絵文字も「文字」に含まれるのかということを決める必要があるからだ。

人類初の文字とされているのは、紀元前3500年前後にメソポタミアで栄えたシュメール文明で使われていたくさび形文字だ。[*2] ある特定の記号と特定の音が結びつくという現代の文字は、紀元前1800年から1500年にかけて生まれた原シナイ文字にルーツがあるとされている。

現代のアルファベットにもっとも近い線文字のうち、記録に残っているかぎりもっとも古いとされるものは、紀元前1050年から150年にかけて生まれたフェニキア文字だ。フェニキア文字には22のアルファベットがあり、そのすべてが子音で、母音を表す文字は存在しない。

理論上、人間の身体が言語として使用できる音はほぼ無限だ。言語に使える音は、話すときに肺から出る空気を制御する方法と、口の形、そして舌の位置で決まる。

母音の発音は、舌を上に置くか下に置くか、前に置くか後ろに置くか、唇をどう丸くするか、音を生成するときの力の入れ加減という要素の組み合わせだ。そして子音は、発語する位置（声道のどこを締めるか）、発語の方法（声道をどこまで狭くするか、どうやって空気を送り出すか、舌をどこに置くか）、発音（声帯のどこを、どのように振動させるか）によって決まる。

解剖学的には、以上のような変数をどう組み合わせるかによって、人間は無限の音を生成することができる。たった1つの変数をほんの少し変えるだけで、違う音になるからだ。しかし、解剖学的には無限の音を生成する能力があるといっても、現実には、それぞれの言語に含まれる音の組み合わせはごく少数だ。

子音と母音の数は言語によって異なる。もっとも少ないほうの例をあげると、ハワイ語は母音が5個で子音が7個、ブラジルのアマゾンで暮らすピダハン族の言語であるピダハン語は、母音が3個で子音が7個か8個しかない。

そしてもっとも多いほうの例をあげると、リトアニア語は母音が12個で子音が47個、デンマーク語は母音が32個で子音が20個だ。カンボジアのクメール語は74個の文字があり、一方でパプアニューギニアのブーゲンビル島で話されるロトカス語には文字が12個しかない。

言語はまた、どのような発音の組み合わせが許されるかという点でも大きく異なる。たとえばスペイン語では、/st/、あるいは/sp/で始まる単語はない。例外は、その前に/e/の発音がつくときだ。また英語は、/kj/、あるいは/gb/で始まる単語が存在しない。

ミャンマーとタイに暮らすモン族が話すモン語の場合、単語の最後に来る子音は/h/だけだ。

また、ジョージア語には子音が8個も連続する単語があり、ポーランド語には語頭に6個の子音が並ぶ単語がある。

人類が話すすべての言語におけるすべての発音を記録・再生する目的で、国際音声記号（IPA）と呼ばれる文字が開発された。言語学者、言語聴覚士、語学教師、その他の科学者、医師、教育者などが、あらゆる言語の発音を表記する目的でIPAを使用している。

違いが微妙すぎて、他の言語の話者には区別がつかない発音もある。母語に含まれない発音を聞き分けることができないのは普通のことだ。たとえば、日本語の話者の多くは、/r/と/l/を聞き分けるのに苦労する（日本語ではどちらも同じ音だからだ）。そして多くのスペイン語の話者は、/v/と/b/の聞き分けで苦労する（スペイン語では/v/も/b/も同じような発音だからだ）。

たしかに母語にない発音を聞き分けるのは難しいが、訓練すれば聞き分けも発音もできるようになる。脳機能イメージングを使った研究の結果、新しい音の区別を学ぶと、脳の神経活動が変化することがわかった。

新しい言語の創造は、人間の脳にとって珍しいことではない。現に、グーグルで検索する意味の「ググる」や、群衆からの資金調達という意味の「クラウドファンディング」など、新しい言葉が毎年誕生している。

また幼い子どもは、つねに即興で新しい言葉を発明する。ロシアの文豪レフ・トルストイは、「(子どもは）言葉の組み合わせの規則を大人よりもよく理解している。（中略）なぜなら、子どもほど頻繁に新しい言葉を思いつく大人はいないからだ」という言葉を残している。[*3]

ロシア人作家のコルネイ・チュコフスキーは、子ども言葉について考察した『2歳から5歳まで』（理論社）という本の中で、子どもが即興で発明した言葉が、実は他の言語や昔の言語の中に存在したという事例を紹介している。[*4]

ときに子どもは、実際に他の言語に存在するが、自分も周りの大人も知らない言語を創造することがある。たとえば、私が聞いたところによると、クリミアに暮らす3歳の子どもが、即興で「弾丸」という単語を「銃を撃つ」という動詞の意味で使った。その子は一日中、自分の小さなライフルを持って「弾丸して」いた。その子はまったく知らなかったのだが、実はこの表現は、遠く離れたドン地方で何百年も前から使われている。L・パンテレーエフの小説に登場するヤロスラヴリの女性が、「そして彼らは弾丸して、さらに弾丸した！」という表現を何度か使っている。また別の子どもは、その子の正確な年齢はわからないが、「obutki（靴製品）」、「odetki（服製品）」という言葉を発明した。その子はオデーサのすぐ近く、黒海からそれほど離れていない土地に住んでいた。もちろんその子も、自分が発明した言葉が、はるか北にあるオロネツ地方で、かつて数百年にもわたって使われていたことを知らなかった。

新しい単語を創造するだけでは飽き足らず、新しい「ミニ言語」を創造する子どももいる。

親友や親密なグループ内だけで使ったり、他人に知られたくない秘密を日記に書いたりするためだ。有名な例は「なんちゃってラテン語」とも呼ばれる「ピッグ・ラテン」だが、完全に独自の言語を編み出すこともある。もしかしたら、あなた自身がそんな子どもだったかもしれないし、あなたの子どもがそうかもしれないし、あるいはそういう子どもが知り合いにいるかもしれない。

私のいちばん上の娘は、まさにそういう子どもだった。幼稚園のころから独自の言語を発明し、小学校に上がったら、今度は親友と秘密のやり取りするために独自の暗号まで考えた。そして中学生になると、クリスマスプレゼントにハッキングの本が欲しいと言い出したのだ。

そして中学を卒業すると、優れたテクノロジー教育で有名なイリノイ州数学科学アカデミー（IMSA）に通うことになった。ここは3年制の寄宿学校で、州が資金を出しているので授業は無料で受けることができる。『ワイアード』誌に「ハッカーのホグワーツ」と紹介されたこともあった。*5

私が親として覚えているのは、この高校の独特な校則だ。校則は違反の重さに応じて罰が決まっている。一般的な高校であれば、想定している違反は服装違反、飲酒、ドラッグの使用などだろう。しかし娘が通うIMSAでは、生徒が関わったハッキングの深刻さによって罰が決まっていたのだ。学校のコンピューターに侵入して自分の成績を書き換えるといったことから、政府機関のコンピューターをハッキングするといった重大な違反までが想定されていた。

ＩＭＳＡは、ユーチューブ共同設立者のスティーブ・チェン、ペイパル共同クリエイターのユ・パン、イェルプ共同設立者のラッセル・シモンズ、スパークノーツとＯＫキューピッド共同設立者のサム・ヤガン、ヒアセイ・ソーシャル設立者のクララ・シーをはじめ、テクノロジー界のイノベーターを数多く輩出している。

伝統的に、テクノロジーの進歩を牽引してきたのは、アメリカ国防総省をはじめとする防衛セクターだった。そのうちのいくつかは、一般の社会でも広く使われるようになっている。もっとも有名な例は、インターネットとＧＰＳだろう。今ではどちらも人々の生活の一部になっている。

しかしその一方で、シリコンバレーや民間セクターのほうが、優秀な人材をより多く惹きつけ、新しい発見やイノベーションで先頭に立っているようだ。民間企業は、政府機関や防衛機関と提携し、民間の技術を積極的に提供している。

たとえば、グーグルは国防総省と提携し、動画の物体認識技術の向上を目指している。またマイクロソフトも、軍事用ＡＲゴーグルの開発で２１９億ドルの契約を結んだ。軍事力を民間の営利企業にアウトソースすることのリスクを指摘する人もいるが、中国やロシアといった国に対抗するには必要なことだという主張もある。

いずれにせよ、政府であろうと、民間企業であろうと、テクノロジーの世界で成功できるかどうかは、複数の記号体系を自在に操れる人材を獲得できるかどうかにかかっているようだ。

私はスタンフォード大学でサバティカル休暇を取得中に、外国出身で、今はアメリカでコンピューター言語の開発をしているマルチリンガルの何人かと会うことができた。そのうちの1人に、16歳でＭＩＴを卒業し、19歳のときにスタンフォード大学で博士号を取得したという男性がいた。とてつもない経歴だが、実はこの世界ではそこまで珍しい存在ではない。

こうやって世界中から集まった優秀な人たちは、みな自然言語とコンピューター言語のマルチリンガルだ。彼らは、シリコンバレー、大学、政府機関にとって貴重な知的資産であり、発見とイノベーションを促進する競争で欠かせない存在になっている。

これはいってみれば創造性のループだ。複数の言語を操ることがより高い創造性につながり、そして高い創造性がより高度な言語につながる。

▼自然言語と人工言語

顕微鏡の発明によって病気の原因となる細菌の存在が明らかになったように、あるいは望遠鏡の発明によって他の惑星や銀河の存在が明らかになったように、人工言語の発明が、人類の脳のコードを解き明かす助けになってくれる。

自然言語と人工言語は共生関係にある。それはつまり、お互いがお互いの利益になっているということだ。語学学習で成功する秘訣を知るには、言語を学ぶことの裏にあるメカニズムを理解する必要がある。そして、この分野における重要な発見の多くは、人工言語の研究から生まれてきた。人工言語と人工知能（ＡＩ）は、人間の言語と思考が生み出した知識を基盤にしている。そうやって生まれた人工言語とＡＩが新しい情報を生み出し、それによって人間の思考と学習のさらなる進歩が可能になる。

人工言語には長い歴史がある。世界初の人工言語であるリングア・イグノタが生まれたのは１１００年代のことだ。ドイツ人女子修道院長のヒルデガルト・フォン・ビンゲンが考案した。世界でもっとも有名な人工言語といえば、１８８７年に誕生したエスペラントだろう。あるポーランド人医師が、国際語をつくることを目指してこの言語を考案した。エスペラントは、形態的にも統語的にも高度な規則性があり、２時間もあれば習得できるといっても過言ではない。少なくとも、インド・ヨーロッパ語族の言語を話す人にとってはとても簡単だ。

人間が話す自然言語とは異なり、人工言語は一定の理論の上に構築されていて、主に科学、技術、あるいは娯楽の目的で使用される。人工言語をどう定義するかにもよるが、人工言語の総数は、民間に支援された一般的な用途の言語が50種あり、さらに範囲を拡げると９０００以上にもなると考えられている（言語の定義に統語と文法も含むのか、あるいは語彙だけなのかによって異なる）。

いずれにせよ、人工言語の数をかぞえるのは基本的に無意味な行為だ。コードが書ける人であれば、いつでも新しいコンピューター言語を「創造」したり、あるいは既存の言語を改変して新しい言語を生み出したりできる。それに野心的な作家も、自分の作品の登場人物に独自の言語を話させるかもしれない。つまり理論上、言語の数は無限だということだ。

人工言語は大きく3つの種類に分けられる。第1のグループは、Python、Java、JavaScript、C、C++、C#などのコンピューター言語だ。第2のグループは、映画や本、ゲームなどエンターテインメントの目的でつくられた言語。『アバター』のナヴィ語、『ゲーム・オブ・スローンズ』の高地ヴァリリア語、『スタートレック』のクリンゴン語、『ロード・オブ・ザ・リング』のシンダール語などがこれにあたる。そして第3のグループは、ブロカント、ラーダン、コルベア語など、研究の現場で使われる言語だ。エスペラントやインターリングアのような国際コミュニケーションのために開発された人工言語は、第2と第3の間に位置する。いくつかの人工言語は、「Duolingo」などのオンライン語学学習サービスで学ぶことができる。クリンゴン語もその1つだ。

コンピューター言語についても、ごく簡単にではあるが触れておきたい。自然言語との類似性の謎を解くためだけでなく、言語には学習と進歩を促進する力があるということを理解してもらいたいからだ。

人間が使う自然言語と同じように、コンピューターもまた、記号で構成された言語を使う。これらの記号体系は、知識と情報を組織化する。AIも、人間の脳も、暗号化、暗号解読、新しい情報の獲得という作業を基盤にしている。つまり言い換えると、コミュニケーションと学習を基盤にしているということだ。さらにコンピューター言語も、自然言語と同じように、大量の情報を効率的に暗号化して小さなユニットにすることを可能にしている。

そしてこれも自然言語と同じように、コンピューター言語もある言語から別の言語への「翻訳」が可能だ。たとえば、COBOLのような初期のプログラミング言語は、新しいコンピューター言語に翻訳しなければならないことがよくある。このような翻訳のおかげで、最新のコンピューター言語を使っている会社やシステムも、数十年も前の情報に今でもアクセスすることができる。

人工言語は急速に進歩し、暗号化して小さなユニットに変換できる情報の量がどんどん増えている。その結果、科学の分野でも新しい発見が指数関数的に増えていくだろう。歴史をふり返ると、プログラミング、数学、AIの進歩は、記号表記の進歩と歩みを同じくしてきた。

人工言語にできるのは、コンピューター言語などによってテクノロジーの進歩を促すことや、クリンゴン語、シンダール語、ドスラク語などの想像上の世界を創造することだけではない。人間が自然言語を獲得する仕組みや、人間の心と宇宙のコードを解明する助けになることもできる。

たとえばすでに、クリンゴン語を使って言語学習の適性を評価するということまで行われている。クリンゴン語の音と記号の組み合わせを理解できるかどうかで、英語をどの程度流暢に操れるようになるかがわかるというのだ。*6

前にも見たように、自然言語には、それぞれに独自の音、筆記システム、様式、文法などの要素がある。さらに、言語同士の違いだけでなく、同じ言語内でも違いがあり（ある1つの言語で用いられる単語でも、具象性、使用頻度、発音可能性などの変数によって異なる）、また話者によっても、流暢さ、認知能力、その言語にどの程度までさらされているか、どこに住んでいるか、どんな人たちと交流があるか、などの変数で違いがある。つまり、自然言語を研究するときは、ある1つの変数を切り出し、その変数の影響だけを見ようとするのは、不可能ではないとしても、とても難しいということだ。

そこで人工言語の出番になる。研究用に人工言語をつくれば、研究者が恣意的に言語の要素を抽出して操作することができるからだ。自然言語の場合、変数の数が研究者の手に負えないほど膨大になるが、人工言語であれば、研究者がコントロールしながら言語を獲得する仕組みを調べることができる。

人工言語を使い、研究に適した環境を構築すれば、マルチリンガル、人間の脳、共同体のコードについて、より一般的な知識を得ることができる。人工言語を使えば、研究者は、その言語に対する学習者の知識だけでなく、言語そのものの要素までもコントロールすることができる。その結果、どの要素がどんな影響を与えているのかが、より明確になるだろう。

それに加えて、自然言語の出現と獲得をシミュレーションすることもできる。綿密にコントロールされた人工言語を開発すれば、ある特定の自然言語にどの程度まで似せるか、あるいはどの程度まで似せないかといったことも操作できる。その結果、使用頻度、筆記システム、言語経験、さらには赤ちゃんや子どもにおける言語発達といった変数が与える影響までも理解できるようになる。

たとえば、言語獲得に関する数多くの研究で、子どもの言語発達を調べる「ワグテスト」が用いられてきた。[*7] ワグテストでは、意味のない偽の単語を用いて、子どもが言語の形態、たとえば「複数形にはsをつける」といったルールをどのように学習するかを調べる。

子どもは、「ワグ」と呼ばれる、青色をした小さなかわいい生き物のイラストを見て、ワグを描写した未完成の文を完成するように言われる。子どもは、未知の刺激（この場合はワグという生き物）を見たときも、規則を一般化することができる。

そこからわかるのは、人間は言語を獲得するとき、ただ見たり聞いたりしたものを覚え、それをくり返しているだけではないということだ。言語を獲得するときの脳は、周囲のインプットからパターンを抽出し、そこに規則性を見つけ、その規則を一般化して新しい刺激にも適用している。

私の研究室でも、モールス信号[*8]のような人工言語を人々に教えるという方法で、言語や人間の心の仕組みについて多くを研究してきた。たとえばある研究プロジェクトでは、コルベア語[*9]と呼ばれるちょっとした人工言語を開発した。

コルベア語の名前の由来は、ノースウェスタン大学出身のコメディアンで、自身も独自の造語で有名なスティーヴン・コルベアだ。彼の造語には、もっともらしく聞こえる嘘という意味の「トゥルーシネス（truthiness）」や、トゥルーシネスも含めた最近の共和党の特徴を備えている人物を描写する「リンカーニッシュ（Lincolnish）」などがある。

私たちはコルベア語を使って、単語内に出現する文字の並びと発音の頻度や、実在する言語との単語の類似性といった変数を操作し、単語を構成するさまざまな要素が、第二言語や第三言語における単語の学習にどのような影響を与えるのかをより深く理解しようとした。他にも、ブロカントなどの人工言語を使って、文法を学習するプロセスを研究する人たちもいる。

しかし、ここで疑問が浮かんだ人もいるかもしれない。自然言語の特性を排除した人工言語を使って、自然言語の獲得を理解することは本当に可能なのだろうか？

▼ AIさえも困惑させる「人間独自の能力」

もちろん、どんなによくできた人工言語であっても、自然言語には遠く及ばない。自然言語は、知覚のインプット、言語の構造、発話に伴う身体の運動、思考、信念、記憶など、あらゆる要素が圧倒的に豊かだ。

とはいえ、物理学者が小さな素粒子を衝突させることで宇宙の起源を知ろうとするのと同じように、心理言語学者もまた、人工言語を使って言語と心の働きについて学ぶことができる。

たとえ人工の言語であっても、脳がそれを処理するときは、自然言語を処理するときと同じように神経が活性化する。その事実を踏まえれば、人工言語を用いたマルチリンガルの研究にも大いに意味があるとわかってもらえるはずだ。

これまでのところ、研究用の人工言語は、主に音、文字の形、単語、文法を学習するプロセスを調べるために使われてきた。しかし、類比推論や、事象構造の学習といった高次のプロセスの研究にはまだ使われていない。この種の学習は、ＡＩもまだ苦手としている。しかし研究が進めば、高次の認知機能に関する理解も深まり、それが人工言語の進歩につながるかもしれない。

人工言語には、複雑なプロセスから本当に大切なところだけを抽出するという能力がある。そのため、もっとも高度なＡＩさえも困惑させる「人間独自の能力」も、人工言語なら解明することができるようになるかもしれない。

今のところは「思考」という形で理解されている人間の認知の構造も、人工の神経ネットワークを数学的に記述するのと同じように、もしかしたらコンピューター言語に置き換えることができるようになるかもしれない。神経ネットワークを訓練するために、神経科学と機械学習を融合させるという研究は、まさにそれを行おうとしている。

大量の言語の体系化が進み、コンピューターが発達した結果、言語研究は特異な時代に突入した。研究者たちは、かつてないほど大規模で、多様な変数を含んだ研究を行うことが可能になっている。ある1つの言語の研究でも、複数の言語を比較する研究でも同じことだ。過去の膨大な言語研究を基盤にした分析を用いて、正確で、よく統制された研究を行うことができるようになった結果、科学もテクノロジーもかつてない速度で進歩している。それに加えて、研究に必要なツールがインターネットで誰でも手軽に使えるようになったために、科学研究の民主化も進んだ。私たちの誰もが、それらのツールを活用して、人間の知識を拡張する新しい方法を開発することができる。

コンピューター科学も人工言語も、人類共通の数学的な記号を使っている。そのためもしかしたら、いつの日か人間の言語の限界を超えることが可能になるかもしれない。

まだその日は訪れていない。今のところ、コンピューター言語が使う記号（キーワード）は、自然言語と数学的な表記法の組み合わせだ。コンピューター言語は、数学的に表現できる形式意味論を用いている。

現在にいたるまで、数学とコンピューター科学はいつもともに歩んできた。カリー＝ハワード同型対応を例に出すまでもなく、コンピューター・プログラムと数学的証明の間にはつねに直接的な関係がある（同型対応とは、2つの組をマッピングするときに、組を構成する要素の間にある関係が保持される一対一の対応のことだ）。

現在のところ、数学とＡＩは同じコインの裏と表だ。この状況が永遠に続くのか、それとも両者はいずれ違う道を進むことになるのか、その答えはまだ誰にもわからない。数学とＡＩの関係は、言語と人間の知能の関係に似ていると考える人もいる。その類似性の限界と、両者の違いについては、これまで激しい議論がくり広げられてきた。

数学の歴史は、言語と人類の歴史

ガリレオ・ガリレイがかつて主張したように、数学は言語であり、神は数学という言語を使って宇宙を書いたのだろうか?

言語のような記号体系は、人類が使うことのできるもっともすばらしいツールの1つだ。記号を使えばありとあらゆるすごいことができる。

「リンゴ」という記号を使って、誰かに何か食べるものを提供する。ソースやパイがどんな材料でできているかを説明する。アダムとイブの物語のような物語を語る。なるべく医者にかからずにすむような知恵を伝える。「目の中のリンゴのようだ」(「目の中に入れても痛くない」の意)などの比喩表現を使う。

自分が欲しいもの、自分が考えていること、自分の計画、自分の過去を他人に伝える。そのとき、記号を口頭で伝えれば、1人の人に届けることも、大勢の人に届けることもできる。あるいは記号を紙に書けば、時代や空間を超えて伝えることもできる――私が今やっていることもまさにそれだ。

ウィトゲンシュタインの「言語ゲーム」を引くまでもなく、言語それ自体が1つのゲームであり、私たちは全員が同意したルールに従って言語というゲームをプレイしている。

それはつまり、言語を構成する要素は定義によって左右され、何をもって言語とするかという点について完全な合意があるわけではないということだ。たとえば、「チェス」というゲームは言語だろうか？　チェスには独自のルールがあり、表記法がある。チェスのプレイヤーに言わせれば、チェスそれ自体が言語であるということになるかもしれない。

人類が開発した記号体系の中で、もっとも強力なものの1つは数学だ。一説によると、古代ギリシャの数学者アルキメデスは、ローマの兵士に殺されるときに数学の問題を解いていたという。

数学の記号にはそれぞれ意味があり、誰でも理解できるように構成されたある一定のルールに従っている。私たちが見ている現実の世界にも、数学モデルを使って描写されたり、予測されたりするものがたくさん存在する。数学の方程式を使えば、氷と水の間にある境界の運動をモデル化し、溶ける氷がなめらかな状態であることを証明することができる。木の葉の形でさえ数学のルールに従っていて、フラクタルという考え方で説明することができる。

また、私たちの技術や科学が進歩してきたのは、数学が持つ予測の力のおかげだ。アルバート・アインシュタインは、数学の予測の力を使ってさまざまな理論を打ち立ててきた。その理論が観察によって確認されたのはつい最近のことだ。

アインシュタインは、「神はサイコロを振って宇宙を創造したのではない」という有名な言葉を残している。これはつまり、自然と宇宙は究極的に、数学モデルによって説明できるということだ。

詩と同じように、数学もまたそれ自体が１つの言語であり、私たちの心と脳を形づくる１つの強力なコードだ。そして数学が詩と違うのは、現在のところ、世界共通言語にもっとも近い存在であるということ。数学が科学の女王と称されるのは、宇宙の多くの事象を描写し、説明し、そして予測することができるからだ。

数学の歴史は、そのまま言語と人類の歴史でもある。ゼロの使用から、量の単位、さらには量子物理学にいたるまで、数学という言語は科学の進歩ともっとも密接に結びついてきた。

数学の記号が最初に使われたのは、今から２０００年以上も前のことだ。古代ギリシャの思想家エラトステネスが、地球の円周を計算するために使ったとされている。たしかに人類は、有史以前から量、長さ、時間を表現できていたが、現在知られている数学の記号のほとんどは、一般的に使われるようになったのは16世紀に入ってからだ。それ以前は、文字を使って数学の問題を表記していた。

「計算」を意味する「calculus」という言葉は、ギリシャ語の「小石」という言葉が語源になっている。古代ギリシャ人は小石を使って数を表現していたからだ。現代でも学校で必ず習う「ピタゴラスの定理」で有名なピタゴラスでさえも、小石を使って数学の問題を解いていた。

初期の数学がなかなか進歩しなかった大きな理由の1つは、記号を使った表記法が存在しなかったことだとされている。記号が登場し、そこで初めて数学は大きな飛躍を遂げることになった。

数学が宇宙の言語であるなら、ヒト以外の種も数学の能力を持っていてもおかしくないはずだ。動物の認知を研究している科学者によると、たとえ昆虫でも、数をかぞえたり、大きな数を認識したりする能力があるという。昆虫の脳はとても小さいが、たとえばミツバチは位置が特定できるような目印をかぞえることができ、アリは自分の歩数をかぞえることができる。

カラスはかなり高度な数学能力を持つことで知られていて、たとえばゼロの概念を理解している。「何もない」のではなく、ゼロという単位が1つの量であるときちんと理解しているのだ。人間の子どもでも、6歳くらいになるまでこの概念を理解することはできない。数字が関係するタスクを行っているときのカラスの脳の活動を記録したところ、カラスの脳のニューロンは、「ゼロ」を他の数字と同じように1つの量の単位として認識していることがわかった。これは、人類や霊長類が脳の前頭前皮質で行っていることだ。

ヒト以外の種が、どこまで高度な数学能力を身につけているか、今のところはまだわからない。2018年、ミツバチを対象にある研究が行われた。個々のミツバチに、1つから6つの特徴を備えた刺激を与えることで、「〜より大きい（大なり）」と「〜より小さい（小なり）」という概念を教えたところ、ミツバチは数を大きい順や小さい順に並べるだけでなく、ゼロの概念も理解できるようになった。[*10]ミツバチのこの驚くべき能力[*11]は、その研究者にノーベル生理学・医学賞をもたらしている。[*12]

数学、あるいは数をかぞえることさえも、一種のコミュニケーション方法になりうる。ヒトだけでなく、他の種でもそうだ。ある種のカエルは、数を頼りに求愛の儀式を行う。中米原産のトゥンガラガエルは、メスをめぐって他のオスと争うときに鳴き声を使う。1匹のオスが、鳴いたあとに短い音を1回出すと、もう1匹のオスは短い音を2回出して対抗する。すると最初のオスが短い音を3回出し、もう1匹のオスはそれを受けて短い音を4回出す。その競争が、どちらかの息が切れるまで続くのだ。[*13]

相手の鳴き声を受けて出す音を1回ずつ増やしていくという行動からわかるのは、トゥンガラガエルは音の回数をかぞえることができる、つまり簡単な算数の問題が解けるということだけでなく、他者とのコミュニケーション手段として数学を活用しているということだ。

さらに驚くべきは、トゥンガラガエルの中脳にある聴覚のニューロンが、閾値となる回数の音が正しいタイミングで起こったときを選んで反応しているということだ。トゥンガラガエルのニューロンは、音と音の間隔を認識することができる。それはつまり、数をかぞえているように見える行動は、実際に神経活動と対応しているということだ。カエルのニューロンの反応は、数をかぞえるプロセスを反映していると考えられる。

ヒトの場合、何桁の数字まで覚えられるか、どれくらいの速さで計算できるかは、その人が話す言語で数字をどう表現するかということから影響を受ける。[*14]具体的には、数字を表現する言葉の長さだ。他の条件がすべて同じだとするなら、数字を表現する言葉が長い言語を話す人は、数字を表現する言葉が短い言語を話す人に比べ、暗算のスピードが遅くなる。[*15]

当然ながら、数字のシステムは言語によって大きく異なる。たとえば、英語では十進法が使われるが、すべての言語が十進法を使うわけではない。フランス語の場合、70までは十進法でかぞえるが、そこから先は十進法と二十進法を合わせて使う。たとえば、70は「60足す10」と表現するが、80は「20の4倍」、90は「20の4倍に10を足す」だ。

デンマーク語は、50未満までは英語と似ているが、50からは小数点を使ったシステムに切り替わる。たとえば50は「20の2・5倍」だ。70は「20の3・5倍」で、90は「20の4・5倍」と表現する。

もっとも優れた数のかぞえ方は十二進法だと主張する人もいる。十二進法を使う自然言語はごく少ないが、存在しないわけではない。12を基本的な数字とする十二進法の言語では、たとえば29という数字は「(12×2)+5」、95は「(12×7)+11」という数式を言葉にした形で表現される。これを見ただけでも、十二進法が一般的にならなかった理由がよくわかるだろう。現在、十二進法を基準としているのは、ナイジェリアとネパールで話されている言語の一部だけだ。

さらに興味深い言語もある。ニューギニアに暮らすオクサプミン族の言語で使われているのは二十七進法で、数を表す言葉には身体の部分の名前が使われる。片側の手の親指から始まり、鼻まで来たら、今度は反対側に移り、もう片方の手の小指で終わる。

またマヤ語の一種で、メキシコで使われているツォツィル語は二十進法で、数を表す言葉は足と手の指の名前だ。古代バビロニアでは六十進法が使われていた。六十進法は、現代では時間を表すとき（60秒で1分、60分で1時間）、地理の座標、角度で使われている。

バイリンガルが第二言語で数学を解くと？

たとえ数字のシステムに大きな違いがなくても、新しい言語を学ぶときは、たいてい新しい数字のシステムも学ばなければならない。マルチリンガルにとって、数学は特別なケースだ。[*16] 第二言語がかなり流暢に話せる、あるいは長年にわたって第二言語を主要言語として使っているマルチリンガルでも、数学の問題を解くときは母語を使うことが多い。

おそらく、最初に数学を学んだときに使っていた言語が、生涯にわたって数学の問題を解くときのデフォルト言語に設定されるのだろう。他の言語も完全に習得し、母語よりも流暢に操れるようになったとしても、基本的な計算のような簡単な数学の問題でさえ、母語を使わないとできないようだ。[*17]

ルクセンブルク大学で行われた脳機能イメージングを使った研究によると、どうやらバイリンガルは、第二言語で数学の問題を解くときに、通常なら空間的思考と視覚的思考を司る脳の部位を使うことが多いようだ。その理由は、マルチリンガルの脳は各部位がより密接につながっているからかもしれないし、あるいはバイリンガルはそれぞれの言語で自動化の度合いが低いために、問題をより視覚化する必要があるという理由も考えられるかもしれない。

複数の言語のルールや文法を経験すると、新しい計算の情報を認識し、情報を処理するように脳を訓練できるのかもしれない。ある研究によると、バイリンガルの脳の大脳基底核は、古い数学の問題よりも新しい数学の問題に敏感に反応する。[*18]そしてバイリンガルは、モノリンガルに比べ、0・5秒早く新しい数学の問題を解くことができるが、すでに見たことのある問題の場合は問題を解く速度はほぼ同じだ。

カウチに寝転がってテレビを見ているときなら、0・5秒の違いなどたいしたことはないと感じるかもしれない。しかし、ニューロンとコンピューターを基準にすると、これは大きな違いだ（ブラウザを更新する速度や、情報をダウンロードする速度で考えればよくわかるだろう）。

数学の専門家の神経ネットワークを調べたところ、高度な数学的思考を行うときは、言語を司る部位ではなく、空間と数を司る部位を使っていることがわかった。[*19]数学の専門家がさまざまな数学の問題を解くときに、その脳の活動をスキャンしたところ、数学に反応するネットワークと、文を理解するときや、一般的な意味的知識によって活性化するネットワークが、まったく重なっていないことがわかった。

ここから推測できるのは、バイリンガルとモノリンガルで数学の能力が異なることがいくつかの研究で観察されたのは、バイリンガルのほうがよりたくさんの言葉を知っているからではなく、複数の言語を話すことによって認知システムが質的に変化したからではないかということだ。マルチリンガルの脳は再構成され、その影響は単に言語だけにとどまらない。

この研究からは、もう1つ興味深い発見があった。脳の紡錘状回という部位は、人の顔、数字、単語などの認知を司る。数学の専門家は、人の顔を見たときに、右側の紡錘状回の活性化が普通より低いのだ。この発見が興味深いのは、文章を読む専門家も同じような反応を示すからだ。彼らの紡錘状回も、人の顔よりも文字のほうにより敏感に反応する。数学者の紡錘状回が数字により敏感に反応するのと同じことだ。

この発見によって、またもや脳の可塑性が証明された。人間の脳は、経験によって神経ネットワークが変化する。複数の言語を話すことでも、数学でも、読むことでも、その経験が脳を物理的に変えるのだ。

学習を重ねることで、学習効果が指数関数的に飛躍するという原理は、自然言語だけでなく、人工言語や、数学と論理にもあてはまる。去年のクリスマス、私の娘は、プレゼントで重ねてつける指輪のセットをもらった。私はその中から3つの指輪を取ると、自分の薬指につけてこう言った。

「見て、ママの指には3つの指輪がついている。とがってるほうを上に向けてつけてもいいし、

下に向けてもいい。それに3つを並べる順番を変えることもできる。この指輪の組み合わせは、全部で何通りあると思う?」

もしあなたが、娘と同じ「48通り」と答えたのなら、あなたは正解だ(あるいは、3つすべてを使うのではなく、1つだけ、あるいは2つだけを使うデザインも含めるなら、78通りでも正解になる)。

私の子どもたちは、最近はこの種の組み合わせの問題[20]で、私よりも早く答えを出すことができる。私はもっとも古典的な組み合わせのパズル、すなわちルービックキューブで育ったというのに、子どもたちに勝てなくなってしまった。子どもたちは、スキーやテクノロジーの活用と同じように、この分野でも私を追い越していった。

私はその理由を、まだ若くて脳が柔らかいからだということにしているが、子どもたちが小さいころから私と一緒に知育パズルをたくさんやってきたおかげもあるだろう。私の祖父母も、私が子どものころに頭を鍛えるようなパズルをいつもつくってくれた。

先週末に家族のディナーで集まったときも、父が幼い孫たちに向かってこんな問題を出していた。「時計はないけれど、複数のマッチと2本のロープはある。ロープの一方の端に火をつけたら、1本すべて燃えるまでに1時間かかる。この状況で、45分たったとわかるにはどうすればいいだろう?」

そしてもちろん、おなじみの「狼と山羊とキャベツの川渡り問題※」もある。狼と山羊とキャベツをボートに乗せて川の向こうに運ばなければならないが、ボートに乗れるのは1度に1匹（1つ）だけだ。狼と山羊を一緒に残すことはできず、山羊とキャベツを一緒に残すこともできない。狼が山羊を食べ、山羊がキャベツを食べてしまうからだ。無事に2匹と1つを向こう岸に運ぶにはどうすればいいだろう?

たしかにバカげた問題かもしれないが、こういった問題で頭を訓練すると、問題解決の方法を学ぶことができる。1つの問題を解決するごとに、新しい問題を解決するのが簡単になっていくのだ。

※有名な論理パズル。【問題】川岸に1人の男がいる。男は、狼、山羊を連れ、キャベツを1つ持っている。目の前のボートで、狼、山羊、キャベツを対岸まで安全に運ぶにはどうしたらいいか。【条件】①ボートには、男以外に1匹（1つ）の荷物しか乗せられない。②男が一緒にいないと、狼が山羊を食べ、山羊がキャベツを食べてしまう。③ボートの運転は必ず男が行わないといけない。条件や登場人物は出題者によってさまざまで、回答者はパズルのように問題を解いていく。

11 科学とテクノロジーの未来

言語がどこで終わり、言語から解放された思考がどこで始まるのか、そしてその2つの間には、そもそも何らかの境界線があるのだろうか。

私たちはまだその答えを見つけていない。これは、心理言語学における「卵が先か、鶏が先か」の問題だ。思考が先なのか、それとも言語が先なのか？

思考が先で、その後に言語が来ると主張する人もいる。彼らになぜそう思うのかと尋ねると、たいてい「言語が思考を測定するから」というような答えが返ってくる。言い換えると、ある人が何を考えているかを知るには、言語を基盤にしなければならないということだ。思考を評価するときに言語を使い、そして思考と言語は密接に結びついているので、この2つを切り離すのはきわめて難しい。

数学的な表記法、コンピューター科学、AIが進歩した結果、理論と知識を口頭言語から切り離し、数学的に表現することができるようになった。とはいえ、この本でもすでに見たように、数学それ自体が1つの言語であり、記号体系だ。あなたや私が、他者に自分の思考を伝えるために言葉を使うように、数学的な表記法もまた、アイデア、指示、計画を伝達するために使われる。

言い換えると、数学は「言語から解放された思考」ではなく、もう1つの記号体系だということだ。数学も言語と同じように、暗号化、伝達、発見のために使われる。

赤ちゃん、動物、きのこ

私たちは通常、言語を使って思考を研究する。言語による複雑な影響を度外視して、思考を測定するのはほぼ不可能だろう。言語と思考を切り離す試みで可能性がありそうなのは、言語を獲得する前の赤ちゃんを観察するという方法だ。

どれくらい指をしゃぶるか、目をどちらに向けるか、見ている時間はどれくらいか、頭をどう動かすかといった行動を観察し、幼児の認知能力を研究することで、思考と言語の起源を探る。そこからわかったのは、人間は言葉を話すようになるずっと以前のごく幼いころから、かなり高度な認知能力を備えているということだ。

しかし、この種の研究であっても、言葉を話さない赤ちゃんもすでに言語にさらされているという反論は免れない。周りから話しかけられるのはもちろん、生まれる前から外の言語を聞いているからだ。

それはつまり、たとえまだ言葉を話さなくても、あるいは生まれてさえいなくても、赤ちゃんの認識はすでに言語によって形づくられているということになる。赤ちゃんはまだ母親のお腹の中にいるときから、言葉にさらされ、言葉に対して敏感に反応しているので、思考と言語を切り離すのは思っているほど簡単なことではない。

私たちはかつて、fMRIや脳波の測定といった新しい手法、あるいはアイトラッキングを使えば、言語から解放された思考にアクセスできるのではないかと考えたことがある。言語を使わずに、神経の活動や衝動性眼球運動を測定するだけで思考を割り出そうとしているからだ。しかし、その方法でも正確なことはわからなかった。なぜなら、観察された脳の活動や目の動きを分析するのに、言語をベースとした判定基準を使っていたからだ。

言語と思考の関係を研究するなら、言語の起源はどこにあるのかという問題を避けて通ることはできない。そして言語の起源を問題にするなら、思考の起源についても考えなければならないだろう。

もし仮に、言語と思考が同じコインの裏と表であるなら（「言語の策略」という論考のところでも見たように、これはありえないことではない）言語の起源は人知を超えたところになければならない。なぜなら、言語が存在しなければ思考するのは不可能であり、言語が存在しない世界には思考も存在しないからだ。

それに、たとえ言語の影響がまったくない行動を見つけられたとしても、それはおそらく、ヒト以外の動物にも観察できる行動だろう。そしてその時点で、私たちは「そもそも思考とは何か？」という問題と向き合わざるをえなくなる。

言語を必要としない思考が、ヒト以外の動物にも観察できるとしたら、それらの動物もまた、思考、理論、意識、直感の能力を有しているということなのか？　そして、動物にも思考とコミュニケーションができるなら、何が思考で、何が言語なのか？　そもそもヒトであるとはどういうことなのか？　この地球上で、記号体系としての言語をつかう種は私たちヒトだけなのだろうか？

言語をどう定義するかにもよるが、ヒト以外の種が言語を使ってコミュニケーションを行う例は多数報告されている。これもまた認知現象の一例だ。２０２１年に行われ、科学専門誌の『サイエンス』に掲載されたある研究によると、嚢羽コウモリの「赤ちゃん言葉」は、同じ音のくり返しや律動性など、ヒトの赤ちゃん言葉とよく似た特徴を持つという。[*1] またアリも、蟻客（アリ社会に入り込んで一緒に生活する虫）とコミュニケーションを行い[*2]、その際に使われる言語は分析することが可能だ。[*3]

言語を「他者と意思疎通するために使用する電気信号」と定義するなら、菌類のような意外な生物さえも言語を持つということになる。キノコは、情報を共有するために、50種類もの電気信号を使い分けている。[*4]その電気信号は地中まで伝わり、栄養源や、個体の損傷の情報を仲間に伝えることができる。[*5]

コンピューター科学者たちは、これらの電気信号はヒトの言葉と似ているとまで主張する。しかし菌学者(キノコやカビ、酵母を研究する専門家)は、むしろその主張にブレーキをかけ、「キノコ語」として「Fungusese」という単語をグーグル翻訳に追加することには反対している。彼らによると、キノコが発する神経の電気信号のようなものは、もしかしたら単なる栄養素の伝達かもしれず、それは他の植物にも見られる現象だ。

複数のコミュニケーション・コードを使い分ける能力を持つのは、もしかしたらヒトだけではないかもしれないと信じる理由さえも存在する。たとえば、山羊や鳥、ハダカデバネズミは、複数のコードで互いにコミュニケーションを行っていることが観察されている。

ハダカデバネズミは、地中に暮らす齧歯類《げっしるい》であり、目は見えず、耳もほとんど聞こえない。しかし、コロニーごとに違う独特の鳴き声を使って、互いにコミュニケーションを行っている。彼らは鳴き声を通して社会的な情報を受け取り、その情報に応じて自分の態度を変えている。他のコロニーに連れていかれた子どもは、そのコロニーの方言を学んで身につける。コロニーごとの方言を決めるのはコロニーの女王であり、女王が交代すると、方言も変わる。

ハダカデバネズミのコロニーを観察したある研究によると、コロニーでクーデターが連続し、女王が2匹続けて殺されて新しい女王に入れ替わると、そのコロニーの方言はすぐに安定性を失い、変動が大きくなったという。[*6]

このような研究からわかるのは、複数のコミュニケーション・コードを知っていると、個体のレベルだけでなく、集団や種全体のレベルでも、生き残る確率が上がるということだ。私たちヒトとハダカデバネズミとの間に何らかの共通点があるとしたら、それは異なる言語を柔軟に使い分ける能力——異なる言語を学び、それを使ってコミュニケーションを行う能力——が、少なくとも部分的には、生死を分ける要素になるかもしれないということだろう。

私は犬好きなので、うちの犬は私の言葉を理解できるという冗談をよく言う。学生ほどは理解していないかもしれないが、子どもより理解しているのではないかと思うことはときどきある。

しかし、科学者としては、それは言語をどう定義するかということ、そして機械的な暗記と連想の創造が言語であり、新しい言語的な組み合わせを即興で生み出すことは言語ではないという立場を取るかどうかによって変わってくると言わなければならない。この2つはまったく違うものだ。

ヒト以外の種を対象に、コミュニケーション能力と認知能力を調べた研究には、とても興味深いものがいろいろある。それにユーチューブで探せば、言語能力や認知能力を駆使しているように見える動物のかわいらしい行動や、それほどかわいらしくない行動をとらえた動画を見ながら、延々と時間を潰すことができるだろう。

言葉を使わず意思疎通ができる未来？

科学とテクノロジーの進歩によって、人間のあり方も、また人間のコミュニケーション能力も大きく変わった。しかし、ポジティブな効果は、たいていネガティブな反動と対になっているものだ。

現代のテクノロジーをもってすれば、神経科学とコンピューター科学を合体させ、神経活動を言語に変換する装置を脳に埋め込むこともできる。これはもう、SFの世界だけの話ではない。今や神経科学の世界では、機械学習を使って脳の電気信号を変換して発話を合成することができるようになった。

この技術は、今後何らかの理由でコミュニケーションに障害がある人たちの助けになっていくだろう。たとえば、中枢神経系の損傷で明晰に話す能力が失われる構音障害や、声帯麻痺などを患っている人は、まだ研究段階ではあるが、体内に器具を埋め込む医療処置によって言葉を取り戻せるようになった。

現時点で、この技術はまだ完成にはほど遠く、思考から言葉への変換ができるのは簡単な単語だけであり、装置を埋め込むために脳の外科手術も必要になる。しかしこの技術によって、医療の介入は最小限に抑えながら、もっと長い文章や、複雑で自然な発話も、そう遠くない未来には可能になるということが証明されたといえるだろう。

ブレイン・コンピューター・インターフェースとは、脳の電気信号を何らかのデバイスにそのまま送信する技術のことだ。その最先端の技術の1つに、いわゆる「ニューログレイン」と呼ばれるものがある。[*7]ニューログレインは、極小のマイクロチップを脳全体に散らすように埋め込み、脳の活動を記録してコンピューターに伝送する技術だ。[*8]そのデータを使って、本物の脳を刺激することもできる。

現在のところ、チップの大きさは塩の粒（グレイン）ほどで、主な材料はシリコンだ。今はまだラットなどの齧歯類を対象にした実験の段階で、人間には使われていない。人間にも使えるようになるには、チップをもっと小さくして、脳に埋め込むときのダメージを小さくし、免疫による拒絶反応も抑える必要がある。それに、脳に埋め込む手術もさらに改良が必要だ（現時点では一般的な外科手術しか手段がない）。安全性と耐久性の問題もまだ解決されていない。それに加えて、ニューログレインから送られるデータを完全に解読する技術もまだ確立されていない。

人間の神経活動を記録し、テクノロジーを活用してそのデータを言葉に変換し、他者とコミュニケーションできるようになれば、それは画期的な進歩と呼べるだろう。[*9]人類のためになる使い道がたくさん考えられる。

たとえば、コミュニケーション能力を失った人、あるいは生まれつき持っていない人の助けになるのはもちろん、思考を自動的に自分では話せない言語に翻訳したり、タイピングも発話もせず、あるいは身体をまったく動かさなくても、指示を出したり、意思の疎通を行ったりできる。[*10]

より簡単に、より速く、人間の心が直接コミュニケーションを取れるようになれば、さまざまな恩恵が考えられる。たとえば、ニューログレインの技術を使えば、脳や脊柱に損傷を負った人も、再び身体が動かせるようになるかもしれない。未来の世界では、このような技術が人類社会の一部になり、私たちは個人としても、社会全体としても変化するだろう。そしてその過程で、私たちの言語とコミュニケーション方法も変化に適応していく。

人間の神経活動を遠隔で記録し、そのデータからその人が何を考えているかを解読して、文字も言葉も使わずに心を通してコミュニケーションが取れるようになる――そんな未来は、いくらなんでもありえないと思うかもしれない。しかし、ここで思い出してもらいたいのは、離れたところにいる人に音声を伝える電話の技術も、そう遠くない昔までは「夢物語」だと思われていたということだ。

マルセル・プルーストは、名作の『失われた時を求めて』の中で、そんな状況を見事に表現している。「電話とは、かつては超自然的な装置であり、われわれはつねに驚きの目で見つめていたものだが、今ではすっかり当たり前の存在になり、仕立屋を呼んだり、アイスクリームを注文したりするのに使っている」

そのような「超自然的」な技術をもう1つあげるなら、それはテルミンだろう。テルミンとは楽器であり、演奏者が触れなくても、ただ近くで手を動かすだけで音を出すことができる。

テルミンの仕組みは物理と電気の法則で完璧に説明できるのだが、何も知らない人に尋ねてみれば、たいてい「演奏者の手から発せられたエネルギーが楽器を演奏している」というような間違った答えが返ってくるだろう。ここからわかるのは、たとえ不思議な現象に見えたとしても、それが必ずしも奇跡や夢物語ではないということだ。

それと同時に、他のあらゆる発見と同じように、この知識やテクノロジーが悪い目的のために使われる可能性もある。おそらく遠隔で、そしておそらく同意のない状態で他人の脳にアクセスし、脳の活動を記録して思考を解読することができるとしたら、悪用する人はたくさん出てくるだろう。社会での適切な利用を可能にするには法整備が必要だが、一筋縄ではいかないはずだ。厳格な規則を決め、それを正しく適用しなければならない。

この種の問題はすでに起きていて、たとえば私たちの社会は、SNSの規制や、テクノロジーによる個人データの収集の規制でとても苦労している。検索履歴、購買行動、医療やお金の情報、政治的な立場、個人情報といったデータは、どう扱うのが適切なのだろうか。テクノロジーとプライバシー、SNSをめぐる問題は、法律や政治の大きな争点になっている。

しかしそれも、思考や神経活動にダイレクトにアクセスできるようになったときに起こりうる問題と比べたら、まだまだ牧歌的と言わざるをえないだろう。実現はまだ先のことになるかもしれないが、理論的に可能であるだけでなく、技術的にも可能であることはすでに証明されている。[*11] このテクノロジーが人間に使われる未来も、決して夢物語ではない。医療の世界では、患者ごとにパーソナライズした脳インプラントの試験がすでに行われている。この脳インプラントの技術は、癲癇《てんかん》やパーキンソン病、あるいは重度のうつ病にも効果があると考えられている。

もちろん、歴史をふり返ればわかるように、科学の進歩にはいい面と悪い面の両方がある。誰でも思いつくのは原子力だろう。原子力は、ほぼ無限のエネルギー源になり、電力や熱などを供給してくれる一方で、原子爆弾などの核兵器も生み出した。

アインシュタインもこう告白している。「私は人生で1つの大きな間違いをおかしてしまった。それは、原子爆弾の製造を推奨するルーズベルト大統領への手紙にサインしたことだ。しかし、ドイツが原子爆弾をつくるかもしれないという危険を考えれば、その判断もある程度までは正当化できるだろう」

現代の核兵器の技術は、アインシュタインの時代とは大きく様変わりしている。しかし、核兵器をめぐる倫理的な問題は昔と変わらず、現代の科学研究にも直接的な影響を及ぼしている。

残念ながら、21世紀のテクノロジーや科学の進歩はすさまじく、それに比べて倫理の研究は大きく後れを取っている。潤沢な資金を配分された研究分野は、他の分野よりも急速に進歩し、それが長期的に見てどんな影響を与えるのかという理解がとても追いつかないこともある。

言語と心の働きの研究は、意識の研究

記号体系としての言語と、神経活動としての思考の間にある関係を理解し、その関係を測定して何らかの活用につなげる方法については、だんだんと解明されてきている。とはいえ、その技術の限界やリスクについては、まだきちんとわかっていない。SF作家アイザック・アシモフの言葉を借りるなら、「現代における人生のもっとも悲しい側面とは、科学が知恵を集めるよりも速く知識を集めていることだ[*12]」ということだ。

しかしだからといって、科学とテクノロジーへの投資をやめるべきではない。科学には、地球を救い、私たちが直面する危機を解決する力もある。それはこの地球で起こる危機かもしれないし、宇宙からやって来る危機かもしれない。しかし、ここで忘れてはならないのは、倫理、道徳、哲学、社会科学、人道、芸術、精神性の研究にも、科学と同等の投資をしなければならないということだ。これらもまた、テクノロジーと同じように、人類の生存にとって欠かせない存在だ。

妥協のない道徳の原理を信じていた哲学者のイマヌエル・カントは、こんな言葉を残している。「2つのものが、つねに新しく、さらに大きくなる驚きと畏敬の念で私の精神を満たしている――それは、頭上に輝く星空と、私の中にある道徳律だ[*13]」

科学に異を唱える人たちが理解していないのは、天文学者のカール・セーガンの言葉を借り

るなら、「科学は精神性と両立できるだけではなく、むしろ精神性の豊かな源泉でもある」[*14]ということだ。科学者であるということは、つねに宇宙の神秘に驚嘆し、それを理解しようと努力することでもある。

広大な宇宙空間はもちろん、人間の意識もまた宇宙だ。宇宙の星を研究する人もいれば、原子よりもさらに小さなものを研究する人もいるだろう。そして私の場合は、言語と心の働きの相互作用を研究している。

人間の言語能力や、ニューロンの働きについては、わかっていないことがまだまだたくさんある。宇宙論や天体物理学のおかげで宇宙への理解が深まったように、心理言語学と認知科学を活用すれば、人間の内面への理解も深めることができるだろう。言語と心の働きの研究は、意識の研究でもある。宇宙と意識が相互にどのように作用しているかについてはまだわかっていない。私たちにわかるのは、どちらもこの宇宙に存在しているということだけだ。

しかし、人間が理解していることはごく少ないという事実よりもさらに残念なのは、そもそも多くの人が、特に理解したいとも思っていないということだ。その中には、権力のある地位に就いている人の一部も含まれる。たとえば、基礎的な科学の知識さえも、驚くほど誤解され、軽視されているのが現状だ。

神経科学者たちは、カラスや他の動物の脳の活動を記録して、脳の機能、起源、潜在能力を解明しようとしている。生物学者たちは、ヒト以外の種や、細胞のような小さなものにできることを研究している。こういったすべての応用研究の基盤にあるのが基礎的な科学であり、社会にとって役に立つ新発見もそこから生まれている。仕組みは完全には理解できないかもしれないが、それでもすべての人が科学技術の恩恵を受けていることは間違いない。

それなのに、資金の配分を決める力を持つ政策担当者たちの多くは、残念ながらこのことを理解していない。今でも忘れられないのは、当時は副大統領候補だったサラ・ペイリンがアメリカ国立衛生研究所（ＮＩＨ）を演説で批判し、聴衆が大歓声で応えるのを聞いたときの落胆した気持ちだ。

ペイリンは、ショウジョウバエの研究に連邦政府の予算を使うのは無駄だと主張した。彼女が理解していなかったのは、ショウジョウバエの遺伝子研究が、いずれ人間の病気の理解と治療に役に立つかもしれないということだ。実際のところ、ショウジョウバエとヒトの遺伝子は共通点が多い。ショウジョウバエのゲノムの60パーセントがヒトと同じで、遺伝子の75パーセントがヒトの病気と関係している。

生まれてから子どもを持ち、そして死ぬまでに数十年かかるヒトと比べ、ショウジョウバエの一生はとても短い。そのおかげで、ライフサイクルの各段階における研究を短期間で行うことができ、それがひいては、ヒトの病気を治療する方法を早く見つけることにつながるかもしれない（サラ・ペイリンの名誉のためにつけ加えておくと、自分が理解できないことを攻撃する政治家は彼女だけではなく、それにもっとひどい人と比べれば彼女はまだましなほうだ。私がサラ・ペイリンに厳しくなってしまうのは、彼女の地元であるアラスカという土地に特別な思い入れがあるからだろう。生まれたときから自然に親しみ、日常的に釣りや狩猟をしている人なら、もっと自然に対して理解があってもいいはずだ）。

経済学の試算によると、研究開発に1ドル投資するごとに、社会は少なくとも5ドルのリターンを受け取れるという。中にはリターンは20ドルだとする試算もあるほどだ。[*15] つまり研究開発を行うのは、人類の進歩と国益に貢献することが証明されたエンジンを持つのと同じことだ。

しかし現状はどうなっているかというと、アメリカが研究開発に投資する額は、GDPのわずか2・8パーセントでしかない。これは、たとえばイスラエルの4・9パーセント、韓国の4・6パーセント、日本とドイツの3・2パーセントよりも低い数字だ。中国にいたっては、2000年以来、研究開発への投資が年間16パーセントの増加を続けている。[*16]

科学の進歩とイノベーションは、投資の額に比例する。科学の原動力である好奇心への投資を怠っていると、国力は弱まり、国民の生活水準は下がり、健康状態は悪化し、危機への対応力と世界での競争力も失われる。

NIHのヘルス・スタディ・セクションで議長を務めていたとき、私は言語とコミュニケーションに関する研究の助成金申請の審査を担当していた。私がそこでよく目にしたのは、すばらしい研究計画も、助成金が下りずにお蔵入りになる光景だ。NIHの予算はとても少ないので、助成金を受けられるのは申請のわずか10パーセントということもある。残りの90パーセントは、資金不足のためにそもそも研究を行うことができない。この数字が逆だったら、この分野の研究はどれほど進歩していたことだろう！

私は自分の意志で移民としてこの国にやって来た。私がアメリカを選んだ理由は、政府のシステム、法律、憲法を信頼していたからだ。アメリカの科学、アメリカの人々、アメリカの精神に可能性を感じたからだ。私がアメリカ人であるのは、偶然この国に生まれたからではない。自分の選択肢を慎重に吟味し、自分の意志で決断した。

アメリカにやって来る他の多くの移民も私と同じだ。その結果、アメリカ以外の世界では数百年も前から頭脳流出が続いている。アメリカの大学の博士課程は、外国生まれの学生の比率がとても高い。そして革新的なスタートアップも、その多くは移民が設立した。どちらの事象も、世界でよく知られた事実だ。移民が設立した会社は、アメリカの移民労働者の総数よりもたくさんの人を雇っている。*17

たしかにアメリカでも、『ニューヨーク・タイムズ』紙が提供する双方向サイト「Class Matters（階層の問題）」*18を見ればわかるように、社会経済階層間の移動はそれほど多くない。しかしそれでも、他の国に比べればまだ移動は多いほうだ。とはいえ、自らの意志でアメリカの市民になり、この国を愛することを選んだからといって、アメリカの弱点を無視するのは間違っている。弱点を指摘し、改善策を提案するほうが、よほど国益にかなうだろう。研究開発への投資を増やすことも、そんな改善策の1つであり、その利益はコストをはるかに上回る。

WEIRDの人々

研究開発に携わる多様な人材を訓練する方法については、近年になって科学界の多様性、平等、包摂について多く語られるようになった。この世界には「WEIRD」という概念がある。これは「Western, Educated, Industrialized, Rich, Democratic（欧米、高等教育を受けた、工業化した、裕福、民主的）」の頭文字で、現状の科学界には、どうしてもこのグループが中心になってしまうという問題がある。

また、「weird」は「奇妙な、変な」という意味の単語でもある。WEIRDの人々は世界の人口のわずか12パーセントでしかないにもかかわらず、研究者の80パーセントを占めており、科学や社会のあり方に多大な影響を与えているというのは、まさに「奇妙な」状況だ。

「ニューロツリー」とはウェブ上のデータベースであり、たとえるなら学会版の家系図のようなものだ。ただし、このデータベースでわかるのは、親と子といった親族のつながりではなく、学術的な指導者とその弟子とというつながりであり（たとえば、博士過程の指導教官と学生のような関係）、数世紀にわたるデータを網羅している。掲載された学者は数十万人だ。

ニューロツリーを見て、数百年にわたる自分の学術的な系譜をたどるたびに、私は男性に比べて女性があまりにも少ないことにショックを受ける。私が博士論文の指導を受けたのはウーリック・ナイサーで、そしてナイサーはS・S・スティーブンズとヴォルフガング・ケーラーの指導を受けた。そこからさらに、エドウィン・ボーリング、エドワード・ティチェナー、ヴィルヘルム・ヴント、カール・ハッセとヨハネス・ミュラーとヘルマン・フォン・ヘルムホルツ、その他多くの優秀な科学者へとさかのぼることができる。

彼らはみな勤勉な男性であり、科学と人類の発展にその生涯を捧げてきた。しかし、私はこう思わざるをえない――女性はどこにいるのだろう？　少なくとも男性と同じくらい勤勉で、同じくらい優秀な女性もいるはずだ。それなのに、テーブルに彼女たちの席は用意されていない。

世界の多くの国では、女性は今でも席がないままだ。子どもが科学者の絵を描くと、依然として男性の姿をしていることが多い。それにほとんどの人は、女性の科学者の名前をあげることができない。実際は歴史を通じて、女性も科学のあらゆる分野で功績を残しているにもかかわらず。

たとえばアレクサンドリアのヒュパティアは、優秀な哲学者、数学者、天文学者だ。彼女が活躍したのは、今から1600年以上前のことになる。彼女の存在は、科学の物語は女性の（語られなかった）物語でもあるということの証明だ。科学の道に進んだことで命を落とした女性はたくさんいる。しかも、女性科学者のほとんどは、国立アカデミーへの入会を認められなかった。哲学者のウンベルト・エーコは、『カントとカモノハシ』という本の冒頭で、「言語哲学研究の歴史に登場するのは、男性（理性的で、限りある命の動物）と、独身男性（結婚していない大人の男性）ばかりだ」[19]と書いている。

ＮＩＨが助成金の交付で男女格差の是正を目指すようになったのも、ついここ数年のことだ。現在は、研究チームに男性だけでなく女性もいること、女性も平等な扱いを受けることが条件になっている。さらに科学とテクノロジーの世界では、女性だけでなく、さまざまな人種や民族の人材を増やそうという気運が高まってきた。

そして、多様性について議論するなら、言語の多様性という論点も忘れてはいけない。ほとんどの科学記事はごく一握りの言語で書かれている。それはつまり、世界の人口の半分以上が、それらの記事に書かれた知識にアクセスできないか、あるいはその知識に貢献できないということだ。

その結果、膨大な数の人々が、科学的な議論から取り残されてしまっている。マラリアの治療法が発見されたことも、屠呦呦《トゥ・ヨウヨウ》がその功績でノーベル賞を受賞するまで、中国の外で引用されたことは1度しかない（屠呦呦は中華人民共和国初のノーベル賞受賞科学者であり、１０００人近くいる受賞者の中でわずか60人しかいない女性受賞者の1人でもある）。

研究が引用されるかどうかは、研究者のバックグラウンドによって大きく左右される。この偏りは、科学論文の引用一覧を見れば明らかだ[20]。誰でも平等に知識にアクセスし、知識に貢献できるようになれば、科学とテクノロジーの進歩はさらに加速し、それにともなって人類の社会も大きく向上するだろう。

現在のところ、世界には埋もれた知性がたくさん存在する。言語、人種、ジェンダーなどの壁にはばまれ、彼らの知的資源は有効に活用されていない。この問題を解決すれば、気候変動などの危機への対策や、新型コロナウイルス感染症、がん、心臓病、その他のあらゆる病気の治療法で、大きな進展が期待できるだろう。

マルチリンガルと経済競争の関係

スイス国立研究プログラムから助成金を受け、ジュネーヴ大学の研究チームが、専門職の活動における外国語について研究した。その結果わかったのは、国民が複数の言語を話すことは、スイスにとって381億5000万ドルの経済効果があるということだ。スイスの公用語は、ドイツ語、フランス語、イタリア語、ロマンシュ語の4つだ。さらに、多くのスイス人が学校で英語を学び、話すことができる。スイスのメディアはこの研究を受け、スイスのGDPの10分の1はマルチリンガルが稼いでいると報告した。[*21]

欧州委員会（EC）が行ったマルチリンガルと経済競争力の関係に関する研究も、スイスの研究と同じような結果になった。ECの研究によると、ヨーロッパの中小企業の11パーセントは、言語スキルと異文化交流スキルの不足が原因で輸出の機会を失っているという。[*22] イギリス政府の試算でも、イギリス経済は外国語スキルの不足によって年間およそ500億ポンドを失っているという結果になった。[*23]

複数の言語を話す労働者を育てることは、労働者個人にとってだけでなく、国全体にとっても利益になる。[*24]科学とテクノロジーの世界でも、複数の言語を話す人たちを積極的に迎え入れれば、それ以外の方法では見つからないようなまったく新しい答えが手に入るだろう。言語的に多様な人材の力があれば、科学とテクノロジーの進歩が加速し、知識をさらに深めることができる。

言語的に多様な人材を研究から除外するのは、人類への理解が制限されることを意味する。それが科学の発見と進歩を妨げることになるだろう。

耳が音を発する？

有名な謎も、あまり知られていない謎も、私たちに解明されるのを待っている。ほとんどの人は、耳が外から入ってくる音を聞く器官であることを知っている。しかし、耳には音を発する機能もあるという事実は、ごくわずかな人にしか知られていない。

聴覚の研究で使われるような、きわめて敏感なマイクを耳に近づければ、耳が発している音を拾うことができる。この音は「耳音響放射」と呼ばれ、現代の科学が直面する謎の1つだ。この音は何のために存在するのだろう？　何か役割があるのだろうか？　それとも、退化した尻尾のように、進化の過程をうかがわせるただの痕跡なのだろうか？

耳音響放射について研究するスミット・ダールの聴覚研究室と、バイリンガルとマルチリンガルについて研究する私の心理言語学研究室が協力し、耳音響放射の研究にバイリンガルにも参加してもらったところ、偶然あることを発見した。[*25]どうやら耳音響放射は、高次の認知プロセスの影響を受け、さらに脳の実行機能とも関連があるようだ。

聴覚と視覚といった複数の知覚が、重複するインプットを受けたときと、重複しないインプットを受けたときでは、耳音響放射を放出する強度が変わってくる。バイリンガルの人は、発話の刺激を受けると、耳音響放射がより大きく変化する。[*26]これらの発見からわかるのは、耳音響放射は経験によって形づくられ、トップダウンの認知プロセスの影響を受けるということだ。

人類や他の哺乳類が、自分の耳には聞こえない音を発するよう進化した理由はまだはっきりわかっていないが、どうやら耳音響放射には何らかの役割があるようだ（その役割が具体的に何であるかはまだわかっていないにしても）。

耳音響放射について現在わかっていることは以上だが、それでは満足できない（人間の耳が音を出しているというのはわかったけれど、なぜ音を出すのか、その音にどんな役割があるのかということはわからないじゃないか。とんだ肩透かしだ！）という人には、この言葉を贈りたい——科学の世界へようこそ！

マルチリンガルの脳が宇宙の謎を解き明かす

耳音響放射についての発見や、それよりもさらに価値のある発見も、被験者にマルチリンガルを含まないことが原因で、誰にも知られずに埋もれたままになっているかもしれない。子どもの発達、老化、健康といった研究分野で、バイリンガルやマルチリンガルが隠れた調整者の役割を果たす可能性がある。[*27]

言語や、複数の言語を話すことが直接の研究対象ではなくても、研究の段階で言語の多様性も考慮に入れるようにすれば、研究の再現性が高まり、人間への理解もさらに深まるかもしれない。

誰もが生まれながらに持っているこの「言語能力」というものは、脳の機能を最適化し、人間の能力を拡張し、発見と進歩を加速させるために、有効に活用することができるし、またそうすべきでもある。言語の多様性は、学術研究において、後からその存在に気づくというのではなく、むしろ最初から欠かせない存在として扱われるべきだろう。言語の多様性は、研究を複雑にする厄介者ではなく、むしろカギとなる要素だ。

マルチリンガルの脳が、宇宙の謎を解き明かすかもしれない。人間の認知について、たくさんの驚くべき新発見を提供してくれる。しかし、たしかに世界を見れば、複数の言語を話すことは例外ではなくむしろ標準だが、まだまだ研究が進んでいないために、その価値が正しく評価されていない。

複数の言語を話すことは、個人のレベルにとどまらず、社会全体にとっても利益になる。言語と思考とマルチリンガルの脳の間にあるつながりは、最低でも人類の進歩を新たな高みへ押し上げる力になり、そして最大限に活用すれば、人類の生き残りのカギになることができる。

さらに頭がクラクラするようなことを言うと、私たちはコードの世界に生きているだけではなく、私たち自身がコードなのだ。現に私たちは、DNAというコードで構成されている。私たちは言語でできている。遺伝子が伝える暗号は、DNAの塩基対に組み込まれている共通言語によって解読することができる。

私たちが普段使っている言語は、単語、文字、その他の表記法など、限られた数の記号を使って、無限の思考やアイデアを表現できる。DNAもそれと同じだ。限られた数の塩基対を組み合わせて、この地球上に存在する多種多様な有機体や種をつくりあげている。人類が持つ言語能力と、この地球上に暮らすすべての生き物のDNAの間には、階層構造、新しく何かを生み出す力、再帰性、そしてほぼ無限の表現形など、数多くの類似点がある。[*28]

私たちは、ある1つの言語（たとえばAIが使う数学言語）を使って、別の言語（たとえばDNA）の情報にアクセスすることができる。それが可能になったのは、コンピューターの進歩によって、すべてのゲノムが解析されたからだ。

ヒトゲノム計画は、記録のうえでは13年で完了したことになっているが、実際には数十年の歳月が費やされている。ゲノム解析の結果、地球上に暮らすあらゆる生き物を構成する暗号を解読することが可能になった。これは宇宙空間の探索と同じくらい壮大な発見だ。

ＤＮＡの他に、ＲＮＡと呼ばれるものもある。ＲＮＡは「Ribonucleic Acid（リボ核酸）」の頭文字だ。ＤＮＡの役割が遺伝情報を伝達することであるなら、ＲＮＡの役割はタンパク質の生成に必要なコードを伝えることだ。

最近では、新型コロナウイルス感染症のワクチンに使用されたことで、メッセンジャーＲＮＡという言葉が一般にも知られるようになった。メッセンジャーＲＮＡが細胞に「タンパク質をつくれ」という指示を出し、そのタンパク質に反応して体内でウイルスに対する抗体がつくられる。そしてメッセージの伝達を終えたメッセンジャーＲＮＡは、細胞内に入ることなく崩壊する。

メッセンジャーＲＮＡもまた、違うシステムや生き物の間で情報をやり取りする方法の１つにすぎない。つまり、これもまた１つの言語であるということだ。ＤＮＡもＲＮＡも、４つのヌクレオチドで構成された言語で書かれている。アデニン（Ａ）、グアニン（Ｇ）、シトシン（Ｃ）はＤＮＡとＲＮＡに共通で、残りの１つは、ＤＮＡはチミン（Ｔ）、ＲＮＡはウラシル（Ｕ）だ。

このヌクレオチド言語は、コドンと呼ばれる遺伝暗号を使えば、たとえば20種のアミノ酸で構成されるタンパク質言語など、他の言語に翻訳することができる。人間の遺伝子の言語を理解すれば、自然言語、人工言語、数学言語を理解するのと同じように、それ以外の方法では手には入らないような新しい知識、新しい世界への扉が開かれる。

宇宙のコードと、それを読み解く人類の能力は、広い意味で人類の未来を決するといっていいだろう。私たちの言語には、人類が自らの脳を活用できる限界と、現状のＡＩの限界の両方を超越する力がある。言語とその進化が、私たちをどこへ連れていくのかはわからない。しかし、１つ確実に言えるのは、それがなければ人類の進歩も限られるということだ。

記号体系が人間の心のコードであり、人間の心が宇宙につながる窓だとしたら、言語は宇宙の謎を解くカギということになるだろう。そしてマルチリンガルの能力は、正しい鍵穴と、正しいカギを見つけるチャンスを大きくしてくれる。

まだ探すべき鍵穴がすべてわかったわけではないが、それもまた発見のプロセスだ。おそらく人類にとってもっとも大きな成功とは、すべての疑問への答えが見つかることではなく、新しい疑問が見つかることだろう。それまで考えてもみなかった疑問から、まったく新しいアイデアが生まれてくる。

私たち人類は、そして私たちの言語は、次はどこへ向かうのだろう？

おわりに――あるいは、よい旅を！

私はよくこんな質問を受ける――移民として外国に渡る、養子になる、社会政治的な変革が起こるといった理由で、昔（おそらく子どものころ）に使っていた言語をまったく使わなくなったら、その言語はいったいどうなるのか？

その言語が完全に消えることはないので、安心してもらいたい。かつて習得し、その後忘れてしまった言語も、記憶の中に痕跡をとどめている。幼少期にある言語を大量に浴びる経験をしたのなら、大人になってからその言語を習得するのも簡単だ。

言語喪失の研究

マルチリンガル研究には、「言語喪失」を研究する分野がある。言語喪失とは、たとえば子どものころに養子になったり、移民として外国に渡ったりして、幼少期に話していた言語を失う現象のことだ。ある研究によると、数十年話していない言語でも、その影響力は失われない。[*1]ごく幼いころに養子になり、生まれたときの言語や文化を本人が知らない場合でも、母語の痕跡は確認できるということだ。

TJという女性の例を紹介しよう。TJは、生みの親と養親の間でほとんど、あるいはまったく情報が共有されない「クローズド・アダプション」というシステムを通して養子になった。3歳で里子に出され、その後数回にわたって里親が変わり、最終的にあるアメリカ人家族に引き取られて別の州に移った。彼女が知っていたのは、自分はアメリカ生まれであること、そして母親はアメリカ生まれではなく、英語以外の言語を話していたということだ。

彼女は英語を話すアメリカ人の女性として成長した。成長の過程で心理療法を受けた。33歳になったときオハイオ州立大学の言語学習の専門家に連絡した。自分の言語の歴史を解明し、ルーツについてもっと知りたいと思ったからだ。

TJは心理療法を通して、いくつかの子ども時代の記憶を思い出した。その記憶には、いくつかの単語が含まれている。それをきっかけに、自分が幼いころに話していた言語について知りたくなった。オハイオ州立大の研究者チームと初めて会ったとき、TJは心理療法で思い出した単語をいくつか伝えた。研究者チームは、それがスラヴ語を起源に持つ言葉だとわかった。

そこで研究者チームは、有名な「貯蓄パラダイム」と呼ばれる手法を用いることにした。これは学習と再学習のテクニックで、昔知っていたが今は忘れてしまった言語を再学習するスピードと、まったく知らない言語を新しく学習するスピードを比較するという形で行われる。習得が早ければ、たとえ本人は覚えていなくても、幼少期にその言語を話していたということがわかる。

TJの成績は、英語を話す12人の女性からなる統制群と比較された。TJ自身が3歳になる以前に知っていたと思われる言語の学習スピードと、3歳になる以前も知らなかったと思われる言語の学習スピードを比較し、次に統制群との学習スピードを比較する。その結果、TJが幼いころに話していた言語は、ロシア語かウクライナ語だろうということがわかった。

この研究からわかるのは、養子などで幼少期の言語を喪失しても、後になってから再学習すれば、まったく新しい言語を学習するよりもはるかに効率的に習得できるということだ。

やればやるほど言語は上達する

生まれつき語学の才能がある人というのはたしかに存在する。彼らは他の人に比べ、容易に新しい言語を習得することができる。また、「多重知能」という理論を提唱する専門家もいる。多重知能とは、人間の知能は複数の分野に分かれているとする考え方であり、この理論に従うと、マルチリンガルや、生まれつき語学の才能がある人は、そのうちの「言語的知能」が元々優れているということになる。

しかし、多重知能という考え方にはまだまだ異論もある。当初、知能の種類は、「音楽的知能」、「空間的知能」、「言語的知能」、「論理数学的知能」、「身体運動的知能」、「対人的知能」、「内省的知能」の7つだった。[*2] 後になって、そこに「博物的知能」（自然界の植物や動物を分類できること）と、「実存的知能」（人類という存在を広い視野で見る能力）が加えられた。[*3] それ以降も、新しい種類の知能が提案されている。

しかし、知能とされる資質と、そうでない資質を、最終的に決めるのは誰になるのだろう？ また、それぞれの知能を、客観的、かつ正確に測定する方法はあるのだろうか？ 知能とはその人の価値であり、その価値は生来の資質で決まるために、個人の責任ではないと主張する人もいる。[*4] この主張が議論の的になっていることは、特に驚くに値しないだろう。

しかし、多重知能の理論にも、間違いなく正しい点はある。それは、生まれつき音楽やスポーツの才能に恵まれている人がいるように、生まれつき語学の才能に恵まれた人もいるということだ。とはいえ、生まれつきの才能も、なぜある地域や国にはバイリンガルが多いのかということの説明にはならない。国の政策や、社会の枠組みは、言語の多様性に直接的な影響を与える。

健康的な食生活にしても、定期的に運動をするという習慣にしても、複数の言語を話すことにしても、それが自分の暮らす場所で当たり前のことだったら、身につけるのも簡単になるだろう。学校の授業で第二言語を習い、言語の多様性が軽視されるのではなく、むしろ称賛されるような文化だったら、複数の言語を話すことは、文字の読み書きと同じくらい一般的な能力になるはずだ。

生まれつき語学の才能に恵まれている、複数の言語を話すことが奨励される社会に暮らすという条件の他にも、言語学習の経験そのものが言語学習の成否に影響を与える。つまり、他のすべてのことと同じように、やればやるほど上達するということだ。

すでに母語以外の言語を話すという人、あるいは両親が違う言語を話しているという人は、他人のせいで自分の中にあるその多様性を失ってはいけない。他の言語を話すのが恥ずかしい、訛りが恥ずかしいと思う必要はない。

あなたの言語は、あなただけのスーパーパワーだ。あなたはそのスーパーパワーを使って、たくさんのすばらしいことができる。周りにはわからないだろうと思って誰かが違う言葉で悪口を言っていても、あなたには理解できるのだ。これは、スーパーパワーを持つ人の小さな楽しみの1つだ。

言語学習アプリの「Ｂａｂｂｅｌ」が行った調査によると、アメリカ人の71パーセントと、イギリス人の61パーセントが、複数の言語を話す人に魅力を感じると答えている。

複数の言語を話すことができると、収入も増える。フロリダ州で行われた研究によると、英語とスペイン語の完全なバイリンガルのヒスパニック系アメリカ人は、他の条件はほぼ同じ英語のモノリンガルに比べ、年収が7000ドル近く多いという。[*5] また、カナダのゲルフ大学の経済学者による研究でも、英語とフランス語のバイリンガルの男性は英語のモノリンガルの男性よりも収入が3・6パーセント多く、英語とフランス語のバイリンガルの女性は英語のモノリンガルの女性よりも収入が6・6パーセント多いという結果になった。

カナダの中でも、多数の住民がフランス語を話すケベック州では、フランス語と英語のバイリンガルの男性はフランス語のモノリンガルの男性より収入が7パーセント多く、さらに仕事で英語を使う人に限るとこの数字は21パーセントに跳ね上がる。

新しい言語はいつから習うのが最適か

本書では、複数の言語を話すことによるさまざまな影響を見てきた。複数の言語を話すと、脳の物理的な構造が変化し、知覚、記憶、意思決定、感情、創造性も大きな影響を受ける。ここまで読んで、新しい言語を習得することに挑戦しよう、あるいは子どもに新しい言語を習わせようという気になった読者もいるかもしれない。でも、どうやって？　それにいつ始めればいいのだろう？　モノリンガルのカーテンの陰から、向こう側を覗くにはどうしたらいいのだろうか？

新しい言語はいつから習うのが最適なのか知りたいというのなら、その答えは「生まれたとき」だ。それでは、その次に最適なタイミングは？　それは「今」だ。

かつては、ある一定の年齢を超えると、新しい言語を完全に習得するのは、不可能とは言わないまでもかなり難しいと考えられていた。この考え方は「臨界期仮説」と呼ばれていて、現在では間違っていることが判明している。

臨界期仮説が生まれたのは1967年であり、その元となった研究では、期限は思春期までとされていた。その後、66万9498人を対象としたより大規模な研究が行われ[*6]、17・4歳という具体的な数字が提示されたが、他にも数百という研究が行われ、臨界となる年齢には研究によって幅がある。

過去の大量のデータを再分析した最新の結果では、臨界となる年齢はないという結果になった[*7]。むしろどうやら、学校教育や生活環境、社交生活の違いなど、年齢とは関係ない個人や社会の状況が言語の習得に影響を与えているようだ。

私自身、複数の言語を話す人たちを対象に、数十年にわたって研究を続けてきた。その過程でわかったのは、人はいくつになっても新しい言語を習得できるということだ。しかも、学習の効果はすぐに現れる。

とはいえ、思春期を過ぎてから、あるいはネイティブではない教師から新しい言語を学んだ人は、新しい言語を話すときに母語のアクセントの影響を消すことができないのは間違いない。理由の一部として考えられるのは、発話と知覚のシステムがすでに母語の影響を受けているということだ。

しかし、母語のアクセントが残ることくらい、新しい言語を習得することのメリットを考えればごくささいな問題だ。むしろ問題どころか、それがある種のプラスになると考える人もいるだろう。

脳を鍛える、旅行、恋愛、あるいは自分磨きといった目的で、新しい言語を習得したいという人もいるだろう。グーグルで「スペイン語の勉強法」、「3カ月でペラペラになる」といった検索をしたり、『誰でもできるイタリア語』のような学習書を買ったりしたかもしれない。あるいは、普段から自己啓発や勉強のための本や、脳を鍛える本、人間関係を向上させるための本、旅行の本をよく買っているのかもしれない。

あなたは教師かもしれないし、あるいはビジネスパーソンかもしれないし、マーケターかもしれないし、ライフコーチかもしれない。仕事はもう引退しているかもしれないし、学生かもしれない。いずれにせよ、新しい言語を学ぶのは、自分への最高の贈り物だ。

語学の学習においては、たしかに向いている言語と向いていない言語というものが存在する。たとえば、ロマンス諸語の言語は楽勝で、ゲルマン語派の言語は楽勝ではないけれどなんとかなるが、コンピューター言語となるとかなり苦戦し、マンダリンのように音の高低で意味が変わるような言語はもうお手上げだ、というように。

作家のような人は、人工言語よりも自然言語のほうがとっつきやすいだろう。一方でプログラマーのような人は、自然言語よりも人工言語のほうが簡単だと感じるかもしれない。音楽家なら、音で情報を伝える言語に違和感がないだろう。

このように、個人的な向き不向きはたしかにあるかもしれないが、新しい言語を勉強すれば、最終的な目標をどこに置くかという違いはあっても、誰でも今よりは上達することができる。

アメリカ国務省が、外交官や公務員に提供する外国語のトレーニングコースから集めたデータ[*8]によると、英語を母語とする人が新しい言語を習得するために必要な時間は、言語によって６００時間から２２００時間と幅がある。これは、70年にわたってアメリカの外交官に外国語を教えてきた経験から導き出された数字だ。英語を母語とする人は、スペイン語は約６００時間で習得できるが、日本語の習得にはその４倍近くの時間がかかる。次頁の表は、アメリカ国務省が発表している言語ごとに必要な学習時間だ。

ここでのいいニュースは、上達を実感するまでにはそれほど時間がかからないということだ。一学期ほどの短期の語学留学でも十分に効果はある。たとえほんの数カ月でも、母語以外の言語を大量に浴びる経験をすれば、脳の働きが変化するのだ。[*9]

モノリンガルの大学学部生が、わずか半年間だけスペイン語の入門コースを受講したところ、脳の実行制御を用いるタスクを行うときに、バイリンガルの脳と似たような電気生理学的な反応を見せるようになった。[*10]また別の研究でも、ゲール語の１週間の集中コースを受けたグループは、統制群と比較して、注意の切り替えの能力が向上するという結果になった。[*11]参加者の年齢は

カテゴリーIの言語 学習に要する期間：24 ～ 30 週間 (600 ～ 750 時間)	24 週間：デンマーク語、オランダ語、イタリア語、ノルウェー語、ポルトガル語、ルーマニア語、スペイン語、スウェーデン語 30 週間：フランス語
カテゴリーIIの言語 学習に要する期間：約 36 週間 (900 時間)	ドイツ語、ハイチ・クレオール語、インドネシア語、マレー語、スワヒリ語
カテゴリーIIIの言語 学習に要する期間：約 44 週間 (1,100 時間)	アルバニア語、アムハラ語、アルメニア語、アゼルバイジャン語、ベンガル語、ブルガリア語、ミャンマー語、チェコ語、ダリー語、エストニア語、ペルシア語、フィンランド語、ジョージア語、ギリシャ語、ヘブライ語、ヒンディー語、ハンガリー語、アイスランド語、カザフ語、クメール語、クルド語、キルギス語、ラオス語、ラトビア語、リトアニア語、マケドニア語、モンゴル語、ネパール語、ポーランド語、ロシア語、セルビア・クロアチア語、シンハラ語、スロバキア語、スロベニア語、ソマリ語、タガログ語、タジク語、タミル語、テルグ語、タイ語、チベット語、トルコ語、トルクメン語、ウクライナ語、ウルドゥー語、ウズベク語、ベトナム語
カテゴリーIVの言語 学習に要する期間：88 週間 (2,200 時間)	アラビア語、広東語、マンダリン、日本語、韓国語

18歳から78歳だ。スウェーデン軍通訳アカデミーに入学した人たちも、3カ月の語学訓練を受けた後で、言語処理を司る脳の皮質が厚くなった。[*12]

効果的な言語学習の方法

どの言語を学ぶかが決まったら、今度は効果的な学習方法が知りたくなるだろう。そこで、大人になってから新しい言語を学ぶ人のために、役に立つテクニックやコツをいくつか紹介しよう。またこの方法は、バイリンガルの子育てにも活用できる。ぜひ参考にしてもらいたい。

1 語学教室に通う

現在、さまざまな大学や地域のカルチャーセンターが外国語の教室を開いている。それらを活用しよう。

2 語学学習アプリを活用する

教室に通うのは、予算的、あるいは時間的に厳しいという人でも、最新テクノロジーの恩恵を受けることができる。パンデミックのロックダウン期間中、語学学習アプリの利用者が大幅に増えた。選択肢はいろいろあり、複数の臨床試験でも、高齢者がスマホの語学学習アプリを使うと脳の実行機能が向上するという結果になった。[*13]

これらのアプリが特に得意としているのは、ゲームの要素を取り入れて、脳のセロトニンとドーパミンの分泌を活用することだ。そのおかげで、利用者はゲーム感覚で楽しみながら学習することができる。「Duolingo」など多くのアプリは、言語科学の専門家を雇い、語学学習における認知機能と神経の働きに関する彼らの専門知識を取り入れるとともに、たしかなエビデンスに基づいて設計されている。

3 旅行

異文化を肌で体験するのは、他の言語を学ぶまたとないチャンスだ。旅先では、ネイティブの話者と話せるだけでなく、多様な話者と話すこともできる。中学から大学にかけての語学留学は、脳がまだもっとも柔らかい時期なのでとても貴重な体験になるだろう。予算、あるいはその他の状況で、若いころに留学できなかったという人は、大人になってからでもまったく遅くないということを知っておいてもらいたい。また、わざわざ遠い外国まで行かなくても、国内で外国人が多く暮らす地域に行けば、異文化を肌で体験することができるだろう。

4 外国語を話す人と知り合いになる

もう何年も前のことになるが、私の兄弟がスウェーデン語の話者とある契約を交わした。彼が彼女に英語を教え、彼女が彼にスウェーデン語を教えるのだ。長い話を要約すると、そのスウェーデン語話者が私の義理の姉妹になってから10年以上がたっている。外国語を話す人と何らかの形で交流する（友人になる、同僚になる、恋人になる）のは、外国語を学ぶもっとも簡単な方法の1つであり、たいていもっとも楽しい方法でもある。それと同時に、社会的ネットワークの強化にもつながるだろう。

5 習慣にする

運動でも、楽器の練習でも、投資でも、成功の秘訣は長期間にわたって地道に努力を続けることだ。日々の生活に外国語を取り入れる方法を考えよう。普通に勉強するのと、音楽や映画などから受動的に学ぶのを組み合わせるという方法もある。あるいは、外国語を話す人とオンラインゲームをするのもいいだろう。もし可能なら、映画を観るときに違う言語を選んだり、スマホやパソコンを違う言語に設定したりするという方法もある。

6 記憶術を活用する

手軽に使える記憶術はたくさんあるが、語学学習にもっとも適しているのは、すでに知っている単語と新しく学んだ単語を結びつけるという方法だろう。私のセミナーに参加したマルチリンガルの学生が使っている方法を紹介しよう。

「スペイン語で『dangerous（危険な）』は『peligroso』です。この『peligroso』という単語を覚えるとき、まず英語の『pelican（ペリカン）』と発音が似ていると考える。私はペリカンが怖いので、怖いペリカンから『危険な』という意味が容易に連想できます。また、中国語で『dangerous』は『危险』です。『险』は中国語の『剑（剣）』と形が似ているので、この場合は『剣は危険だから』と覚える。だから私の頭の中では、『ペリカン』と『剣』と『危険』がつながるという、おかしなことになっているんです」

7 自分にとって効果のある方法を見つける

バイリンガルになる方法はたくさんあり、自分に合った方法が見つかるまで全部試してみることもできる。曜日によって話す言語を変えるという方法を選ぶ人もいるだろう。あるいは、ある決まった友人や、祖父母など決まった家族に対しては外国語で話すという方法もある。外国語をインセンティブとして活用し、自分へのごほうび、あるいは罰として外国語を話すという方法でもいい。SNSで誰かと論争したくなるたびに、語学学習アプリで10分間勉強するという方法もいいかもしれない。方法は何でもいい。とにかく続けていれば、すぐにペラペラになれるだろう！

子どもをバイリンガルにしたいという人のために、科学的なエビデンスのある方法を7つ紹介しよう。

❶言語インプットの量を増やす

子ども時代にインプットされた言語の量から、言語ごとの語彙や文法の習熟度を予測することができる。インプットが多いほど、その言語を習得する可能性は高くなる。単語をたくさん聞く子どもは語彙が豊富になる。子どもと一緒に何かするときに、その動きを言葉で描写する、読み聞かせをする、一緒に本を読む、可能なかぎり子どもが2つの言語に触れられるようにする、などの方法がある。

❷言語インプットの質を向上させる

言語インプットの質も、その言語の習熟度に影響を与える。養育者と対面のコミュニケーションを行い、刺激を受けることは、子どもが言語を習得するうえで欠かせない役割を果たす。たとえば、本の読み聞かせは言語の発達において大きな助けになるが、テレビを見せることには最低限の効果しかない。大人になればメディアを通じた語学学習にも効果はあるが、バイリンガルの子どもの場合、質の低いテレビ番組を見せるとかえって語彙が貧弱になるとされている。子どもと直接触れ合う時間を増やそう。

❸家族や友人の助けを借りる

言語のインプットでは変動性も大切だ。たくさんのバイリンガルと接する機会がある子どもは、言語の習熟度が高いと報告されている。複数の家族、友人、祖父母、親戚を相手に2つの言語を使う機会がたくさんあれば、子どもの言語発達は大きな恩恵を受ける。

❹自分の家族にもっとも適した方法を選ぶ

子どもが複数の言語に触れられるようにする方法はたくさんある。その中から、それぞれの家庭の状況にいちばん適した方法を選べばいい。どの家庭にも共通する、バイリンガルの子どもを育てるベストな方法というものは存在しないが、効果のある方法はいくつか発見されている。

広く使われている「1人が1つの言語」という方法では、たとえば母親が言語Aを話し、父親が言語Bを話すというように役割を分担する。他にも、家ではマイノリティの言語（たいていは両親の母語）を話し、学校ではマジョリティの言語を話すという方法も一般的だ。自分と子どもにとってベストな方法を新しく編み出してもいいだろう。

❺子どもに主導させる

子どもの言動を注意深く観察し、何に興味を持っているか見きわめる。子どもの言語発達がもっとも成功する秘訣は、自分のことをよく見ていて、気持ちを理解してくれる大人と交流することだ。自分の興味は脇へ置き、子どもが何に興味を持っているかを敏感に察知する大人から学べば、子どもは新しい言葉をより多く覚えることができる。学習に興味を持ち、楽しく取り組むことができれば、2つの言語を習得する可能性は高くなる。2つの言語を使って子どもが楽しく遊べるような活動を取り入れてみよう。

❻バイリンガル教育を検討する

発達の初期段階なら、母語以外の言語を話すベビーシッターを雇う、複数の言語で教育する幼稚園に通わせるといった方法が考えられる。学校に上がる年齢になったら、「双方向イマージョンプログラム」と呼ばれるバイリンガル教育を取り入れている学校を検討してみよう。これは、2つの違う言語を母語とする子どもを同じクラスにして、その2つの言語を使って授業を行うという方法だ。

自宅の近くに双方向イマージョンプログラムを提供する学校がないという人は、他の選択肢も探してみよう。学校の中には、放課後や週末に正式なバイリンガル教育を提供するところもある。家族の宗教と結びついた言語を子どもに習得させたいなら、その宗教の施設を活用することも可能だ。また、家庭の予算が許すなら、サマーキャンプ、交換留学プログラム、留学、外国旅行といった方法も、外国語を身につけるすばらしいチャンスになるだろう。

❼つねにバイリンガル教育についての情報を集める

親であるあなた自身がバイリンガル教育についての知識を増やす。バイリンガル教育については、まだまだ誤解がたくさんあるのが現状だ。バイリンガルであることの利点を広く知らせることを目的とした「バイリンガル・マターズ（Bilingualism Matters）」というネットワークや、この分野の専門家が書いた本などが助けになるだろう。

「こうすれば必ず子どもをバイリンガルにできる」というような、すべての子どもに共通するルールは存在しない。しかし、親としていちばん大切なのは、惜しみないサポートを提供することだ。それぞれの家庭の事情によって、選べる方法は限られるだろう。子どもの性格、住んでいる場所、手に入るリソースも考慮しなければならない。結局のところ、いちばん大切なのは子どもの幸せだ。２つ以上の言語を話せること[*14]や、それに付随する認知能力の向上[*15]はボーナスにすぎない。

そして最後に、子どもと話すときに自分の母語を使うか、それとも第二言語を使うかで悩んでいるのなら、子どもにもっとも豊かな言語体験を提供できる言語を選ぶのが正解だ。まだ第二言語をうまく話せない親に向かって、語彙が豊富で流暢に話せる母語ではなく、第二言語のほうで子どもと話すように指導するのは、どんなに善意のアドバイスであってもやはり間違っている。

子どもに母語で話しかけるのを禁じるのは、子どもから豊かな言語体験を奪うのと同じことだ。親にとっては、母語のほうが語彙が豊富で、文法的に正しい多様な表現ができる。それなのに、子どもに話しかける言葉をまだ不自由な第二言語に制限すると、豊かな母語の世界が奪われるのはもちろん、テレビやインターネットといった受動的なインプットだけになってしまうかもしれない。

言語インプットの豊かさは、子どもの言語と認知能力の発達を決めるもっとも大きな要素の1つだ。子どもにとって大切なのは、どの言語を習得するかということではなく、まるで万華鏡のように多様な音、単語、文法のインプットを与えられることだ。より豊かな言語インプットを受け、聴覚、視覚、触覚が刺激されるほど、ニューロンの発火と脳の活動が活発になる。脳の神経ネットワークの大半は、脳が受け取るインプットによって形成されるからだ。

わが家の場合、母親である私がルーマニア語とロシア語を話し、父親である夫はオランダ語とドイツ語を話す。英語はアメリカ中西部の訛りがあり、スペイン語とフランス語も旅行会話くらいなら可能だ。そんな私たち夫婦は、子どもが話す言語に特に制限は設けなかった。むしろ、すべての言語に幅広く触れさせ、もし子ども自身が望むなら、それらの言語をより深く習熟できるようにした。このやり方はうまくいったようで、わが家の3人の子どもは、みな言語の習得が得意になった。必要になったら、どんな言語も簡単に身につけることができる（正確にいえば、彼らは完璧なマルチリンガルではない。その理由として考えられるのは、彼ら自身の情熱の対象が語学以外にあったことだ。それに加えて、複数の言語を話すことに重きを置かないアメリカの学校で教育を受け、モノリンガルが当たり前の環境で育ったことも理由の1つだろう。彼らの親や祖父母が育ったヨーロッパでは、マルチリンガルが当たり前だった。学校教育でも、最低でも1つ、たいていは2つ以上の外国語の教育が行われる)。

もちろん、子育ては研究室での実験ではないので、結果に影響を与えた要素を抽出するのは不可能だ。わが家の子どもたちが複数の言語を話せるようになったのは、遺伝によるところなのか、それとも幼いころから複数の言語に触れていたからなのか、正確な答えはわからない。とはいえ、事例証拠でもかまわなければ、親と子どもが複数の言語に触れ、豊かな言語環境に身を置いていたことが、結果に影響を与えていると考えられるだろう。2つ以上の言語に触れられる環境で育てば、たとえ完全なマルチリンガルにはならないとしても、長い目で見て利益になる豊かな経験ができることは間違いない。

新しい言語を学ぶのに、早すぎることもなければ、遅すぎることもない。それに、もしかしたらとても楽しい経験になるかもしれない。

謝辞

この本の出版社であるダットンに紹介してくれたスティーブン・モロー、スティーブンに紹介してくれたジャイルズ・アンダーソン、ジャイルズに紹介してくれたアート・マークマン、そしてアートに紹介してくれたディドレ・ジェントナーに感謝を。ダットンのチームのみなさん――スティーブン、グレース・レイヤー、サビラ・カーン、レイチェル・マンディク、リック・ボール、アリス・ダルリンプル、ビアン・グエン、サラ・セゲビー、ニコール・ジャービス、ハンナ・ドラゴーネ、ティファニー・エストレイヘル――、どうもありがとう！

これまで私の「バイリンガリズムと心理言語学研究室」に参加してくれたすべてのメンバーに感謝を。この本で紹介している研究の多くは彼らの仕事だ。アシュリー・チャン・ファット・イム、サユリ・ハヤカワ、シラダ・ロチャナビバータ、アンソニー・シュック、ウィル・ファン・デン・ベルフ、レイチェル・ウェブスターに特別な感謝を。また、リナ・マガリッチとマット・シフの貢献と提案にも感謝する。

私の研究を支援してくれたノースウェスタン大学、アメリカ国立衛生研究所、アメリカ国立科学財団、ディレイニー基金にも感謝の意を捧げたい。

心理言語学、認知科学、コミュニケーション科学と障害、心理学、言語学、神経科学、哲学、教育学、世界言語という分野に携わる学生たち、メンターたち、同僚たちは、長年にわたって私の仕事と思想を形づくってくれた。彼らに感謝を。

グレース、ナディア、エイミー、そしてアスウィン・ファン・デン・ベルフ、両親のニコラエとナタリア・マリアン、そして家族や友人たち。あなたたちの愛に感謝する。

そして、読者であるみなさんにも感謝を。時空を超え、ページの上で私とつながってくれてどうもありがとう。

解説

慶應義塾大学環境情報学部教授
今井むつみ

今、これまでにないほど言語が人々の、そして社会の関心を集めている。そのひとつの原因は、ChatGPTをはじめとする大規模言語モデル（LLM）の出現だろう。私たちは「言語が使えること」を人間だけが持つ特権だと思っていた。ChatGPTは巧みな文章を書き、翻訳する。私自身、以前は自動翻訳は「実用に堪えない」と思っていたが、ChatGPTの翻訳に舌を巻いた。ChatGPTの巧みな自然言語と翻訳を目の当たりにして、多くの人があらためて「言語ってなんだ?」と関心を持つようになったのだと思う。

言語は、宇宙のような広がりを持ち、底なし沼のように奥深い

一般的に、言語についての本を書くのは「言語学者」であると思われているし、言語についての研究はすべて「言語学」の研究と思われがちだ。しかし、近年は、いわゆる「言語学者」ではなく、認知科学という広い学問の傘の下で、心理学や情報学、脳神経科学、文化人類学な

どを専門とする研究者が書いた本も多く出版されるようになった。

言語は、私たち人類が持つ、日常の必需品であり、芸術や科学の発展になくてはならない宝である。言語は、宇宙のような広がりを持ち、底なし沼のように奥深い。それを学問として研究するとき、そのアプローチは必然的に多様で多層となる。言語学の中だけでも、個別言語の特徴を細かく記述しようとする記述言語学と、個別言語をこえて「言語」というものの普遍的な原理をできるだけ抽象的なレベルで（例えば数式や論理式で）記述しようとする理論言語学がある。しかし、どちらも、主役は「言語」である。

それに対し、心理学者が知りたいのは、「言語がどのように運用されているか」である。「人が言語を使うとき、脳はどのように働くのか」「人はどのように言語を学習するか」「言語を学習した結果、人の脳の構造や情報処理の仕方はどう変わり、思考はどう変容するか」「言語は文化とどのような関係にあるか」などの問いである。言い換えれば、主役はあくまで人間で、スポットライトは「人間」に当てるのである。

本書の著者は後者である。著者は、もともとは、失語症や言語の学習障害など、言語の運用や学習に困難を持つ人たちの相談や治療から、言語を使う人間についての研究を始めたようだが、特に興味関心を持っているのは複数の言語を使う人たち――マルチリンガル――の心の働きで、本書ではそのアングルから「言語を使う人間」の本質的特徴を明らかにしようとしている（と私は読んだ）。

私自身も、後者の範疇《はんちゅう》に属し、言語を習得し、運用する人間の心の仕組みを明らかにしようとしてきた。日本語、中国語、英語、ドイツ語など、さまざまな言語を学ぶ子どもたちの共通性と違いに注目して、言語を学習するための普遍的な基盤と個別言語の特性に適応した学習方法を明らかにし、さらに言語習得の結果、異なる言語の話者において、言語による世界の切り分けが認識の違いにつながるのかということを知りたくて研究を続けてきた。研究の成果の一部は一般書（『ことばと思考』『ことばの発達の謎を解く』『言葉をおぼえるしくみ――母語から外国語まで』『言語の本質――ことばはどう生まれ、進化したか』など）でも発表してきたが、読者から「バイリンガルはどうなの？」というコメントを頻繁にもらっていた。私自身はマルチリンガルを対象にした実験研究はしていないので答えるのが難しかったが、今後はその質問には本書を読んでくださいと言えばよいので、たいへんありがたい。

バイリンガルはどうなのか？

本書の著者、ビオリカ・マリアンは、バイリンガル、マルチリンガルの脳や心の働きを研究の主眼としているが、モノリンガルの言語習得・言語運用の研究をしている私と共通の認識に立脚している部分は多い。もっとも重要なのは、言語を単なるコミュニケーションの道具としてではなく、知覚、認識、思考という人間の認知活動から切り離すことができないものとして捉えている点である。

言語を学習するということは、モノリンガルが1つの母語を習得するときでも、脳内の情報の処理の仕方の変化や脳の構造の変化を伴う。言語は外界のさまざまなモノや出来事の知覚の仕方、認識の仕方を変え、記憶も変える。たとえば、英語話者は、自動車事故の動画を見せられて、「Did you see the broken headlight?」と質問されたとき、「Did you see a broken headlight?」と聞かれたときに比べて、「見た」と言いやすくなってしまう。「the broken head light」という言い方が、「壊れたヘッドライトがあった」という含意を持つからである。日本語には冠詞がないから、よほど英語に習熟し、英語が体の一部になっている人以外は「the」と「a」の違いで記憶が変わるということはない。

言語の表現による影響はよりマクロな意思決定にも及ぶ。カーネマンの有名な「フレーミング効果」の研究を知っている読者も多いのではないか。コップに水が「半分も入っている」と言えば、ポジティブに聞こえる。「半分しか入っていない」と言えば、ネガティブに聞こえる。人心をつかむことのできる政治家は、同じことを表現するのに、大衆がポジティブに受け取る表現で話す。ではバイリンガルは？　この問いに、脳科学と行動実験からの豊富な証拠で答えるのが本書である。

そもそもバイリンガルの脳では何が起こっているのか？　本書はこの問いから始まる。私が感心したのは、１０３ページに書かれていた、メタファーである。

英語を話すこととフランス語を話すこととの違いは、チューバを演奏することとバイオリンを演奏することとの違いというよりも、むしろオーケストラ全体がベートーベンの交響曲第5番を演奏することと、同じくオーケストラ全体がチャイコフスキーの交響曲第6番を演奏することとの違いにたとえられる。

このメタファーは、そもそも言語というものが脳内でどのように表現されていて、言語を使うとき脳で何が起こっているかを見事に表し、その上で、マルチリンガルの言語処理がどのようなものかを端的に表現している。このメタファーの意味するところを詳しく解説すると、ネタバレになってしまうので、ここで止めておくが、このメタファーの「解読」を私からの読者への宿題とさせていただくので、ぜひチャレンジしていただきたい。

外国語を学習する真の利点

冒頭のChatGPTの話に戻ろう。ChatGPTは翻訳が得意だ。日本語を入力すると文法的に誤りのない、自然な英文を作ってくれる。しかも、「あなたはプロのジャーナリストです」のように指定するとジャーナリストのような端的で無駄のない英文を作り、「大学生（高校生）のレベルで」とプロンプトすれば、そのように出力してくれる。ChatGPTがあれば、英語をわざわざ学習する必要はないのではないか、と思った人も少なくないかもしれない。

本書はしかし、そのような安直な考えを力強く否定する。母語以外の言語を学び、バイリンガルになることで得られる最大の利点は、「相手に自分の言いたいことを伝える」ということではないのだ。外国語の自然な文が作れて相手とコミュニケーションができる、というのは単なる結果にすぎない。外国語を学習する真の利点はその過程から生まれる。

本書にエビデンスとともに詳細に記述されている、マルチリンガルになることで得られるさまざまな変化を、そのさわりだけ紹介しよう。まず、バイリンガルは実行機能がモノリンガルより優れている。実行機能とは、今自分が行っている思考——意識的な思考だけでなく、ほぼ無意識に自動的に行っている認知処理も含む——を適切にモニターし、注意を制御する能力のことである。これは、学習や意思決定の要となる認知能力として知られている。バイリンガルは、今何語を使っているかというモニター機能と、注意の切り替えの訓練を常に行っているようなものである。

しかしそれだけではない。そもそも言語を使うことは「壮大な連想ゲーム」を脳内で繰り広げることに等しいと著者は言う。ある言語のある単語にアクセスすると、そのほかの関連する単語も同時に活性化する。その言語の関連することばだけでなく、別の言語の単語も活性化される。マルチリンガルは、ある言語で1つの単語を使うだけでも、モノリンガルにくらべて活性化する情報量がずっと多く、その情報を制御しなければならない。マルチリンガルは、多くの情報を見渡し、整理し、選択するという負荷が高い情報処理をいつも行っていることに等しく、それは実行機能の訓練を常に行っているということだ。

この日々の生活の中での訓練は、脳の構造も変化させる。運動が肉体を変えるように、新しい言語を学ぶことは脳の構造を物理的に変えるのである。それによって、通常では前頭部が司る作業のいくつかを、手続き的な作業を担当する他の部位に回すことができるようになる。すると、その分、高度で抽象的な思考の要となる前頭部で、より創造的な思考に使うリソースが増えるということだ。実際、本書の著者は、創造性の指標となる課題をバイリンガルとモノリンガルに課すと、バイリンガルのほうが高いパフォーマンスを示すと述べている。

ChatGPTに翻訳させたのでは起こりえない認識と思考の変化

マルチリンガルは、モノリンガルに比べ、偏見にも陥りにくいという。言語は話し手が世界と関わり、世界を理解するときのフィルターとして働く。言語のちょっとした言い回しが特定のバイアスや信念や偏見を生むこともある。もともと人間は、偏見を作りやすい生き物である。しかし、複数の言語で思考することができれば、ある言語（文化）固有のフィルターに支配されることがなくなり、偏見から逃れて人とも世界とも付き合えるようになると著者は言う。そして、とどめは、認知症の発症まで遅らせることができるそうだ。

言うまでもなく、これらの素晴らしい変化は、ChatGPTに翻訳させたのでは起こりえない。学習者が自分で複数の言語を学習して初めて身につけることができるのだ。(誤解なきように私から言っておくと、言語を学習することで起こる実行機能やその他の認知能力の変化、脳の構造的変化はモノリンガルが言語を習得する過程でも起こることである。文中で使われる個々の単語の意味や文の意味は、文脈の中で推論される。最初はその状況でことばが何を表現しているかという推論しかできないが、さまざまな状況で同じ単語が使われると、より汎用性の高い抽象的な意味が抽出される。それがことばの意味を覚えると言うことだ。1つの言語の中でもことばの学習を重ねれば推論能力全般も、認知能力も向上する。マルチリンガルは情報処理の負荷が高いので、訓練効果も大きいと言うことなのだ。)

ChatGPTの翻訳はますます巧みになっていくだろう。そんな時代に、外国語を学習する意味は何か。それは単に外国語でコミュニケーションを取れるということでなくなるのは確実だ。自分の枠から離れて、他者、他文化の視点から自分や世界を捉え直すことができるようになること。柔軟に注意と視野を切り替え、感情に支配されずに合理的、論理的に判断ができるようになること。相手の立場や文化を理解したうえで、より相手の気持ちに訴えかけるコミュニケーションが取れるようになること。このような能力は、グローバルで多次元の価値観から構成される現代・未来社会をしなやかに生きるために必要な能力なのだが、外国語を自分で学習することで強化することができるのである。

やみくもに焦る必要もない

ただ、本書を読んだ読者にいくつか注意しておきたいことがある。本書に書かれたマルチリンガルのもつ驚異の能力を知ると、2通りの反応があり得ると思う。1つは、バイリンガル、マルチリンガルになれば、本書に述べられている素晴らしい能力を自動的に身につけることができるようになると思うこと。もう1つは、マルチリンガルでない自分は、現代社会を生きるための必須能力を持たない人間だと考え、マルチリンガルでない自分を悔いたり責めたりする反応である。あるいは今すぐ子どもにマルチリンガルの教育をはじめなければ、と思うこと。もしかしたら、自分はマルチリンガルでないから、認知症を発症しやすい、と心配したりするかもしれない。

しかし、この結論はどちらも論理的に正しくない。まず、著者はあくまで「統計上の傾向」に基づいて話をしているということだ。統計的な結論というのは、Xをすれば必ずYになる、というものではなく、あなたの子どもにマルチリンガルの教育をすればあなたの子どもの実行機能は必ず発達し、必ず優れた意思決定ができるようになる、ということではないことを知っておいてほしい。理想的な環境の下でマルチリンガルに育てれば、モノリンガルの環境で育てた場合より、実験で指標とした実行機能の能力が何ポイントか上がる可能性は偶然より高い。これが統計に基づいた研究の正しい解釈の仕方だ。(これは本書に限らず、統計的な数値をベースに効果を議論しているすべての結論に言えることだ。だから統計に翻弄されないために、統計学の知識は有益なのである。)

また、「マルチリンガルはモノリンガルより〇〇が優れている」という結論は、モノリンガルが〇〇を身につけることはできない、ということも意味しない。実行機能のことを例に考えてみよう。2つの言語を常に使っている環境にあるバイリンガルは、2つの言語の間で注意を切り替え、多くの情報を制御・整理することをしていて、実行機能を向上させるための訓練を日常的に受けている状況にある。しかし、実行機能を向上させるために親が子どもにできることは、バイリンガル教育を受けさせることだけではない。将棋もトランプのようなカードゲームも音楽教育も、それぞれ実行機能やその他の認知能力の向上に役に立つだろう。優れた認知能力、推論能力、判断能力を身につけるように子どもを支援する方法は他にもいろいろある。

もうひとつ、バイリンガル・マルチリンガルにもいろいろな種類があるということを忘れてはいけない。本書の著者が対象にしている「マルチリンガル」は、複数言語を日常的に使っている人たちを指している。本書で紹介されている「マルチリンガル」は、コミュニティが複数言語を公用語として運用している地域に住む人たちか、アメリカで留学中だったり、現地で就労している人たちだ。母語も外国語も十分に堪能で、しかも毎日仕事でも生活でも使っている。そこがポイントである。自分の研究に関連する外国語について膨大な知識を持ち、文献を読みこなすことができるものの、日常生活ではまったく使っていない研究者はたくさんいるが、その人たちに、本書で述べられている脳や認知の変化が起きているかというと、起きていないだろう。

私自身、たぶんバイリンガルと言ってよいのだろう。英語で話したり書いたりすることは昔からしているし、論文を書くのは英語のほうが得意なくらいだ。しかし、現在は日本で暮らし、大学での仕事でもプライベートでもほぼいつも日本語を使っている。そんな私は、著者が描くバイリンガル像にはほとんど当てはまらない。注意の切り替えもモノリンガルの日本人より優れているとは思えない。自分の研究分野以外のこと、たとえば政治のことや医療のこと、経済のことなどを英語で考えたとき、日本語で考えるよりよい判断ができるとは思えない。そもそも、専門分野以外は英語の語彙もそんなに豊かでないから、精密かつ厳密に考えられないのだ。

著者の描くマルチリンガルの世界はとてもステキだ。しかし、それは何の犠牲も伴わずに簡単に達成できることではない。認知機能を向上させ、よりよい意思決定ができるために、もっともっと新たな言語の学習をしたいか？　時間に余裕があればそれもよいと思うが、少なくとも今は現実的でないと思っているのは私だけではないだろう。

社会としても同じことが言えるだろう。日本は少なくともマルチリンガル社会と言える状況にはない。日本語以外の言語を社会であまり使わないから、日本に暮らす日本人の外国語運用能力は一般的に低い。しかし、日本に移住しながら日本語以外を主に使って生活している人たちはどんどん増えている。母語ではない日本語を勉強しなくてはならず、学校教育も日本語で受けなければならない子どもたちもどんどん増加している。彼らの中には、本書で描かれているバイリンガルのように、そして本書の著者自身のように、複数言語を学び、運用することで得られた能力や知識を武器にできている人たちもたしかに存在する。しかし、総じて、外国語である日本語で教えられる授業に取り残されてしまっている子どもたちのほうが多い。それはなぜなのだろうか？　そこを明らかにすることは、学術的にも、社会的にも非常に価値あることである。日本語を母語とする子どもに英語を学習させ、バイリンガル教育に力を入れることはよいことだと思うが、日本語を第二言語として学び、日本の学校で教科の学習をしている子どもの困難をつきとめ、学習をサポートすることも必要だ。

本書の内容が日本にはそぐわないとか有用でないとか、批判めいたことを言いたいわけでは全くない。ただ、バイリンガリズム、マルチリンガリズムのありかたは非常に多様で、本書で描かれているバイリンガルをバイリンガルのステレオタイプと思わないほうがよい。すぐにでも自分の子どもにマルチリンガル教育を始めなければならないとやみくもに焦る必要もないということは、ひとこと指摘しておきたい。

外国語の教育は今の日本に重要な課題で、社会全体で、外国語学習にもっと力を入れる必要があることは疑いの余地がない。ただし、それは、受験に必要とか、仕事で有利とか、経済の活性化といった、個人や国の功利的な目的のためだけであってはいけない。文化と切り離して文法と語彙を教え、単にその言語で文が作れるようになればよいということを目標にしてもいけない。正しい文法に則って情報を伝えるだけの文生成ならChatGPTで十分である。

言語は私たちの思考とも、他者と関わる社会で生活する上でも、なくてはならないものである。他方、言語は危険な道具でもある。言語は人々の不安をあおり、戦争に駆り立てることに加担してきた。言語を道具に、強い民族が弱い民族を支配しようとすることは歴史上繰り返し起こっている。そういうことも含めて、言語と人間との関わり、言語と社会の関わりについて、自分ごととして強い関心を持ちながら若い世代が国語も外国語も学ぶ。そういう言語教育が施策として必要だ。それが国民全体に浸透したとき、はじめて国家は多文化に開かれた成熟した社会を築くことができるのだ。

人々が簡単に国境を越え、自分の母語以外の言語で意思を伝えあう状況はますます加速するだろう。ＡＩによる翻訳技術もますます発展するだろう。そのような、人類の歴史上未曾有の状況下で、私たちは言語をどう使い、生きていくべきか。その答えを地球に生きる私たちひとり一人が真剣に考えることを時代は求めている。本書はそれを考える上で恰好の材料を提供してくれている。

参考文献

はじめに——あるいは、この本へようこそ！

1） Primo Levi, "A Tranquil Star," *The New Yorker*, February 4, 2007, https://www.newyorker.com/magazine/2007/02/12/a-tranquil-star.

2） Russell A. Poldrack, Yaroslav O. Halchenko, and Stephen José Hanson, "Decoding the Large-Scale Structure of Brain Function by Classifying Mental States Across Individuals," *Psychological Science* 20, no. 11 (2009): 1364–1372, https://doi.org/10.1111/j.1467-9280.2009.02460.x.

3） Russell A. Poldrack and Tal Yarkoni, "From Brain Maps to Cognitive Ontologies: Informatics and the Search for Mental Structure," *Annual Review of Psychology* 67 (2016): 587–612, https://doi.org/10.1146/annurev-psych-122414-033729.

4） Lera Boroditsky, Lauren A. Schmidt, and Webb Phillips, "Sex, Syntax, and Semantics," in *Language in Mind: Advances in the Study of Language and Thought*, eds. Dedre Gentner and Susan Goldin-Meadow (Cambridge: MIT Press, 2003), 61–79.

5） Steven Samuel, Geoff Cole, and Madeline J. Eacott, "Grammatical Gender and Linguistic Relativity: A Systematic Review," *Psychonomic Bulletin & Review* 26, no. 6 (2019): 1767–1786, https://doi.org/10.3758/s13423-019-01652-3.

6） National Aeronautics and Space Administration, "Mars Climate Orbiter,"（2023年6月6日最終更新）
https://solarsystem.nasa.gov/missions/mars-climate-orbiter/in-depth/.

7） National Security Agency, "Mokusatsu: One Word, Two Lessons,"（2022年2月18日閲覧）
https://www.nsa.gov/portals/75/documents/news-features/declassified-documents/tech-journals/mokusatsu.pdf.

8） Ellen Bialystok, Fergus I. M. Craik, and Morris Freedman, "Bilingualism as a Protection Against the Onset of Symptoms of Dementia," *Neuropsychologia* 45, no. 2 (2007): 459–464, https://doi.org/10.1016/j.neuropsychologia.2006.10.009.

第Ⅰ部　個人と言語

Ludwig Wittgenstein, *Tractatus Logico-Philosophicus* (London: Routledge & Kegan Paul, 1922).
（ウィトゲンシュタイン『論理哲学論考』岩波文庫、2003年など）

1　複数の言語を操る脳

1） Karen Zeigler and Steven A. Camarota, "67.3 Million in the United States Spoke a Foreign Language at Home in 2018," Center for Immigration Studies (2019):

2

1–7, https://cis.org/sites/default/files/2019-10/camarota-language-19_0.pdf.

2) Sayuri Hayakawa and Viorica Marian, "Studying Bilingualism Through Eye-Tracking and Brain Imaging," in *Bilingual Lexical Ambiguity Resolution*, eds. Roberto R. Heredia and Anna B. Cieślicka (Cambridge: Cambridge University Press, 2020), 273–299.

3) Northwestern University, "Bilingualism and Psycholinguistics Research Laboratory," accessed February 18, 2022, http://www.bilingualism.northwestern.edu/.

4) Viorica Marian, "The Language You Speak Influences Where Your Attention Goes," *Scientific American*, December 5, 2019, https://blogs.scientificamerican.com/observations/the-language-you-speak-influences-where-your-attention-goes/.

5) Viorica Marian, "Bilingual Language Processing: Evidence from Eye-Tracking and Functional Neuroimaging," (PhD diss., Cornell University, 2000).

6) Viorica Marian and Michael Spivey, "Competing Activation in Bilingual Language Processing: Within-and Between-Language Competition," *Bilingualism: Language and Cognition* 6, no. 2 (2003): 97–115, https://doi.org/10.1017/S1366728903001068.

7) Michael J. Spivey and Viorica Marian, "Cross Talk Between Native and Second Languages: Partial Activation of an Irrelevant Lexicon," *Psychological Science* 10, no. 3 (1999): 281–284, https://doi.org/10.1111/1467-9280.00151.

8) Viorica Marian and Michael Spivey, "Bilingual and Monolingual Processing of Competing Lexical Items," *Applied Psycholinguistics* 24, no. 2 (2003): 173–193, https://doi.org/10.1017/S0142716403000092.

9) Ellen Bialystok, Fergus I. M. Craik, and Gigi Luk, "Cognitive Control and Lexical Access in Younger and Older Bilinguals," *Journal of Experimental Psychology*: Learning, Memory, and Cognition 34, no. 4 (2008): 859–873, https://doi.org/10.1037/0278-7393.34.4.859.

10) Viorica Marian, Henrike K. Blumenfeld, Elena Mizrahi, Ursula Kania, and Anne-Kristin Cordes, "Multilingual Stroop Performance: Effects of Trilingualism and Proficiency on Inhibitory Control," *International Journal of Multilingualism* 10, no. 1 (2013): 82–104, https://doi.org/10.1080/14790718.2012.708037.

11) Viorica Marian and Margarita Kaushanskaya, "Language Context Guides Memory Content," *Psychonomic Bulletin & Review* 14, no. 5 (2007): 925–933, https://doi.org/10.3758/BF03194123.

12) Viorica Marian and Margarita Kaushanskaya, "Language-Dependent Memory: Insights from Bilingualism," in *Relations Between Language and Memory*, ed. Cornelia Zelinsky-Wibbelt (Peter Lang, 2011), 95–120.

13) Viorica Marian and Ulric Neisser, "Language-Dependent Recall of

Autobiographical Memories," *Journal of Experimental Psychology*: General 129, no. 3 (2000): 361–368, https://doi.org/10.1037/0096-3445.129.3.361.

14) Jean-Marc Dewaele, "The Emotional Weight of *I Love You* in Multilinguals' Languages," *Journal of Pragmatics* 40, no. 10 (2008): 1753–1780, https://doi.org/10.1016/j.pragma.2008.03.002.

15) Viorica Marian and Margarita Kaushanskaya, "Words, Feelings, and Bilingualism: Cross-Linguistic Differences in Emotionality of Autobiographical Memories," *The Mental Lexicon* 3, no. 1 (2008): 72–91, https://doi.org/10.1075/ml.3.1.06mar.

16) Sayuri Hayakawa, Albert Costa, Alice Foucart, and Boaz Keysar, "Using a Foreign Language Changes Our Choices," *Trends in Cognitive Sciences* 20, no. 11 (2016): 791–793, https://doi.org/10.1016/j.tics.2016.08.004.

17) Albert Costa, Alice Foucart, Sayuri Hayakawa, Melina Aparici, Jose Apesteguia, Joy Heafner, and Boaz Keysar, "Your Morals Depend on Language," *PloS ONE* 9, no. 4 (2014): e94842, https://doi.org/10.1371/journal.pone.0094842.

18) Yoella Bereby-Meyer, Sayuri Hayakawa, Shaul Shalvi, Joanna D. Corey, Albert Costa, and Boaz Keysar, "Honesty Speaks a Second Language," *Topics in Cognitive Science* 12, no. 2 (2020): 632–643, https://doi.org/10.1111/tops.12360.

2　脳は複数の言語を同時に処理している

1) University of Western Ontario, "Lab Tutorials," https://sites.google.com/site/kenmcraelab/lab-tutorials/.（2022 年 2 月 18 日閲覧）

2) Viorica Marian, "Audio-Visual Integration During Bilingual Language Processing," in *The Bilingual Mental Lexicon: Interdisciplinary Approaches*, ed. Aneta Pavlenko (Clevedon, UK: Multilingual Matters, 2009), 52–78.

3) Anthony Shook and Viorica Marian, "Covert Co-Activation of Bilinguals' Non-Target Language: Phonological Competition from Translations," *Linguistic Approaches to Bilingualism* 9, no. 2 (2019): 228– 252, https://doi.org/10.1075/lab.17022.sho.

4) Holger Hopp, "The Processing of English Which-Questions in Adult L2 Learners: Effects of L1 Transfer and Proficiency," *Zeitschrift für Sprachwissenschaft* 36, no. 1 (2017): 107–134, https://doi.org/10.1515/zfs-2017-0006.

5) Margarita Kaushanskaya and Viorica Marian, "Bilingual Language Processing and Interference in Bilinguals: Evidence from Eye Tracking and Picture Naming," *Language Learning* 57, no. 1 (2007): 119–163, https://doi.org/10.1111/j.1467-9922.2007.00401.x.

6) Viorica Marian, James Bartolotti, Natalia L. Daniel, and Sayuri Hayakawa, "Spoken Words Activate Native and Non-Native Letter-to-Sound Mappings: Evidence from Eye Tracking," *Brain and Language* 223 (2021): 105045, https://doi.org/10.1016/j.bandl.2021.105045.

4

7) Anthony Shook and Viorica Marian, "The Bilingual Language Interaction Network for Comprehension of Speech," *Bilingualism: Language and Cognition* 16, no. 2 (2013): 304–324, https://doi.org/10.1017/S1366728912000466.
8) Henrike K. Blumenfeld and Viorica Marian, "Constraints on Parallel Activation in Bilingual Spoken Language Processing: Examining Proficiency and Lexical Status Using Eye-Tracking," *Language and Cognitive Processes* 22, no. 5 (2007): 633–660, https://doi.org/10.1080/01690960601000746.
9) Anthony Shook and Viorica Marian, "Language Processing in Bimodal Bilinguals," in *Bilinguals: Cognition, Education, and Language Processing*, ed. Earl F. Caldwell (Hauppauge, NY: Nova Science Publishers, 2009), 35–64.
10) Marcel R. Giezen, Henrike K. Blumenfeld, Anthony Shook, Viorica Marian, and Karen Emmorey, "Parallel Language Activation and Inhibitory Control in Bimodal Bilinguals," *Cognition* 141 (2015): 9–25, https://doi.org/10.1016/j.cognition.2015.04.009.
11) Anthony Shook and Viorica Marian, "Bimodal Bilinguals Co-Activate Both Languages During Spoken Comprehension," *Cognition* 124, no. 3 (2012): 314–324, https://doi.org/10.1016/j.cognition.2012.05.014.
12) Sarah Chabal and Viorica Marian, "Speakers of Different Languages Process the Visual World Differently," *Journal of Experimental Psychology: General* 144, no. 3 (2015): 539–550, https://doi.org/10.1037/xge0000075.
13) Sarah Chabal, Sayuri Hayakawa, and Viorica Marian, "Language Is Activated by Visual Input Regardless of Memory Demands or Capacity," *Cognition* 222 (2022): 104994, https://doi.org/10.1016/j.cognition.2021.104994.
14) Judith F. Kroll, Paola E. Dussias, Cari A. Bogulski, and Jorge R. Valdes Kroff, "Juggling Two Languages in One Mind: What Bilinguals Tell Us About Language Processing and Its Consequences for Cognition," *Psychology of Learning and Motivation* 56 (2012): 229–262, https://doi.org/10.1016/B978-0-12-394393-4.00007-8.
15) Viorica Marian, Sayuri Hayakawa, and Scott R. Schroeder, "Memory After Visual Search: Overlapping Phonology, Shared Meaning, and Bilingual Experience Influence What We Remember," *Brain and Language* 222 (2021): 105012, https://doi.org/10.1016/j.bandl.2021.105012.
16) Henrike K. Blumenfeld and Viorica Marian, "Bilingualism Influences Inhibitory Control in Auditory Comprehension," *Cognition* 118, no. 2 (2011): 245–257, https://doi.org/10.1016/j.cognition.2010.10.012.

3 創造性・知覚・思考と言語

1) Jackson G. Lu, Andrew C. Hafenbrack, Paul W. Eastwick, Dan J. Wang, William W. Maddux, and Adam D. Galinsky, " 'Going Out' of the Box: Close

Intercultural Friendships and Romantic Relationships Spark Creativity, Workplace Innovation, and Entrepreneurship," *Journal of Applied Psychology* 102, no. 7 (2017): 1091–1108, https://doi.org/10.1037/apl0000212.

2) Bill Thompson, Seán G. Roberts, and Gary Lupyan, "Cultural Influences on Word Meanings Revealed through Large-Scale Semantic Alignment," *Nature Human Behaviour* 4, no. 10 (2020): 1029–1038, https://doi.org/10.1038/s41562-020-0924-8.

3) Tamar Degani, Anat Prior, and Natasha Tokowicz, "Bidirectional Transfer: The Effect of Sharing a Translation," *Journal of Cognitive Psychology* 23, no. 1 (2011): 18–28, https://doi.org/10.1080/20445911.2011.445986.

4) Siqi Ning, Sayuri Hayakawa, James Bartolotti, and Viorica Marian, "On Language and Thought: Bilingual Experience Influences Semantic Associations," *Journal of Neurolinguistics* 56 (2020): 100932, https://doi.org/10.1016/j.jneuroling.2020.100932.

5) Li-Young Lee, "Persimmons," in Li-Young Lee, *Rose: Poems* (Rochester, NY: BOA Editions, 1986), 17–19.

6) Ellen Bialystok and Dana Shapero, "Ambiguous Benefits: The Effect of Bilingualism on Reversing Ambiguous Figures," *Developmental Science* 8, no. 6 (2005): 595–604, https://doi.org/10.1111/j.1467-7687.2005.00451.x.

7) Marina C. Wimmer and Christina Marx, "Inhibitory Processes in Visual Perception: A Bilingual Advantage," *Journal of Experimental Child Psychology* 126 (2014): 412–419, https://doi.org/10.1016/j.jecp.2014.03.004.

8) Annette Karmiloff-Smith, "Constraints on Representational Change: Evidence from Children's Drawing," *Cognition* 34, no. 1 (1990): 57–83, https://doi.org/10.1016/0010-0277(90)90031-E.

9) Esther Adi-Japha, Jennie Berberich- Artzi, and Afaf Libnawi, "Cognitive Flexibility in Drawings of Bilingual Children," *Child Development* 81, no. 5 (2010): 1356–1366, https://doi.org/10.1111/j.1467-8624.2010.01477.x.

10) E. Paul Torrance, "Predicting the Creativity of Elementary School Children (1958–80) —and the Teacher Who 'Made a Difference,' " *Gifted Child Quarterly* 25, no. 2 (1981): 55–62, https://doi.org/10.1177/001698628102500203.

11) Jonathan A. Plucker, "Is the Proof in the Pudding? Reanalyses of Torrance's (1958 to present) Longitudinal Data," *Creativity Research Journal* 12, no. 2 (1999): 103–114, https://doi.org/10.1207/s15326934crj1202_3.

12) Ludwig Wittgenstein, *Philosophical Investigations*, trans. Gertrude Elizabeth Margaret Anscombe (New York: Macmillan, 1953).
(ウィトゲンシュタイン『哲学探究』講談社、2020年など)

13) Benjamin Lee Whorf, *Language, Thought, and Reality: Selected Writings of Benjamin Lee Whorf* ,ed. John B. Carroll (Cambridge, MA: MIT Press, 1956).
(ウォーフ『言語・思考・現実』講談社学術文庫、1993年など)

6

14) Erich Heller, “Wittgenstein and Nietzsche,” in *The Artist's Journey into the Interior and Other Essays* (London: Secker & Warburg, 1966), 199–226.
15) Édouard Claparède, “Récognition et moitié,” *Archives de psychologie Genève* 11 (1911): 79–90.
16) Lera Boroditsky, “Does Language Shape Thought?: Mandarin and English Speakers' Conceptions of Time,” *Cognitive Psychology* 43, no. 1 (2001): 1–22, https://doi.org/10.1006/cogp.2001.0748.
17) Edward Sapir, “The Status of Linguistics as a Science,” *Language* 5, no. 4 (1929): 207–214.
18) Peiyao Chen, Ashley Chung-Fat-Yim, and Viorica Marian, “Cultural Experience Influences Multisensory Emotion Perception in Bilinguals,” *Languages* 7, no. 1 (2022): 12, https://doi.org/10.3390/languages7010012.
19) Viorica Marian, Sayuri Hayakawa, Tuan Q. Lam, and Scott R. Schroeder, “Language Experience Changes Audiovisual Perception,” *Brain Sciences* 8, no. 5 (2018): 85, https://pubmed.ncbi.nlm.nih.gov/29751619/.
20) Sayuri Hayakawa and Viorica Marian, “Consequences of Multilingualism for Neural Architecture,” *Behavioral and Brain Functions* 15, no. 1 (2019): 1–24, https://doi.org/10.1186/s12993-019-0157-z.
21) Richard Stephens, John Atkins, and Andrew Kingston, “Swearing as a Response to Pain,” *NeuroReport* 20, no. 12 (2009): 1056–1060, https://doi.org/10.1097/WNR.0b013e32832e64b1.

4 言葉は受肉した

1) Viorica Marian, Michael Spivey, and Joy Hirsch, “Shared and Separate Systems in Bilingual Language Processing: Converging Evidence from Eyetracking and Brain Imaging,” *Brain and Language* 86, no. 1 (2003): 70–82, https://doi.org/10.1016/S0093-934X(02)00535-7.
2) fMRI 4 Newbies, “fMRI 4 Newbies: A Crash Course in Brain Imaging,” http://www.fmri4newbies.com/.（2022 年 2 月 18 日閲覧）
3) Michel Paradis, Marie-Claire Goldblum, and Raouf Abidi, “Alternate Antagonism with Paradoxical Translation Behavior in Two Bilingual Aphasic Patients,” *Brain and Language* 15, no. 1 (1982): 55–69, https://doi.org/10.1016/0093-934X(82)90046-3.
4) Albert Pitres, “Etude sur l'aphasie chez les polyglottes,” *Revue de Médicine* 15 (1895): 873–899.
5) Franco Fabbro, *The Neurolinguistics of Bilingualism: An Introduction* (London: Psychology Press, 1999).
6) Liberty S. Hamilton, Yulia Oganian, Jeffery Hall, and Edward F Chang, “Parallel and Distributed Encoding of Speech Across Human Auditory Cortex,” *Cell* 184,

no. 18 (2021): 4626–4639, https://doi.org/10.1016/j.cell.2021.07.019.

7) Jerry A. Fodor, *The Modularity of Mind* (Cambridge, MA: MIT Press, 1983).
(フォーダー『精神のモジュール形式』産業図書、1985 年)

8) Steven Johnson, *Emergence: The Connected Lives of Ants, Brains, Cities, and Software* (New York: Scribner, 2001).
(ジョンソン『創発：蟻・脳・都市・ソフトウェアの自己組織化ネットワーク』ソフトバンククリエイティブ、2004 年)

9) Alan Turing, "The Chemical Basis of Morphogenesis," *Philosophical Transactions of the Royal Society of London* B 237, no. 641 (1952): 37–72.

10) Marvin Minsky, *The Emotion Machine: Commonsense Thinking, Artificial Intelligence, and the Future of the Human Mind* (New York: Simon & Schuster, 2006).
(ミンスキー『ミンスキー博士の脳の探検：常識・感情・自己とは』共立出版、2009 年)

11) Noam Chomsky, *Syntactic Structures* (The Hague: Mouton, 1957).
(チョムスキー『統辞構造論』岩波文庫、2014 年)

12) Sayuri Hayakawa and Viorica Marian, "Consequences of Multilingualism for Neural Architecture," *Behavioral and Brain Functions* 15, no. 1 (2019): 1–24, https://doi.org/10.1186/s12993-019-0157-z.

13) Andrea Mechelli, Jenny T. Crinion, Uta Noppeney, John O'Doherty, John Ashburner, Richard S. Frackowiak, and Cathy J. Price, "Structural Plasticity in the Bilingual Brain," *Nature* 431, no. 7010 (2004): 757, https://doi.org/10.1038/431757a.

14) Jennifer Krizman and Viorica Marian, "Neural Consequences of Bilingualism for Cortical and Subcortical Function," in *The Cambridge Handbook of Bilingual Processing*, ed. John W. Schwieter (Cambridge: Cambridge University Press, 2015), 614–630.

15) Viorica Marian, James Bartolotti, Sirada Rochanavibhata, Kailyn Bradley, and Arturo E. Hernandez, "Bilingual Cortical Control of Between- and Within-Language Competition," *Scientific Reports* 7, no. 1 (2017): 1–11, https://doi.org/10.1038/s41598-017-12116-w.

16) Christos Pliatsikas, Elisavet Moschopoulou, and James Douglas Saddy, "The Effects of Bilingualism on the White Matter Structure of the Brain," *Proceedings of the National Academy of Sciences* 112, no. 5 (2015): 1334–1337, https://doi.org/10.1073/pnas.1414183112.

17) Christos Pliatsikas, Sergio Miguel Pereira Soares, Toms Voits, Vincent DeLuca, and Jason Rothman, "Bilingualism Is a Long-Term Cognitively Challenging Experience that Modulates Metabolite Concentrations in the Healthy Brain," *Scientific Reports* 11, no. 1 (2021): 1– 12, https://doi.org/10.1038/s41598-021-86443-4.

18) Sharon Begley, "Was Darwin Wrong About Evolution?" *Newsweek*, January 16,

2009, https://www.newsweek.com/begley-was-darwin-wrong-about-evolution-78507/.

19) Brian G. Dias and Kerry J. Ressler, "Parental Olfactory Experience Influences Behavior and Neural Structure in Subsequent Generations," *Nature Neuroscience* 17 (2014): 89–96, https://doi.org/10.1038/nn.3594.

20) Biao Huang, Cizhong Jiang, and Rongxin Zhang, "Epigenetics: The Language of the Cell?" *Epigenomics* 6, no. 1 (2014): 73–88, https://doi.org/10.2217/epi.13.72.

21) Richelle Mychasiuk, Saif Zahir, Nichole Schmold, Slava Ilnytskyy, Olga Kovalchuk, and Robbin Gibb, "Parental Enrichment and Offspring Development: Modifications to Brain, Behavior and the Epigenome," *Behavioural Brain Research* 228, no. 2 (2012): 294–298, https://doi.org/10.1016/j.bbr.2011.11.036.

22) Rachel Yehuda, "Trauma in the Family Tree," *Scientific American* 327, no. 1 (2022): 50–55, https://doi.org/10.1038/scientificamerican0722-5.

23) Shelley D. Smith, "Approach to Epigenetic Analysis in Language Disorders," *Journal of Neurodevelopmental Disorders* 3, no. 4 (2011): 356–364, https://doi.org/10.1007/s11689-011-9099-y.

24) Shaghayegh Navabpour, Jessie Rogers, Taylor McFadden, and Timothy J. Jarome, "DNA Double-Strand Breaks Are a Critical Regulator of Fear Memory Reconsolidation," *International Journal of Molecular Sciences* 21, no. 23 (2020): 8995, https://doi.org/10.3390/ijms21238995.

5 子どもの脳と大人の脳

1) Jana Reifegerste, João Veríssimo, Michael D. Rugg, Mariel Y. Pullman, Laura Babcock, Dana A. Glei, Maxine Weinstein, Noreen Goldman, and Michael T. Ullman, "Early-Life Education May Help Bolster Declarative Memory in Old Age, Especially for Women," *Aging, Neuropsychology, and Cognition* 28, no. 2 (2021): 218–252, https://doi.org/10.1080/13825585.2020.1736497.

2) Ellen Bialystok, "Bilingualism as a Slice of Swiss Cheese," *Frontiers in Psychology* (2021): 5219, https://doi.org/10.3389/fpsyg.2021.769323.

3) Jubin Abutalebi, Lucia Guidi, Virginia Borsa, Matteo Canini, Pasquale A. Della Rosa, Ben A. Parris, and Brendan S. Weekes, "Bilingualism Provides a Neural Reserve for Aging Populations," *Neuropsychologia* 69 (2015): 201– 210, https://doi.org/10.1016/j.neuropsychologia.2015.01.040.

4) Scott R. Schroeder and Viorica Marian, "A Bilingual Advantage for Episodic Memory in Older Adults," *Journal of Cognitive Psychology* 24 (2012): 591–601, https://doi.org/10.1080/20445911.2012.669367.

5) Scott R. Schroeder and Viorica Marian, "Cognitive Consequences of Trilingualism," *International Journal of Bilingualism* 21 (2017): 754–773, https://doi.org/10.1177/1367006916637288.

6) Raymond M. Klein, John Christie, and Mikael Parkvall, "Does Multilingualism Affect the Incidence of Alzheimer's Disease?: A Worldwide Analysis by Country," *SSM-Population Health* 2 (2016): 463–467, https://doi.org/10.1016/j.ssmph.2016.06.002.
7) Viorica Marian, Yasmeen Faroqi-Shah, Margarita Kaushanskaya, Henrike K. Blumenfeld, and Li Sheng, "Bilingualism: Consequences for Language, Cognition, Development, and the Brain," *The ASHA Leader* 14, no. 13 (2009): 10–13, https://doi.org/10.1044/leader.FTR2.14132009.10.
8) Ellen Bialystok, "Coordination of Executive Functions in Monolingual and Bilingual Children," *Journal of Experimental Child Psychology* 110,no.3 (2011): 461–468, https://doi.org/10.1016/j.jecp.2011.05.005.
9) Ágnes Melinda Kovács and Jacques Mehler, "Cognitive Gains in 7-Month-Old Bilingual Infants," *Proceedings of the National Academy of Sciences* 106, no. 16 (2009): 6556–6560, https://doi.org/10.1073/pnas.0811323106.
10) Sylvia Joseph Galambos and Kenji Hakuta, "Subject-Specific and Task-Specific Characteristics of Metalinguistic Awareness in Bilingual Children," *Applied Psycholinguistics* 9,no.2 (1988): 141–162, https://psycnet.apa.org/record/1988-35289-001.
11) Li Sheng, Karla K. McGregor, and Viorica Marian, "Lexical-Semantic Organization in Bilingual Children: Evidence from a Repeated Word Association Task," *Journal of Speech, Language, and Hearing Research* 49, no. 3 (2006): 572–587, https://doi.org/10.1044/1092-4388(2006/041).
12) Michelle M. Martin-Rhee and Ellen Bialystok, "The Development of Two Types of Inhibitory Control in Monolingual and Bilingual Children," *Bilingualism: Language and Cognition* 11, no. 1 (2008): 81–93, https://doi.org/10.1017/S1366728907003227.
13) M.Rosario Rueda, Jin Fan, Bruce D. McCandliss, Jessica D. Halparin, Dana B. Gruber, Lisha Pappert Lercari, and Michael I. Posner, "Development of Attentional Networks in Childhood," *Neuropsychologia* 42, no. 8 (2004): 1029–1040, https://doi.org/10.1016/j.neuropsychologia.2003.12.012.
14) Sujin Yang, Hwajn Yang, and Barbara Lust, "Early Childhood Bilingualism Leads to Advances in Executive Attention: Dissociating Culture and Language," *Bilingualism: Language and Cognition* 14, no. 3 (2011): 412–422, https://doi.org/10.1017/S1366728910000611.
15) Ester Navarro, Vincent DeLuca, and Eleonora Rossi, "It Takes a Village: Using Network Science to Identify the Effect of Individual Differences in Bilingual Experience for Theory of Mind," *Brain Sciences* 12,no.4 (2022): 487, https://doi.org/10.3390/brainsci12040487.
16) Paula Rubio-Fernandez and Sam Glucksberg, "Reasoning About Other People's

10

Beliefs: Bilinguals Have an Advantage," *Journal of Experimental Psychology: Learning, Memory, and Cognition* 38,no.1 (2011): 211–217, https://doi.org/10.1037/a0025162.

17) Ágnes Melinda Kovács and Jacques Mehler, "Cognitive Gains in 7-Month-Old Bilingual Infants," *Proceedings of the National Academy of Sciences* 106, no. 16 (2009): 6556–6560, https://doi.org/10.1073/pnas.0811323106.

18) Jenny R. Saffran, Richard N. Aslin, and Elissa L. Newport, "Statistical Learning by 8-Month-Old Infants," *Science* 274, no. 5294 (1996): 1926– 1928, https://doi.org/10.1126/science.274.5294.1926.

19) Margarita Kaushanskaya and Viorica Marian, "The Bilingual Advantage in Novel Word Learning," *Psychonomic Bulletin & Review* 16, no. 4 (2009): 705–710, https://doi.org/10.3758/PBR.16.4.705.

20) Julie Chobert and Mireille Besson, "Musical Expertise and Second Language Learning," *Brain Sciences* 3, no. 2 (2013): 923–940, https://doi.org/10.3390/brainsci3020923.

21) Paula M. Roncaglia-Denissen, Drikus A. Roor, Ao Chen, and Makiko Sadakata, "The Enhanced Musical Rhythmic Perception in Second Language Learners," *Frontiers in Human Neuroscience* 10 (2016): 288, https://doi.org/10.3389/fnhum.2016.00288.

22) Liquan Liu and René Kager, "Enhanced Music Sensitivity in 9-Month-Old Bilingual Infants," *Cognitive Processing* 18 (2016): 55–65, https://doi.org/10.1007/s10339-016-0780-7.

23) Sylvain Moreno, Zofia Wodniecka, William Tays, Claude Alain, and Ellen Bialystok, "Inhibitory Control in Bilinguals and Musicians: Event Related Potential (ERP) Evidence for Experience-Specific Effects," *PloS ONE* 9, no. 4 (2014): e94169, https://doi.org/10.1371/journal.pone.0094169.

24) Scott R. Schroeder, Viorica Marian, Anthony Shook, and James Bartolotti, "Bilingualism and Musicianship Enhance Cognitive Control," *Neural Plasticity* 2016 (2016), https://doi.org/10.1155/2016/4058620.

25) Andree Hartanto, Hwajin Yang, and Sujin Yang, "Bilingualism Positively Predicts Mathematical Competence: Evidence from Two Large-Scale Studies," *Learning and Individual Differences* 61 (2018): 216–227, https://doi.org/10.1016/j.lindif.2017.12.007.

26) Viorica Marian, Anthony Shook, and Scott R. Schroeder, "Bilingual Two-Way Immersion Programs Benefit Academic Achievement," *Bilingual Research Journal* 36, no. 2 (2013): 167–186, https://doi.org/10.1080/15235882.2013.818075.

27) Nicholas Block, "The Impact of Two-Way Dual-Immersion Programs on Initially English- Dominant Latino Students' Attitudes," *Bilingual Research Journal* 34, no. 2 (2011): 125–141, https://doi.org/10.1080/15235882.2011.598059.

28) Nicholas Block and Lorena Vidaurre, "Comparing Attitudes of First-Grade Dual Language Immersion Versus Mainstream English Students," *Bilingual Research Journal* 42, no. 2 (2019): 129–149, https://doi.org/10.1080/15235882.2019.1604452.

29) Alena G. Esposito, "Executive Functions in Two-Way Dual-Language Education: A Mechanism for Academic Performance," *Bilingual Research Journal* 43, no. 4 (2020): 417–432, https://doi.org/10.1080/15235882.2021.1874570.

30) Erika Hoff, Cynthia Core, Silvia Place, Rosario Rumiche, Melissa Señor, and Marisol Parra, "Dual Language Exposure and Early Bilingual Development," *Journal of Child Language* 39, no. 1 (2012): 1–27, https://doi.org/10.1017/S0305000910000759.

31) Lisa M. Bedore, Elizabeth D. Peña, Melissa García, and Celina Cortez, "Conceptual Versus Monolingual Scoring," *Language, Speech, and Hearing Services in Schools* 36, no. 3 (2005): 188–200, https://doi.org/10.1044/0161-1461(2005/020).

32) Annick De Houwer, Marc H. Bornstein, and Diane L. Putnick, "A Bilingual-Monolingual Comparison of Young Children's Vocabulary Size: Evidence from Comprehension and Production," *Applied Psycholinguistics* 35, no. 6 (2014): 1189–1211, https://doi.org/10.1017/S0142716412000744.

33) Vivian M. Umbel and D. Kimbrough Oller, "Developmental Changes in Receptive Vocabulary in Hispanic Bilingual School Children," *Language Learning* 44, no. 2 (1994): 221–242, https://doi.org/10.1111/j.1467-1770.1994.tb01101.x.

34) Viorica Marian, Sarah Chabal, James Bartolotti, Kailyn Bradley, and Arturo E. Hernandez, "Differential Recruitment of Executive Control Regions During Phonological Competition in Monolinguals and Bilinguals," *Brain and Language* 139 (2014): 108–117, https://doi.org/10.1016/j.bandl.2014.10.005.

35) Olessia Jouravlev, Zachary Mineroff, Idan A. Blank, and Evelina Fedorenko, "The Small and Efficient Language Network of Polyglots and Hyper-Polyglots," *Cerebral Cortex* 31, no. 1 (2021): 62–76, https://doi.org/10.1093/cercor/bhaa205.

36) Jennifer Krizman, Viorica Marian, Anthony Shook, Erika Skoe, and Nina Kraus, "Subcortical Encoding of Sound Is Enhanced in Bilinguals and Relates to Executive Function Advantages," *Proceedings of the National Academy of Sciences* 109, no. 20 (2012): 7877–7881, https://doi.org/10.1073/pnas.1201575109.

6 もうひとつの言語、もうひとつの魂

1) Jean-Marc Dewaele and Aneta Pavlenko, "Web Questionnaire on Bilingualism and Emotions," University of London, 2001–2003.

2) Nairán Ramírez-Esparza, Samuel D. Gosling, Verónica Benet-Martínez, Jeffrey P. Potter, and James W. Pennebaker, "Do Bilinguals Have Two Personalities? A Special Case of Cultural Frame Switching," *Journal of Research in Personality* 40, no. 2 (2006): 99–120, https://doi.org/10.1016/j.jrp.2004.09.001.

12

3) Michael Ross, Elaine Xun, and Anne Wilson, "Language and the Bicultural Self," *Personality and Social Psychology Bulletin* 28,no.8 (2002): 1040–1050, https://doi.org/10.1177/01461672022811003.
4) Chi-Ying Cheng, Fiona Lee, and Verónica Benet-Martínez, "Assimilation and Contrast Effects in Cultural Frame Switching: Bicultural Identity Integration and Valence of Cultural Cues," *Journal of Cross-Cultural Psychology* 37, no. 6 (2006): 742–760, https://doi.org/10.1177/0022022106292081.
5) Maykel Verkuyten and Katerina Pouliasi, "Biculturalism Among Older Children: Cultural Frame Switching, Attributions, Self-Identification, and Attitudes," *Journal of Cross-Cultural Psychology* 33, no. 6 (2002): 596–609, https://doi.org/10.1177/0022022102238271.
6) M. Keith Chen, "The Effect of Language on Economic Behavior: Evidence from Savings Rates, Health Behaviors, and Retirement Assets," *American Economic Review* 103, no. 2 (2013): 690–731, https://doi.org/10.1257/aer.103.2.690.
7) Eva Hoffman, *Lost in Translation: A Life in a New Language* (New York: Penguin, 1990).（ホフマン『アメリカに生きる私：二つの言語、二つの文化の間で』新宿書房、1992 年）
8) Julie Sedivy, *Memory Speaks: On Losing and Reclaiming Language and Self* (Cambridge, MA: Belknap Press of Harvard University, 2021).
9) Yu Niiya, Phoebe C. Ellsworth, and Susumu Yamaguchi, "Amae in Japan and the United States: An Exploration of a 'Culturally Unique' Emotion," *Emotion* 6, no. 2 (2006): 279–295, https://doi.org/10.1037/1528-3542.6.2.279.
10) Takeo Doi, *The Anatomy of Dependence* (Tokyo: Kodansha International, 1971).（土居健郎『「甘え」の構造』弘文堂、1971 年など）
11) Naomi Quinn, "Adult Attachment Cross-Culturally: A Reanalysis of the Ifaluk Emotion *Fago*," in *Attachment Reconsidered*, eds. Naomi Quinn and Jeannette Marie Mageo (New York: Palgrave Macmillan, 2013), 215–239, https://doi.org/10.1057/9781137386724_9.
12) Catherine Lutz, "Ethnopsychology Compared to What? Explaining Behavior and Consciousness Among the Ifaluk," in *Person, Self, and Experience: Exploring Pacific Ethnopsychologies*, eds. Geoffrey M. White and John Kirkpatrick (Berkeley: University of California Press, 1985), 35–79.
13) Usha Menon and Richard A. Shweder, "Kali's Tongue: Cultural Psychology and the Power of Shame in Orissa, India," in *Emotion and Culture: Empirical Studies of Mutual Influence*, eds. Shinobu Kitayama and Hazel Rose Markus (Washington, DC: American Psychological Association, 1994), 241–282.
14) Jody Usher and Ulric Neisser, "Childhood Amnesia and the Beginnings of Memory for Four Early Life Events," *Journal of Experimental Psychology: General* 122,no.2 (1993): 155–165, https://doi.org/10.1037/0096-3445.122.2.155.

（ナイサー『観察された記憶』 誠信書房、1989 年）
（サックス『妻を帽子とまちがえた男』ハヤカワ・ノンフィクション文庫、2009 年）
15）Viorica Marian and Caitlin M. Fausey, "Language-Dependent Memory in Bilingual Learning," *Applied Cognitive Psychology* 20, no. 8（2006）: 1025–1047, https://doi.org/10.1002/acp.1242.
16）Luna Filipović, *Bilingualism in Action*（Cambridge: Cambridge University Press, 2019）.
17）Elizabeth F. Loftus, *Eyewitness Testimony*（Cambridge, MA: Harvard University Press, 1996）.
（ロフタス『目撃者の証言』誠信書房、1987 年）
18）Elizabeth F. Loftus and Jacqueline E. Pickrell, "The Formation of False Memories," *Psychiatric Annals* 25, no. 12（1995）: 720–725, https://doi.org/10.3928/0048-5713-19951201-07.
19）Viorica Marian, "Two Memory Paradigms: Genuine and False Memories in Word Lists and Autobiographical Recall," in *Trends in Experimental Psychology Research*, ed. Diane T. Rosen（New York: Nova Science Publishers, 2005）, 129–142.
20）Ursula K. Le Guin, "The Ones Who Walk Away from Omelas"（Mankato, MN: Creative Education, 1993）.
（ル・グィン『オメラスから歩み去る人々』、ハヤカワ文庫『風の十二方位』〈1980 年〉に収録）
21）Constantinos Hadjichristidis, Janet Geipel, and Luca Surian, "Breaking Magic: Foreign Language Suppresses Superstition," *Quarterly Journal of Experimental Psychology* 72, no. 1（2019）: 18–28, https://doi.org/10.1080/17470218.2017.1371780.
22）Donnel A. Briley, Michael W. Morris, and Itamar Simonsson, "Cultural Chameleons: Biculturals, Conformity Motives, and Decision Making," *Journal of Consumer Psychology* 15, no. 4（2005）: 351–362, https://doi.org/10.1207/s15327663jcp1504_9.
23）Viorica Marian and Margarita Kaushanskaya, "Self-Construal and Emotion in Bicultural Bilinguals," *Journal of Memory and Language* 51, no. 2（2004）: 190–201, https://doi.org/10.1016/j.jml.2004.04.003.
24）Shan Gao, Ondrej Zika, Robert D. Rogers, and Guillaume Thierry, "Second Language Feedback Abolishes the 'Hot Hand' Effect During Even-Probability Gambling," *Journal of Neuroscience* 35, no. 15（2015）: 5983–5989, https://doi.org/10.1523/JNEUROSCI.3622-14.2015.
25）Daniel Kahneman and Amos Tversky, "Prospect Theory: An Analysis of Decision Under Risk," *Econometrica* 47, no. 2（1979）: 263–291, https://doi.org/10.2307/1914185.
26）Boaz Keysar, Sayuri L. Hayakawa, and Sun Gyu An, "The Foreign-Language Effect: Thinking in a Foreign Tongue Reduces Decision Biases," *Psychological Science* 23, no. 6（2012）: 661–668, https://doi.org/10.1177/0956797611432178.

14

27) Constantinos Hadjichristidis, Janet Geipel, and Lucia Savadori, "The Effect of Foreign Language in Judgments of Risk and Benefit: The Role of Affect," *Journal of Experimental Psychology: Applied* 21, no. 2 (2015): 117–129, https://doi.org/10.1037/xap0000044.
28) Janet Geipel, Constantinos Hadjichristidis, and Anne-Kathrin Klesse, "Barriers to Sustainable Consumption Attenuated by Foreign Language Use," *Nature Sustainability* 1, no. 1 (2018): 31–33, https://doi.org/10.1038/s41893-017-0005-9.
29) Janet Geipel, Leigh H. Grant, and Boaz Keysar, "Use of a Language Intervention to Reduce Vaccine Hesitancy," *Scientific Reports* 12, no. 1 (2022): 1–6, https://doi.org/10.1038/s41598-021-04249-w.
30) Sayuri Hayakawa, Yue Pan, and Viorica Marian, "Using a Foreign Language Changes Medical Judgments of Preventative Care," *Brain Sciences* 11, no. 10 (2021): 1309, https://doi.org/10.3390/brainsci11101309.
31) Sayuri Hayakawa, Yue Pan, and Viorica Marian, "Language Changes Medical Judgments and Beliefs," *International Journal of Bilingualism* 26, no. 1 (2021): 104–121, https://doi.org/10.1177/13670069211022851.

第II部　社会と言語

（エリオット『四つの四重奏』岩波文庫、2011 年など）

7　究極のインフルエンサー

1) George Orwell, *1984* (London: Secker & Warburg, 1949).
（オーウェル『一九八四年』ハヤカワ epi 文庫、2009 年など）
2) George Orwell, "Politics and the English Language" (London: Horizon, 1946).
（オーウェル『政治と英語』、平凡社『オーウェル評論集 2 水晶の精神』〈2009 年〉に収録）
3) Nicole Holliday, " 'My Presiden(t) and Firs(t) Lady Were Black': Style, Context, and Coronal Stop Deletion in the Speech of Barack and Michelle Obama," *American Speech: A Quarterly of Linguistic Usage* 92, no. 4 (2017): 459–486, https://doi.org/10.1215/00031283-6903954.
4) Benjamin Zimmer and Charles E. Carson, "Among the New Words," *American Speech: A Quarterly of Linguistic Usage* 87, no. 4 (2012): 491–510, https://doi.org/10.1215/00031283-2077633.
5) Alejandro Flores and Alexander Coppock, "Do Bilinguals Respond More Favorably to Candidate Advertisements in English or in Spanish?" *Political Communication* 35, no. 4 (2018): 612–633, https://doi.org/10.1080/10584609.2018.1426663.
6) Jessica Lavariega Monforti, Melissa Michelson, and Annie Franco, "Por Quién Votará? Experimental Evidence About Language, Ethnicity, and Vote Choice

(Among Republicans)," *Politics, Groups, & Identities* 1, no. 4 (2013): 475–487, https://doi.org/10.1080/21565503.2013.842491.

7) Joshua Darr, Brittany Perry, Johanna Dunaway, and Mingxiao Sui, "Seeing Spanish: The Effects of Language-Based Media Choices on Resentment and Belonging," *Political Communication* 37, no. 4 (2020): 488–511.https://doi.org/10.1080/10584609.2020.1713268

8) Eric Yorkston and Geeta Menon, "A Sound Idea: Phonetic Effects of Brand Names on Consumer Judgments," *Journal of Consumer Research* 31, no. 1 (2004): 43–51, https://doi.org/10.1086/383422.

9) Stefano Puntoni, Bart De Langhe, and Stijn M.J.Van Osselaer, "Bilingualism and the Emotional Intensity of Advertising Language," *Journal of Consumer Research* 35, no. 6 (2009): 1012–1025, https://doi.org/10.1086/595022.

10) Mustafa Karataş, "Making Decisions in Foreign Languages: Weaker Senses of Ownership Attenuate the Endowment Effect," *Journal of Consumer Psychology* 30, no. 2 (2020): 296–303, https://doi.org/10.1002/jcpy.1138.

11) Cecilia M.O.Alvarez, Paul W.Miniard, and James Jaccard, "How Hispanic Bilinguals' Cultural Stereotypes Shape Advertising Persuasiveness," *Journal of Business Research* 75 (2017): 29–36, https://doi.org/10.1016/j.jbusres.2017.02.003.

12) Ryall Carroll and David Luna, "The Other Meaning of Fluency," *Journal of Advertising* 40, no. 3 (2011): 73–84, https://doi.org/10.2753/JOA0091-3367400306.

13) Aradhna Krishna and Rohini Ahluwalia, "Language Choice in Advertising to Bilinguals: Asymmetric Effects for Multinationals Versus Local Firms," *Journal of Consumer Research* 35, no. 4 (2008): 692–705, https://doi.org/10.1086/592130.

14) Camelia C.Micu and Robin A. Coulter, "Advertising in English in Nonnative English-Speaking Markets: The Effect of Language and Self-Referencing in Advertising in Romania on Ad Attitudes," *Journal of East-West Business* 16,no.1 (2010): 67–84, https://doi.org/10.1080/10669860903558433.

15) Joshua Freedman and Dan Jurafsky, "Authenticity in America: Class Distinctions in Potato Chip Advertising," *Gastronomica* 11, no. 4 (2011): 46–54, https://doi.org/10.1525/gfc.2012.11.4.46.

16) Dan Jurafsky, *The Language of Food: A Linguist Reads the Menu* (New York: W. W. Norton & Company, 2014).
(ジュラフスキー『ペルシア王は「天ぷら」がお好き？：味と語源でたどる食の人類史』早川書房、2015 年)

17) Evelina Leivada, Natalia Mitrofanova, and Marit Westergaard, "Bilinguals Are Better Than Monolinguals in Detecting Manipulative Discourse," *PloS ONE* 16, no. 9 (2021): e0256173, https://doi.org/10.1371/journal.pone.0256173.

18) David Miller, Cecilia Solis-Barroso, and Rodrigo Delgado, "The Foreign Language

Effect in Bilingualism: Examining Prosocial Sentiment After Offense Taking," *Applied Psycholinguistics* 42, no. 2 (2021): 395–416, https://doi.org/10.1017/S0142716420000806.
19) George Bernard Shaw, *Pygmalion,* in *Four Plays by Bernard Shaw* (New York: Random House, 1953), 213–319.
(ショー『ピグマリオン』光文社古典新訳文庫、2013 年など)
20) William Labov, *Sociolinguistic Patterns* (Philadelphia: University of Pennsylvania Press, 1972).
21) William Labov, "The Social Motivation of a Sound Change," *Word* 19, no. 3 (1963): 273–309, https://doi.org/10.1080/00437956.1963.11659799.
22) Rachel Webster, *Benjamin Banneker and Us: Eleven Generations of an American Family* (New York: Henry Holt, 2023).
23) WorldAtlas, "The Most Spoken Languages in America," https://www.worldatlas.com/articles/the-most-spoken-languages-in-america.html.

8 言葉は時代の変化を映す

1) Robin Kimmerer, "Speaking of Nature," *Orion*, June 12, 2017, https://orionmagazine.org/article/speaking-of-nature/.
2) George Lakoff, *Women, Fire, and Dangerous Things* (Chicago: University of Chicago Press, 1987).
(レイコフ『認知意味論：言語から見た人間の心』紀伊國屋書店、1993 年)
3) Lera Boroditsky, Lauren A. Schmidt, and Webb Phillips, "Sex, Syntax, and Semantics," in *Language in Mind: Advances in the Study of Language and Thought*, eds. Dedre Gentner and Susan Goldin-Meadow (Cambridge, MA: MIT Press, 2003), 61–79.
4) Boroditsky, Schmidt, and Phillips, "Sex, Syntax, and Semantics," 61–79.
5) Webb Phillips and Lera Boroditsky, "Can Quirks of Grammar Affect the Way You Think? Grammatical Gender and Object Concepts," *Proceedings of the Annual Meeting of the Cognitive Science Society* 25, no. 25 (2003): 928–933.
6) 2 Languages 2 Worlds, "2 Languages 2 Worlds," http://2languages2worlds.wordpress.com.（2022 年 2 月 18 日閲覧）
7) United States Census Bureau, "Language Use," https://www.census.gov/topics/population/language-use.html.（2022 年 2 月 18 日閲覧）
8) National Association for Bilingual Education, "Welcome to the National Association for Bilingual Education," https://nabe.org/.（2022 年 2 月 18 日閲覧）
9) Richard Rodriguez, *Hunger of Memory: The Education of Richard Rodriguez* (New York: Bantam, 2004).
10) Jim Cummins, *Bilingualism and Special Education: Issues in Assessment and Pedagogy*

(Clevedon, UK: Multilingual Matters, 1984).

11) John U. Ogbu, "Variability in Minority Responses to Schooling: Nonimmigrants vs. Immigrants," in *Interpretive Ethnography of Education: At Home and Abroad*, ed. Louise Spindler (Hillsdale, NJ: L. Erlbaum, 1987), 255–278.

9 翻訳から見えてくるもの

1) Shigeto Tsuru and Horace S. Fries, "A Problem in Meaning," *The Journal of General Psychology* 8,no.1 (1933): 281–284, https://doi.org/10.1080/00221309.1933.9713186.

2) Sayuri Hayakawa and Viorica Marian, "Sound Symbolism in Language and the Mind:Hearing meaning in nine unknown languages," submitted for peer review, 2022.

3) Plato, *The Dialogues of Plato* (New York: Bantam Classics, 1986).

4) Klemens Knoeferle, Jixing Li, Emanuela Maggioni, and Charles Spence, "What Drives Sound Symbolism? Different Acoustic Cues Underlie Sound-Size and Sound-Shape Mappings," *Scientific Reports* 7, no. 1 (2017): 1–11, https://doi.org/10.1038/s41598-017-05965-y.

5) Edgar Allan Poe, *The Fall of the House of Usher: And Other Tales* (New York: Signet Classics, 2006).

6) "Fireflies—One Letter and One Word Poems," *Brief Poems*, https://briefpoems.wordpress.com/2015/10/31/fireflies-one-letter-and-one-word-poems/.(2022年6月1日閲覧)

7) Bob Grumman, "MNMLST POETRY:Unacclaimed but Flourishing," *Light and Dust Mobile Anthology of Poetry*, 1997, https://www.thing.net/~grist/l&d/grumman/egrumn.htm.

8) Joseph Johnson, *George MacDonald: A Biographical and Critical Appreciation* (London: Sir Isaac Pitman & Sons, Ltd., 1906).

9) Lewis Carroll, *Through the Looking-Glass* (London: Macmillan, 1872).
(キャロル『鏡の国のアリス』岩波少年文庫、2000年など)

10) Eliot Weinberger, *Nineteen Ways of Looking at Wang Wei* (New York: New Directions, 2016).

11) Friedrich Wilhelm Nietzsche, *Thus Spoke Zarathustra: A Book for All and None*, trans. Walter Arnold Kaufmann (New York: Penguin Books, 1978).
(ニーチェ『ツァラトゥストラはこう言った』講談社学術文庫、2023年など)

12) Michael Erard, *Babel No More: The Search for the World's Most Extraordinary Language Learners* (New York: Simon & Schuster, 2012).

13) Willard van Orman Quine, "Two Dogmas of Empiricism," in *Challenges to Empiricism*, ed. Harold Morick (Indianapolis: Hackett Publishing, 1980), 46–69.

14) Sayuri Hayakawa, James Bartolotti, and Viorica Marian, "Native Language

18

Similarity During Foreign Language Learning: Effects of Cognitive Strategies and Affective States," *Applied Linguistics* 42, no. 3 (2021): 514–540, https://doi.org/10.1093/applin/amaa042.

15) James Bartolotti, Viorica Marian, Scott R. Schroeder, and Anthony Shook, "Bilingualism and Inhibitory Control Influence Statistical Learning of Novel Word Forms," *Frontiers in Psychology* 2 (2011), https://doi.org/10.3389/fpsyg.2011.00324.

16) Margarita Kaushanskaya and Viorica Marian, "The Bilingual Advantage in Novel Word Learning," *Psychonomic Bulletin & Review* 16, no. 4 (2009): 705–710, https://doi.org/10.3758/PBR.16.4.705.

17) Margarita Kaushanskaya and Viorica Marian, "Bilingualism Reduces Native-Language Interference During Novel-Word Learning," *Journal of Experimental Psychology: Learning, Memory, and Cognition* 35, no. 3 (2009): 829–835, https://doi.org/10.1037/a0015275.

18) James Bartolotti and Viorica Marian, "Language Learning and Control in Monolinguals and Bilinguals," *Cognitive Science* 36, no. 6 (2012): 1129–1147, https://doi.org/10.1111/j.1551-6709.2012.01243.x.

19) Wikipedia, s.v. "Venn Diagram," https://en.wikipedia.org/wiki/Venn_diagram/. (2022 年 1 月 5 日最終編集)

20) Narges Radman, Lea Jost, Setareh Dorood, Christian Mancini, and Jean-Marie Annoni, "Language Distance Modulates Cognitive Control in Bilinguals," *Scientific Reports* 11, no.1, 24131 (2021), https://doi.org/10.1038/s41598-021-02973-x.

10 心のコード

1) Nico Grant and Cade Metz, "Google Sidelines Engineer Who Claims Its A.I. Is Sentient," *New York Times*, June 12, 2022, https://www.nytimes.com/2022/06/12/technology/google-chatbot-ai-blake-lemoine.html.

2) Saad D. Abulhab, "Cuneiform and the Rise of Early Alphabets in the Greater Arabian Peninsula: A Visual Investigation" (New York: CUNY Academic Works, 2018), https://academicworks.cuny.edu/cgi/viewcontent.cgi?article=1257&context=jj_pubs/.

3) Leo N. Tolstoy, *Polnoe Sobranie Sochinenii* (Complete Collected Works), vol. 8 (Moscow: Jubilee, 1936), 70.

4) Kornei Chukovsky, *From Two to Five* (Berkeley: University of California Press, 1963). (チュコフスキー『2歳から5歳まで』理論社、1996 年など)

5) Klint Finley, "Hogwarts for Hackers: Inside the Science and Tech School of Tomorrow," *WIRED*, May 31, 2013, https://www.wired.com/2013/05/hogwarts-for-hackers/.

6) Csilla Kiss and Marianne Nikolov, "Developing, Piloting, and Validating an

Instrument to Measure Young Learners' Aptitude," *Language Learning* 55, no. 1 (2005): 99–150, https://doi.org/10.1111/j.0023-8333.2005.00291.x.

7) Jean Berko, "The Child's Learning of English Morphology," *Word* 14, no. 2–3 (1958): 150–177, https://doi.org/10.1080/00437956.1958.11659661.

8) James Bartolotti, Viorica Marian, Scott R. Schroeder, and Anthony Shook, "Statistical Learning of a Morse Code Language Is Improved by Bilingualism and Inhibitory Ability," *Proceedings of the Annual Meeting of the Cognitive Science Society* 33 (2011): 885–890.

9) James Bartolotti and Viorica Marian, "Language Learning and Control in Monolinguals and Bilinguals," *Cognitive Science* 36, no. 6 (2012): 1129–1147, https://doi.org/10.1111/j.1551-6709.2012.01243.x.

10) Scarlett R. Howard, Aurore Avarguès-Weber, Jair E. Garcia, Andrew D. Greentree, and Adrian G. Dyer, "Numerical Ordering of Zero in Honey Bees," *Science* 360, no. 6393 (2018): 1124–1126, https://doi.org/10.1126/science.aar4975.

11) Karl Von Frisch, *Bees: Their Vision, Chemical Senses, and Language* (Ithaca, NY: Cornell University Press, 2014).

12) Peter Marler and Donald R.Griffin, "The 1973 Nobel Prize for Physiology or Medicine," *Science* 182, no. 4111 (1973): 464–466, https://doi.org/10.1126/science.182.4111.464.

13) Gary J. Rose, "The Numerical Abilities of Anurans and Their Neural Correlates: Insights from Neuroethological Studies of Acoustic Communication," *Philosophical Transactions of the Royal Society B: Biological Sciences* 373, no. 1740 (2018): 20160512, https://doi.org/10.1098/rstb.2016.0512.

14) Stanislas Dehaene, *The Number Sense: How the Mind Creates Mathematics* (New York: Oxford University Press, 2011).

15) Nick Ellis, "Linguistic Relativity Revisited: The Bilingual Word-Length Effect in Working Memory During Counting, Remembering Numbers, and Mental Calculation," in *Cognitive Processing in Bilinguals*, ed. R. J. Harris (Amsterdam: North-Holland, 1992), 137–155.

16) Stanislas Dehaene, Elizabeth Spelke, Philippe Pinel, Ruxanda Stanescu, and Sanna Tsivkin, "Sources of Mathematical Thinking: Behavioral and Brain-Imaging Evidence," *Science* 284, no. 5416 (1999): 970–974, https://doi.org/10.1126/science.284.5416.970.

17) Elena Salillas and Nicole Y. Y. Wicha, "Early Learning Shapes the Memory Networks for Arithmetic: Evidence from Brain Potentials in Bilinguals," *Psychological Science* 23, no. 7 (2012): 745–755, https://doi.org/10.1177/0956797612446347.

18) Andrea Stocco and Chantel S. Prat, "Bilingualism Trains Specific Brain Circuits Involved in Flexible Rule Selection and Application," *Brain and Language* 137

20

(2014): 50–61, https://doi.org/10.1016/j.bandl.2014.07.005.

19) Marie Amalric and Stanislas Dehaene, "Origins of the Brain Networks for Advanced Mathematics in Expert Mathematicians," *Proceedings of the National Academy of Sciences* 113, no. 18 (2016): 4909–4917, https://doi.org/10.1073/pnas.1603205113.

20) Wikipedia, s.v. "Permutation," https://en.wikipedia.org/wiki/Permutation/. (2022 年 3 月 20 日最終編集)

11 科学とテクノロジーの未来

1) Ahana A. Fernandez, Lara S. Burchardt, Martina Nagy, and Mirjam Knörnschild, "Babbling in a Vocal Learning Bat Resembles Human Infant Babbling," *Science* 373, no. 6557 (2021): 923–926, https://www.science.org/doi/10.1126/science.abf9279.

2) Bert Hölldobler, "Communication Between Ants and Their Guests," *Scientific American* 224,no.3 (1971): 86–93, https://doi.org/10.1038/scientificamerican0371-86

3) Zhanna Reznikova and Boris Ryabko, "Analysis of the Language of Ants by Information-Theoretical Methods," *Problemy Peredachi Informatsii* 22, no. 3 (1986): 103–108.

4) Andrew Adamatzky, "Language of Fungi Derived from Their Electrical Spiking Activity," *Royal Society Open Science* 9,no.4 (2022), https://doi.org/10.1098/rsos.211926.

5) Linda Geddes, "Mushrooms Communicate with Each Other Using up to 50 'Words,' Scientist Claims," *The Guardian*, April 6, 2022.

6) Alison J. Barker, Grigorii Veviurko, Nigel C. Bennett, Daniel W. Hart, Lina Mograby, and Gary R. Lewin, "Cultural Transmission of Vocal Dialect in the Naked Mole-Rat," *Science* 371, no. 6528 (2021): 503–507, https://doi.org/10.1126/science.abc6588.

7) Jihun Lee, Vincent Leung, Ah-Hyoung Lee, Jiannan Huang, Peter Asbeck, Patrick P. Mercier, Stephen Shellhammer, Lawrence Larson, Farah Laiwalla, and Arto Nurmikko, "Neural Recording and Stimulation Using Wireless Networks of Microimplants," *Nature Electronics* 4, no. 8 (2021): 604–614, https://doi.org/10.1038/s41928-021-00631-8.

8) Emily Mullin, " 'Neurograins' Could Be the Next Brain-Computer Interfaces," *WIRED*, September 13, 2021, https://www.wired.com/story/neurograins-could-be-the-next-brain-computer-interfaces/.

9) Steven Gulie, "A Shock to the System," *WIRED*, March 1, 2007, https://www.wired.com/2007/03/brainsurgery.

10) Francis R. Willett, Donald T. Avansino, Leigh R. Hochberg, Jaimie M.

Henderson, and Krishna V. Shenoy, "High-Performance Brain-to-Text Communication Via Handwriting," *Nature* 593, no. 7858 (2021): 249–254, https://doi.org/10.1038/s41586-021-03506-2.
マルセル・プルースト『失われた時を求めて』

11) Arielle Pardes, "Elon Musk Is About to Show Off His Neuralink Brain Implant," *WIRED*, August 28, 2020, https://www.wired.com/story/elon-musk-neuralink-brain-implant-v2-demo.

12) Isaac Asimov and Jason Shulman, eds., *Isaac Asimov's Book of Science and Nature Quotations* (London: Weidenfeld & Nicolson, 1988).

13) Immanuel Kant, *Critique of Practical Reason*, trans. Lewis White Beck (London: Liberal Arts Press, 1985).
(カント『実践理性批判』岩波文庫、1979年など)

14) Carl Sagan, *The Demon-Haunted World: Science as a Candle in the Dark* (New York: Random House, 2011).
(セーガン『悪霊にさいなまれる世界:「知の闇を照らす灯」としての科学』ハヤカワ・ノンフィクション文庫、2009年など)

15) Benjamin F. Jones and Lawrence H. Summers, "A Calculation of the Social Returns to Innovation," in *Innovation and Public Policy*, eds. Austan Goolsbee and Benjamin F. Jones (Chicago: University of Chicago Press, 2020).

16) Benjamin F. Jones, "Science and Innovation: The Under-Fueled Engine of Prosperity," in *Rebuilding the Post-Pandemic Economy,* eds. Melissa S. Kearney and Amy Ganz (Washington, DC: Aspen Institute Press, 2021).

17) Jones, "Science and innovation:The Under-Fueled Engine of Prosperity."

18) David Leonhardt, "A Closer Look at Income Mobility," *New York Times*, May 14, 2005, https://www.nytimes.com/2005/05/14/national/class/a-closer-look-at-income-mobility.html.

19) Umberto Eco, *Kant and the Platypus: Essays on Language and Cognition*, trans. Alastair McEwan (New York: Harcourt Brace, 2000).
(エーコ『カントとカモノハシ』岩波書店、2003年)

20) Jordan D. Dworkin, Kristin A. Linn, Erin G. Teich, Perry Zurn, Russell T. Shinohara, and Danielle S. Bassett, "The Extent and Drivers of Gender Imbalance in Neuroscience Reference Lists," *Nature Neuroscience* 23, no. 8 (2020): 918–926, https://doi.org/10.1038/s41593-020-0658-y.

21) Simon Bradley, "Languages Generate One Tenth of Swiss GDP," Swissinfo.ch, November 20, 2008, https://www.swissinfo.ch/eng/languages-generate-one-tenth-of-swiss-gdp/7050488/.

22) European Commission, "ELAN: Effects on the European Economy of Shortages of Foreign Languages Skills in Enterprise," CiLT, the National Centre for Languages (2006), https://ec.europa.eu/assets/eac/languages/policy/strategic-

22

framework/documents/elan_en.pdf.
23) James Foreman-Peck and Yi Wang, "The Costs to the UK of Language Deficiencies as a Barrier to UK Engagement in Exporting," UK Trade and Investment, May 9, 2014, https://www.gov.uk/government/publications/the-costs-to-the-uk-of-language-deficiencies-as-a-barrier-to-uk-engagement-in-exporting.
24) Judith F. Kroll and Paola E. Dussias, "The Benefits of Multilingualism to the Personal and Professional Development of Residents of the US," *Foreign Language Annals* 50, no. 2 (2017): 248–259, https://doi.org/10.1111/flan.12271.
25) Viorica Marian, Tuan Q. Lam, Sayuri Hayakawa, and Sumitrajit Dhar, "Spontaneous Otoacoustic Emissions Reveal an Efficient Auditory Efferent Network," *Journal of Speech, Language, and Hearing Research* 61, no. 11 (2018): 2827–2832, https://doi.org/10.1044/2018_JSLHR-H-18-0025.
26) Viorica Marian, Tuan Q. Lam, Sayuri Hayakawa, and Sumitrajit Dhar, "Top-Down Cognitive and Linguistic Influences on the Suppression of Spontaneous Otoacoustic Emissions," *Frontiers in Neuroscience* 12, no. 378 (2018), https://doi.org/10.3389/fnins.2018.00378.
27) Krista Byers-Heinlein, Alena G. Esposito, Adam Winsler, Viorica Marian, Dina C. Castro, Gigi Luk, Benjamin Brown, and Jasmine DeJesus, "The Case for Measuring and Reporting Bilingualism in Developmental Research," *Collabra: Psychology* 5, no. 1 (2019), http://doi.org/10.1525/collabra.233.
28) Marc D. Hauser, Noam Chomsky, and W. Tecumseh Fitch, "The Faculty of Language: What Is It, Who Has It, and How Did It Evolve?" *Science* 298, no. 5598 (2002): 1569–1579, https://doi.org/10.1126/science.298.5598.1569.

おわりに——あるいは、よい旅を！

1) Ludmila Isurin and Christy Seidel, "Traces of Memory for a Lost Childhood Language: The Savings Paradigm Expanded," *Language Learning* 65, no. 4 (2015): 761–790, https://doi.org/10.1111/lang.12133.
2) Howard Gardner, *Frames of Mind: The Theory of Multiple Intelligences* (New York: Basic Books, 1983).
3) Howard Gardner, *Intelligence Reframed: Multiple Intelligences for the 21st Century* (New York: Basic Books, 1999).
(ガードナー『MI：個性を生かす多重知能の理論』新曜社、2001年)
4) Richard J. Herrnstein and Charles Murray, *The Bell Curve:Intelligence and Class structure in American Life* (New York: Free Press, 1994).
5) Christopher Davis, "In Florida, It Pays to Be Bilingual, University of Florida Study Finds," University of Florida, January 31, 2000, https://news.ufl.edu/archive/2000/01/in-florida-it-pays-to-be-bilingual-university-of-florida-study-

finds.html.

6) Joshua K. Hartshorne, Joshua B. Tenenbaum, and Steven Pinker, "A Critical Period for Second Language Acquisition: Evidence from ⅔ Million English Speakers," *Cognition* 177 (2018): 263–277, https://doi.org/10.1016/j.cognition.2018.04.007.

7) Frans van der Slik, Job Schepens, Theo Bongaerts, and Roeland van Hout, "Critical Period Claim Revisited: Reanalysis of Hartshorne, Tenenbaum, and Pinker (2018) Suggests Steady Decline and Learner-Type Differences," *Language Learning* 72, no. 1 (2021): 87–112, https://doi.org/10.1111/lang.12470.

8) U.S. Department of State, "Foreign Language Training," https://www.state.gov/foreign-language-training/.（2022年6月22日閲覧）

9) Andrea Takahesu Tabori, Dennis Wu, and Judith F. Kroll, "Second Language Immersion Suppresses the Native Language: Evidence from Learners Studying Abroad," *Proceedings of the International Symposium on Bilingualism* (2019): 90.

10) Margot D. Sullivan, Monika Janus, Sylvain Moreno, Lori Astheimer, and Ellen Bialystok, "Early Stage Second-Language Learning Improves Executive Control: Evidence from ERP," *Brain and Language* 139 (2014): 84–98, https://doi.org/10.1016/j.bandl.2014.10.004.

11) Thomas H. Bak, Madeleine R. Long, Mariana Vega-Mendoza, and Antonella Sorace, "Novelty, Challenge, and Practice: The Impact of Intensive Language Learning on Attentional Functions," *PloS ONE* 11, no. 4 (2016): e0153485, https://doi.org/10.1371/journal.pone.0153485.

12) Johan Mårtensson, Johan Eriksson, Nils Christian Bodammer, Magnus Lindgren, Mikael Johansson, Lars Nyberg, and Martin Lövdén, "Growth of Language-Related Brain Areas After Foreign Language Learning," *NeuroImage* 63, no. 1 (2012): 240–244, https://doi.org/10.1016/j.neuroimage.2012.06.043.

13) Jed A. Meltzer, Mira Kates Rose, Anna Y. Le, Kiah A. Spencer, Leora Goldstein, Alina Gubanova, Abbie C. Lai, Maryam Yossofzai, Sabrina E. M. Armstrong, and Ellen Bialystok, "Improvement in Executive Function for Older Adults Through Smartphone Apps: A Randomized Clinical Trial Comparing Language Learning and Brain Training," *Aging, Neuropsychology, and Cognition* 30,no.2 (2021): 150-171, https://doi.org/10.1080/13825585.2021.1991262.

14) Viorica Marian and Anthony Shook, "The Cognitive Benefits of Being Bilingual," *Cerebrum*, October 31, 2012, https://www.ncbi.nlm.nih.gov/pmc/articles/PMC3583091/.

15) Samantha P. Fan, Zoe Liberman, Boaz Keysar, and Katherine D. Kinzler, "The Exposure Advantage: Early Exposure to a Multilingual Environment Promotes Effective Communication," *Psychological Science* 26, no. 7 (2015): 1090–1097, https://doi.org/10.1177/0956797615574699.

※本書の情報は原書執筆時点のものです。

► 図版クレジット

P26　Boggle ボード : Hasbro, Inc.

P29　家庭内で英語以外の言語を話す世帯の割合 : Dr. Ashley Chung-Fat-Yim and Dr. Viorica Marian, based on the American Community Survey, “Language Spoken at Home（S1601）,” by the United States Census Bureau, 2018, https://data.census.gov/cedsci/table?q=language&tid= ACSST5Y2020.S1601.

P47　ロシア語と英語の同時活性化 : Dr. Ashley Chung-Fat-Yim.

P49　同一言語内、および他言語間における干渉 : Matias Fernandez- Duque.

P53　「POT」という単語から連想されるさまざまな単語 : Dr. Viorica Marian and Dr. Ashley Chung-Fat-Yim.

P57　アメリカ手話の実験 : Dr. Ashley Chung-Fat-Yim.

P59　「ハエ」を探す視覚タスク : Dr. Ashley Chung-Fat-Yim.

P67　２つのものの間にある意味のつながりに関する実験 : Siqi Ning.

P70　（上）２つのものに見える絵 : Dr. Ellen Bialystok.

P70　（下）「２つのものに見える絵」タスクの結果 : Dr. Ellen Bialystok.

P96　fMRI 検査を行う著者 : Dr. Viorica Marian.

P128　（上）魚を使ったフランカー課題 : Siqi Ning.

P128　（下）フランカー課題の回答速度 : Dr. Ashley Chung-Fat-Yim based on data from Yang, Yang, and Lust, “Early Childhood Bilingualism Leads to Advances in Executive Attention: Dissociating Culture and Language,” *Bilingualism: Language and Cognition* 14, no. 3（2011）: 412–422, https://doi.org/10.1017/S1366728910000611.

P238　ヨーロッパにおける３つかそれ以上の言語を学ぶ生徒の割合 : Dr. Ashley Chung-Fat-Yim and Dr. Viorica Marian, based on “Pupils by Education Level and Number of Foreign Languages Studied,” Eurostat, 2019, https://ec.europa.eu/eurostat/databrowser/view/EDUC_UOE_LANG02__custom_1291971/bookmark/table?lang=en&bookmarkId=cd6aa898-24d5-476c-92d6-3e14047c93c8.

P251　ブーバとキキ : Wolfgang Köhler.

P255　山が１つ多い「m」の詩 : Aram Saroyan, Complete Minimal Poems（2ND Edition）（Brooklyn: Ugly Duckling Presse, 2014）.

P272　ギリシャ文字、ラテン文字、キリル文字で共通するアルファベットを示すベン図 : Tilman Piesk.

P303　３つの指輪 : Dr. Viorica Marian.

ビオリカ・マリアン（Viorica Marian）

ノースウェスタン大学ラルフとジーン・サンディン寄付基金教授。コミュニケーション科学と障害学部、および心理学部の教壇に立つ。2000年から同大学の「バイリンガリズムと心理言語学研究室」で主任を務める。母語はルーマニア語で、ロシア語はほぼ母語と同等に話し、英語も堪能。アメリカ手話、広東語、オランダ語、フランス語、ドイツ語、日本語、マンダリン、ポーランド語、スペイン語、タイ語、ウクライナ語など、さまざまな言語の研究に携わってきた。アメリカ国立衛生研究所、アメリカ国立科学財団、ノースウェスタン大学、その他民間財団の援助を受け、バイリンガルの言語処理の構造と、複数の言語を話すことが認知機能、発達、脳に与える影響に関する研究を行っている。

今井 むつみ（いまい　むつみ）

慶應義塾大学環境情報学部教授。1989年慶應義塾大学大学院博士課程単位取得退学。94年ノースウェスタン大学心理学部Ph.D.取得。専門は認知科学、言語心理学、発達心理学。主な著書に『ことばと思考』『学びとは何か―〈探究人〉になるために』『英語独習法』（すべて岩波新書）、『ことばの発達の謎を解く』（ちくまプリマー新書）など。共著に『言語の本質―ことばはどう生まれ、進化したか』（中公新書）、『言葉をおぼえるしくみ―母語から外国語まで』（ちくま学芸文庫）、『算数文章題が解けない子どもたち』（岩波書店）などがある。

桜田 直美（さくらだ　なおみ）

翻訳家。早稲田大学第一文学部卒。訳書に、『アメリカの高校生が学んでいるお金の教科書』『アメリカの高校生が学んでいる投資の教科書』（共に、SBクリエイティブ）、『ロングゲーム 今、自分にとっていちばん意味のあることをするために』（ディスカヴァー・トゥエンティワン）、『「科学的」に頭をよくする方法』（かんき出版）、『世界最高のリーダーシップ「個の力」を最大化し、組織を成功に向かわせる技術』（PHP研究所）、『The Number Bias 数字を見たときにぜひ考えてほしいこと』（サンマーク出版）などがある。

言語《げんご》の力《ちから》
「思考《しこう》・価値観《かちかん》・感情《かんじょう》」なぜ新《あたら》しい言語《げんご》を持《も》つと世界《せかい》が変《か》わるのか?

2023年12月21日　初版発行
2024年4月30日　3版発行

著者　ビオリカ・マリアン
監訳・解説　今井《いまい》　むつみ
訳　桜田《さくらだ》　直美《なおみ》

発行者／山下 直久

発行／株式会社KADOKAWA
〒102-8177　東京都千代田区富士見2-13-3
電話　0570-002-301(ナビダイヤル)

印刷所／大日本印刷株式会社
製本所／大日本印刷株式会社

●お問い合わせ
https://www.kadokawa.co.jp/（「お問い合わせ」へお進みください）
※内容によっては、お答えできない場合があります。
※サポートは日本国内のみとさせていただきます。
※Japanese text only

定価はカバーに表示してあります。

ISBN 978-4-04-606377-9　C0030